HÖSTOFFER

Anmäl dig till Pocketförlagets nyhetsbrev
nyhetsbrev@pocketforlaget.se
eller besök
www.pocketforlaget.se

HÖSTOFFER

MONS KALLENTOFT

Pocketförlaget

www.pocketforlaget.se
redaktion@pocketforlaget.se

© Mons Kallentoft 2009

Svensk utgåva enligt
avtal med Nordin Agency AB.

Pocketförlaget ägs av Piratförlaget, Företagslitteratur
och Läsförlaget

Omslag: Niklas Lindblad, Mystical Garden Design
Omslagsbild: Eva Lindblad, 1001bild.se

Tryck: Norhaven A/S 2010

ISBN: 978-91-86067-61-8

Prolog

Är pojken på filmen rädd? Han som springer från kameran i en värld utan himmel.

Är rädsla vad vi känner när vi är på väg att förlora något som har betydelse för våra liv?

Eller var det rädsla jag kände när jag sprang? När de jagade mig över skolgården, kastade sina glödande spikklot efter mig, sina huggormsord?

Jag var rädd för ilskan, för slagen, som kom utan att jag förstod varför. Var slagen mig givna? Varför väckte jag sådan ilska?

Mest rädd har jag alltid varit för ensamheten. Den som finns bortom slagen, glåporden. Ändå har jag varit ensam nästan hela mitt liv. Det känns som om jag stått för mig själv på ett regnigt öde fält och väntat på att någon jag saknar ska komma till mig.

Himlen har öppnat sig den här hösten.

Regnet har plågat staden och fälten och skogarna, människorna. Det har regnat på alla sätt som molnen kunnat komma på.

Kloakerna har blivit överfulla flera gånger. Översvämmade gatubrunnar där döda skalbaggar och dränkta möss flutit upp i rännstenarna och ut på Linköpings gator. Råttor stora som kattor, med svullna ruttnande vita magar. Alla borgares skräck. Ormungar som kvider efter luft, vill få ömsa skinn åtminstone en gång innan de dränks, vill leva som orm innan ormlivet tar slut.

Vem vet vad mer som kan flyta upp ur underjorden?

Vi människor är som hundar. Vi kan vara som mest ensamma i varandras sällskap. Men vi är räddare än vad hundarna är, för vi vet

5

att smärtan har en historia, känner igen smärtan när den närmar sig oss.

Ormungarna finns i mitt blod och vägrar sluta gny, vägrar att lämna mig ifred.

De väser, ormarna.

Spottar. Deras tungor fladdrar innanför min hud.

Världen utanför är ännu mörkare än på bilderna här i kväll.

Regndropparna är tunga drömmar på en motvillig fönsterruta.

Vad ska jag göra?

Jag ska bara ta tillbaka en del av det som är mitt.

Jag minns far.

Men det jag minns bäst är rädslan. Hur han när som helst kunde slå, hur han sökte min kropp med en knuten hand.

Min far brukade bära kameran med ena handen, hålla den tätt intill sitt högra öga och vifta med den fria handen i luften, försöka styra mig än hit än dit, hans tröstlösa försök att lägga verkligheten till rätta, få den dit han ville, få den att bli som han vill.

Men något går alltid förlorat.

Och går aldrig mer att återfå.

Jag vet vad rädsla är nu. Känslan av att detta är allt som blir, allt som blev. Att det aldrig blev någon skillnad.

Bilderna på filmduken uppspänd i vardagsrummet. Det är skakiga super-åtta-bilder, i blekta, nästan svartvita färger. Jag, pojken, ljudlös och hackig, som om bara den enögda kameran kan fånga min oro.

Jag såg mitt liv bli till på bilderna. Jag ser samma sak ske nu.

Bara, kalla fötter som trummar över daggvått gräs och kallt grus, en boll som sparkas högt upp i luften, en krum kropp som snubblar fram i en sandlåda.

Så tar bitterheten över. Skammen. Den besegrades nersjunkna axlar blir en människas sanna hållning. Och sådant går i arv.

Ibland har jag velat gå rakt på ondskans hjärta. Stått vid hans hus, under träden, och väntat.

Vad vill pojken som är jag på bilderna? Vad tror han i sitt eviga nu?

Tror han att skrattet är livet? Jagandet?

Mamma måste hålla i kameran nu. Jag är i pappas tobaksdoftande famn, hans armar är täckta av grå ull och i bakgrunden lyser en julgran svartvit. Jag gråter. Hela mitt tvååringsansikte är förtvivlan, jag själv reducerad till kanske tre känslor; sorg och panik och så den förbannade rädslan.

Vad tänker den pojken? Han med svullna röda kinder.

Jag får en puss på pannan.

Far hade skägg då, som modet påbjöd, och mamma ser rolig ut i sin korta kjol och nu är jag glad igen, för några korta sekunder är jag glädje.

Det finns en möjlighet i skogen. Sönderhackad av sylvasst kallt regn och giftig grå vind. Ett tillfälle att återupprätta mig själv, den människa jag har rätt att vara, den vars liv är en räcka av svartvita vackra otäcka rörliga bilder i parfymdoftande vita kuvert.

Projektorn väser bakom mig, hackar, mina axlar och mitt huvud skuggar väggen i kanten av bilderna som om jag vill kliva in i dem, vara den pojken på nytt. Återupprätta den han kunde ha blivit.

Vart tog kärleken vägen? Tobaksdoften. Jag gick till dig far, trots att du slog. Jag gick till dig för att det var allt jag visste.

Det måste gå att bottna i en annan människas mjukhet, det måste vara så.

Pappa och jag i en park. Han vänder sig ifrån mig när jag ramlar. Mamma vänder kameran bort från mig, rätt in i hans ansikte och han grimaserar. Eller är det så han ser ut?

Det finns ingen kärlek i hans ansikte.

Bara äckel.

Så är filmen slut.

Allting blinkar. Svart vitt, svart vitt, hack, hack.

Jag minns pojken på bilderna.

Vet vad han skulle ha kunnat vara kapabel till.

Vet vad den här natten har i sitt variga sköte. Vet att ormungarna måste ut, ut ur mig, att deras onda ansikten måste utplånas.

Jag kan återerövra mig själv genom våldet.

Del 1.

Den kvardröjande kärleken

1.

Torsdag den tjugotredje oktober

Långsamt, långsamt in i natten.

Bara gasa lite grann så inget går åt helvete.

Händerna skakar på ratten, det är svart utanför bilens rutor, och vått, stormen får regnet att röra sig horisontalt genom atmosfären och stora droppar blandas med mikroskopiska, vindrutan full av svarta tårar inga torkare mäktar med.

Malin Fors känner hjärtat slå i bröstet, ser det framför sig, lika svart och levrigt och kämpande som natten utanför. Hon kör fortfarande på skogsvägen och trädens kala grenar griper efter bilen som ett förhistoriskt odjurs vresiga tentakler.

Malin släpper ratten med ena handen, sänker farten, torkar ur ögonen, intalar sig själv att det bara är regn på kinderna.

Inget annat.

Hon drar i sig bilens instängda luft och känner sig illamående.

Det smattrar mot den vita tjänstevolvons plåttak. Små vita kulor faller från luften i svärmar. Det dånar snart och haglen som hamrar mot taket måste vara knytnävsstora, de överröstar motorn, verkar skrika åt henne: Nu har du gjort ditt val, nu finns ingen återvändo, nu har du givit upp, Malin Fors!

Hennes kropp skakar.

Jannes ansikte dansar framför vindrutan, Toves.

Malins dotters femtonåringsansikte är skrämmande blankt och dess konturer och former går in och ut ur den mörka höstnatten, och om Tove försöker säga något så försvinner hennes röst i ljuden från haglen som plågar taket.

Så tystnar de.

Bara motorn hörs, och försiktiga droppar mot vindrutan, inte fler än att vindrutetorkarna orkar med.

Malins kläder är våta mot kroppen.

Ljusen från motorvägen in mot Linköping, hon anar dem nu, vibrerande fyrar i natten, och de kommer närmare och hon ökar farten, tänker: Nu ger jag fan i det här, kan inte komma fort nog härifrån, och hon ser Jannes ansikte framför sig: han är inte arg, inte ledsen, bara trött och det skrämmer henne.

Det var en vacker tanke: Denna att de, hon, Janne och Tove, är varandras människor och att de måste kunna leva med den gåvan.

Hon och Tove hade flyttat tillbaka till Janne och huset utanför Malmslätt på sensommaren förra hösten. Mer än decenniet efter skilsmässan skulle de försöka igen, de kände sig tvungna till det efter den galna, heta sommaren som nära på kostade Tove livet, när hon kidnappades av en mördare Malin jagade.

Malin hade suttit i trädgården till huset i september, huset där de bott tillsammans för länge sedan, och hon hade sett på Tove och Janne när de hade arbetat med att rensa ogräs och kratta löv borta vid bilvraken. Hon hade sett på dem och trott att det faktiskt gick att börja om, att skapa en ny värld bara viljan och grunden fanns.

De hade lekt leken väl till en början. Inte arbeta för mycket, laga mat tillsammans, äta, äta, älska, älska, försöka prata, försöka få någonting sagt som faktiskt kunde betyda någonting.

Så hade den verkliga hösten kommit.

De hade gått tillsammans med Tove till psykologen på Barnpsyk på Universitetssjukhuset. Tove hade vägrat att prata med henne, sagt att det inget fanns att prata om, sagt: »Mamma, jag är inte rädd. Jag klarade mig. Det gick bra. Det var inte ditt fel.»

»Det var ingens fel.»

Men Malin visste att skulden var hennes, Tove hade dragits in i fallet förra sommaren och om det som hände inte var Malins fel, vems fel var det då? Om det inte vore för hennes arbete som polis hade det aldrig hänt.

»Människor gör konstiga saker, mamma.»

Malin önskade ofta att hon kunde vara lika rationell och pragmatisk som sin dotter, ha lika lätt att finna sig i sakernas tillstånd: Tove, till synes oberörbar.

Bilvraken på tomten. Tandkrämstuber utan lock. Banala mjölk-paket upprivna på fel sätt. Ord utslängda i rum och som studsar tillbaka obesvarade och ohörda. Takpannor som ska bytas. Mat som ska inhandlas med bil på vedervärdiga stormarknader. Skuld och ånger som ska suddas ut med vardagliga sysslor och en fåfäng önskan om att ha blivit klokare med åren. Hon hade känt igen ir-ritationen när den hade kommit smygande i novembers början: båg-filen mot själen, huggen, kärlekens milda men grymma förakt och i drömmarna kom den lille pojken tillbaka, och hon hade velat prata med Janne om honom, vem han kunde vara, vem han var. Hon hade legat bredvid Janne i sängen, vetat att han var vaken, men inga ord ville formas av hennes förlamade tunga.

Lägenheten inne i stan hade varit uthyrd till studenter. Hon hade suttit kvar på polishuset till långt inpå kvällarna, Janne hade sett till att ha pass på brandstationen när hon var ledig, hon hade vetat det, förstått det och hon hade inte kunnat klandra honom.

Hon hade börjat rota i fallet med Maria Murvall på sig egen tid. Hon ville lösa den gåtan, hitta svaret på frågan vad som hänt den unga kvinna som hittats våldtagen och irrandes på en väg i skogarna kring Hultsjön och som nu satt stum och okontaktbar i ett rum på Vadstena sjukhus.

Jannes tålmodighet med hennes ilska.

Den gjorde henne ännu argare.

»Gör vad du vill, Malin. Vad du måste.»

»Du kan väl för helvete ha en åsikt om vad jag ska göra.»

»Du kanske skulle koppla av från jobbet när du är hemma hos oss?»

»Janne. Säg aldrig, aldrig åt mig vad jag ska göra.»

Och så kom julafton, det hade varit något med skinkan, om de skulle ha söt eller skarp senap till griljeringen och Janne tog skarp när hon hade svarat: »vilken som», utan att ha lyssnat på hans fråga och hur hon sedan hade blivit arg för att han inte ens »vet en så jävla enkel sak som att det ska vara söt senap till griljeringen på en julskinka.»

Han hade skrikit åt henne.

Att skärpa sig. Att försöka vara lite jävla trevlig och normal, annars kunde hon ta sitt pick och pack och dra till den satans lägenheten. Han hade skrikit att hon kunde dra åt helvete, att det här var en idiotisk idé från första början, att han hade fått en förfrågan om att åka till Sudan efter nyår med Räddningsverket och att han jävlar i mig skulle tacka ja bara för att slippa ifrån hennes jävla elakheter och humör.

»Fan, du är sjuk, Malin, fattar du det?»

Hon hade hållit glaset med tequila och Cola mot honom.

»Jag är inte så efterbliven att jag förstör någon jävla skinka i alla fall.»

Tove hade suttit några meter ifrån dem, vid köksbordet, hennes händer hade vilat på den röda bomullsduken, vid sidan av en nygjord skinkpinne och rött porslin nyligen inhandlat på Åhléns.

Janne hade tystnat.

Malin hade velat skrika något tillbaka, men istället hade hon sett på Tove.

Hennes blå ögon stora, uppspärrade, liksom ängsligt riktande en enda fråga rakt ut i det glöggdoftande rummet:

Är det så här det är att älska någon?

Rädda mig i så fall från kärleken.

Malin kan ana att himlen blir ljusare där staden börjar.

Inte mycket trafik.

Hon undrar om hon har något torrt att byta till hemma i lägenheten, men vet att hon inte har det, kanske något i någon låda på vinden, men alla andra kläder är i huset hos Janne.

En svart bil far förbi henne, omöjligt att se vilket märke i dimman, men föraren har bråttom, körde nära på dubbelt så fort som hon själv.

Regn igen nu och nyfallna orange och gulskinande löv fladdrar framför rutan, dansar sprakande framför henne som eldflugor sprungna ur djävulens egen eld, en härd som viskar, frammanar ondskan ur staden och landskapet: Kom fram nu, illvilja och jävelskap, kom fram ur era kalla översvämmade hålor, visa hur er kärlekslösa värld ser ut.

Jannes jävla ursäkter finns i de ljuden och inom henne.

Aldrig en sådan jul som den förra igen. Det hade hon lovat sig själv.

»Jag måste åka.»

De hade pratat om det igen på juldagen, Malin bakfull och hon hade inte orkat hålla emot, bara varit stillsamt arg och ledsen över att allt än en gång verkade bli som det alltid blivit.

»Jag behövs där. Jag kan inte leva med mig själv om jag tackar nej. De behöver min erfarenhet för att snabbt få latrinerna i flyktinglägret på plats, och om det inte sker kommer tusentals människor att dö som flugor. Har du sett ett barn dö i kolera någon gång, Malin? Har du det?»

Hon hade velat slå honom på käften redan då.

De hade älskat sista gången med varandra natten innan han åkte. Hårt och utan värme och hon hade fått känslan av Daniel Högfeldts hårda kropp över sig, journalisten som hon haft sex med ibland, och hon hade rivit Janne på ryggen, bitit honom i bröstet och känt den metalliska smaken av hans blod och han hade låtit henne hållas, verkat tycka om att plågas av hennes ilska.

Det var kött i henne den natten. Hårt erigerat kött.

Och Janne hade kommit hem efter en månad, hon själv djupt engagerad i sitt arbete med fallet Maria Murvall, hon hade tillbringat helgerna med att intervjua kollegorna vid Motalapolisen som jobbat med fallet.

Tove hade existerat vid sidan av dem. Det hade fått ske.

»Hon är aldrig hemma. Har du märkt det?» hade Janne frågat en kväll i april när de båda hade varit lediga samtidigt och Tove varit inne i stan på bio.

Malin hade inte märkt det, hur skulle hon kunna ha märkt det, när hon aldrig var hemma själv?

De hade pratat om att ha ett familjeråd.

Om att ändå försöka med familjeterapi och flera gånger hade Malin stått med telefonen i hand, velat ringa psykoanalytiker Viveka Crafoord som erbjudit henne gratis sessioner.

Men tungan hade som varit förlamad.

På våren hade Malin sett dem arbeta i trädgården igen, tillsammans far och dotter, hon själv bara närvarande fysiskt, själen intagen av ett komplicerat hedersmordfall.

»Hur i helvete kan en far låta sin son döda hans dotter. Janne, kan du säga mig det?»

»Nu dricker du inte mer tequila ikväll.»

»Jag hatar när du förmanar mig. Det låter som om jag tillhör dig då.»

Linköping är omslutet av iskallt regn.

Vad är staden där ute egentligen, annat än en puppa för människors drömmar? Sida vid sida stretar invånarna i rikets femte stad framåt i sina liv. De ser på varandra. Dömer varandra. Försöker älska varandra bortom sina fördomar. Människorna i Linköping vill väl, tänker Malin. Men när mångas tillvaro består av en ständig oro för att få behålla jobbet och att få pengarna att räcka till slutet av månaden och några få lever i överflöd räcker inte alltid solidariteten till. Stadens invånare lever sida vid sida, bara tunna geografiska linjer skiljer dem åt. Du kan skrika till miljonprogramsområdena från de tjusiga villahägnen, ropa tillbaka från de slitna balkongerna.

Hösten är förruttnelsens tid, tänker Malin. Hela världen är skämd, väntar på att få inneslutas i vinterns köld. Samtidigt är höstens färg lågornas, men det är en kall eld som bara kallblodiga djur kan älska och njuta av. I höstens skönhet, i lövens flammor finns bara löftet om att allt kommer att bli värre.

Händerna darrar inte längre på ratten.

Kvar finns bara den våta kylan mot hennes magra kropp. Den är stark, kroppen, tänker hon. Om jag slarvat med nästan allt, så har jag inte slarvat med träningen, jag är stark, så in i helvete stark, jag är Malin Fors.

Hon kör förbi Gamla kyrkogården.

Ser domkyrkotornets spegelbild falla in i vindrutan som en medeltida riddarlans redo att spetsa henne.

Vad hände ikväll?

Vilka ord sades?

Vilken höjning på ögonbrynet, vilken nyans i vilken röst fick dem att börja igen?

Hon har ingen aning, hon hade druckit, inte mycket, men säkert alldeles för mycket för att köra den här bilen nu.

Är jag full? Adrenalinet har tagit bort ruset. Helt nykter är jag inte. Men det är väl inga kollegor ute ikväll?

Ditt svin. Ditt tröga svin, ditt flyende fega svin, och lugna dig, Malin, sluta bete dig för fan, sluta, drick inte mer nu, drick för helvete inte mer, du kan gå nu och slog jag honom? Slog jag dig i köket, Janne, eller stod jag bara med näven höjd i luften, förbannad på alla dina jävla icke-ord?

Jag vevade i luften, jag minns det nu när jag stannar bilen utanför porten på Ågatan.

Klockan på S:t Larskyrkan, svept som den är i bräcklig dimma, visar på kvart i elva och några flyende kråkor avtecknar sig svagt mot himlen.

Inga människor i rörelse och jag vill inte tänka på den här kvällen, natten. Vid kyrkans mörkergrå sten, på dränkt gräs, ligger stora hopräfsade högar med löv. I mörkret ser de ut att rosta, att vilja ge upp sina sköna färger och låta sig slukas av alla de miljontals maskar som flyr upp ur den översvämmade marken.

Du ryggade bakåt, Janne, dansade undan som om du många gånger förr fått värre slag än mitt riktade mot dig, och jag skrek att nu åker jag, nu åker jag och kommer aldrig mer tillbaka.

Du kör inte i ditt tillstånd, Malin, och du försökte ta nycklarna och så var Tove där, hon hade sovit i soffan framför tv:n men vaknat, och hon ropade, det fattar du väl mamma att du inte kan köra så där.

Ta det lugnt nu, Malin, kom hit, låt mig få hålla om dig, och jag slog igen, och igen men det fanns bara luft där jag hoppades att du skulle finnas.

Jag låtsades att jag frågade dig om du ville följa med mig, Tove, men du skakade på huvudet.

Och du, Janne, hindrade mig inte.

Du tittade bara på köksklockan.

Så jag sprang till bilen.

Jag körde genom det svartaste av höstväder och nu har jag stannat.
Jag öppnar bildörren. Svarta tentakler river i den gråsvarta himlen.
Öppna hål av rädsla där stjärnljuset borde sippra fram.

Mina skor på den våta asfalten.

Jag är trettiofem år gammal.

Till vad har jag anlänt?

2.

Torsdag den tjugotredje, fredag den tjugofjärde oktober

Nyckeln i låset.

Malin fumlar, händerna vill inte lyda trots att de slutat skaka för en god stund sedan.

Miss.

Träff.

Miss.

Som allt annat.

Lägenheten blev ledig förra veckan, till Janne sa hon att hon hyrt ut den igen, till nya frikyrkliga studenter. Explosionen ikväll, den oundvikliga, önskade, uppskjuten tills den var möjlig.

Malin går in i lägenheten, skakar regndropparna ur sin blonda page. Dofterna av fukt och Yes citron blandas med varandra och Malin känner att hösten har trängt in genom springorna vid fönster-karmarna och runnit ut över väggarna, golven och taken.

Hon skälver.

Måste dra upp värmen på elementen.

En annan känsla här nu.

En ensam känsla. Men också en känsla av att något nytt, eller hur?

Möblerna står på sina platser.

Ikeaklockan på köksväggen är fortfarande trasig, sekundvisaren ligger på klockhusets botten.

Hon står i vardagsrummet och vill tända en lampa, men förmår sig inte att trycka på knappen. Bättre att vila nersjunken i soffan i relativt välkomnande mörker. Ett mörker som är hennes eget.

Tove.

Femton i år.

Fortfarande galen i böcker och bäst i klassen, men allt det där har fått en hårdare ton hos henne nu, som om lek förbytts i allvar, och tiden redan börjar tära på henne.

Du är för ung för det, Tove.

Några pojkvänner har kommit och gått under året.

Hej hej, Peter. Hej Viggo.

Törs jag låta henne gå? Men jag kan inte straffa henne med min känsla av skuld. Och hon verkar må bra. Malin ser det på sin dotter, glansen i hennes ögon, den flickaktiga hållningen som ersatts av en kvinnlig. Malins förhoppning, förbliven outsagd: Håll på dig, Tove, du vill inte bli mamma på många år än.

Ägna dig åt skolan.

Har jag inte en föreläsning på en skola snart, tänker Malin. Bara tanken på att babbla inför trötta, ointresserade elever gör henne uppgiven, så hon slår bort den ur medvetandet.

Malin lägger sig ner på soffan.

Känner de våta kläderna mot kroppen.

Tequilan utbrunnen ur kroppen nu.

Det är som om de frikyrkliga studenternas skenhelighet dröjer sig kvar i lägenheten och gör henne lätt illamående.

Janne. Hon vill säga förlåt, men vet inte var hon ska börja. Och Tove, hur förklara för dig? Kan du ens förstå?

Vad vet jag egentligen om ditt liv nu, Tove. Jag har faktiskt ingen aning mer än att den här lägenheten är ditt hem, du får flytta hit till mig, allt annat är en omöjlighet.

Dina böcker ute hos Janne.

Jag har försökt sätta mig bredvid dig tusen gånger det här året, i soffan, på din säng och frågat dig hur du mår och de enda ord jag fått ur dig är: »Jag mår bra», sedan ljudlöst: »Låt mig vara ifred, mamma.»

Och vad vill jag ha av dig, Tove?

Din förlåtelse? Din försäkran om att allt är bra?

Kan det någonsin bli bra? Hon, mördaren, tryckte ner dig mot golvet med sina blodiga händer om din hals och skulle döda dig.

Och det var jag som skapat den scenen.

Det kan regna på tusen vidriga sätt. Dropparna kan ha alla tänkbara färger, även om natten, de kan ta höstlövens koppar och göra till sin, regnet kan bli som ett sällsamt gnistregn i ljuset från gatlyktorna, gnistorna som flygande kackerlackor.

Malin har sjunkit ner på vardagsrumsgolvet.

Ser de röda, orange och gula kackerlackorna flyga i luften, hör deras käftar mala och hon tvingar bort dem, jagar dem med en eldkastare och hon kan känna lukten av brända skalbaggslik när hon jagar dem ur sina syner.

Bara vanliga verkligheten där ute nu.

Molnen.

Veckor, veckor med olika grå nyanser ovanför huvudet, inget blått i sikte. Regnrekord och meteorologer på tv som talar om syndaflod.

Hon hittade flaskan längst in i skåpet över mikrovågsugnen. Visste att de där präktiga frikyrkotyperna inte ens skulle lukta på den. Så hon hade lämnat kvar den, omedvetet eller medvetet, för framtida bruk.

Hon dricker direkt ur flaskan.

Spelar ingen jävla roll om hon är bakis imorgon. Det har varit en lugn höst sedan hon satte dit fadern och brodern som tillsammans planerat och genomfört mordet på dottern, systern. Hon hade haft en svensk pojkvän. Det hade räckt.

Kräk.

Kan till och med vara skönt att vara bakis. Måste ta tag i allt skit imorgon, hämta grejorna hos Janne, hade inte han jour, så jag slipper träffa honom? Ta med mig Toves grejor. Prata med henne om flytten tillbaka.

Jag är full, tänker Malin, och det är skönt.

3.

Mamma.

Du är så arg, tänker Tove samtidigt som hon drar täcket över huvudet och lyssnar på regnet som knattrar mot hustaket, hårt och frenetiskt som om det fanns en otålig gud däruppe som trummade med miljontals långa fingrar.

Det luktar landet i rummet. Nyss såg hon på trasmattorna, hur de vilar som utplattade ormar på golvet, deras spräckliga mönster är som en vacker serie svartvita bilder som ingen någonsin kommer att kunna tyda.

Jag vet, mamma, tänker Tove, att du klandrar dig själv för det som hände förra sommaren, och att du tror att jag håller en massa inom mig. Men jag vill inte snacka med någon psykolog, sitta mitt emot någon tant och babbla. Istället har jag chattat med andra om det på trauma.com. På engelska. Det är som om allt blir lättare för mig när jag bara ser mina egna klumpiga ord om det som hände, och om hur rädd jag var då. Orden tar bort rädslan, mamma, bilderna får jag ha kvar, men bilderna kan inte ta mig.

Du måste se framåt, mamma. Du tror kanske inte att jag sett dig dricka. Att jag inte vet var du gömmer flaskorna i huset, att jag inte känner hur du luktar sprit bakom tuggummistanken. Tror du jag är dum, eller?

Hon och Janne hade suttit kvar vid köksbordet när Malin försvunnit med all sin ilska. Janne hade sagt:

»Hoppas att hon inte kör ihjäl sig. Ska jag ringa polisen? Åka efter henne, vad tycker du, Tove?«

Och hon hade inte vetat vad hon skulle svara. Hon hade mest av allt velat att mamma skulle komma tillbaka, rusa in i köket och vara sitt allra gladaste jag, men sådant händer bara i dåliga böcker och filmer.

»Jag vet inte», hade hon sagt. »Jag har ingen aning.»

Och hon hade haft ont i magen, långt upp under bröstet, ett svart tryck som inte ville släppa och Janne hade gjort mackor, sagt åt henne att allt nog skulle ordna sig bara mamma fick lugna ner sig.

»Kan du inte åka efter henne?»

Och Janne hade sett på henne, sedan bara skakat på huvudet till svar. Och då hade det onda i magen letat sig upp till hjärtat och huvudet och ögonen, och hon hade fått hålla tillbaka tårarna.

»Du får gråta», hade Janne sagt och satt sig bredvid henne och kramat om henne. »Det är ledsamt. Ledsamt för ingen vill att det ska bli så här.»

»Du får gråta», hade han sagt igen. »Det tänker jag göra.»

Hur kan jag hjälpa dig, mamma? För vad jag än säger är det som om du inte lyssnar, inte vill lyssna, som om du befinner dig i en höstflod fylld av smutsigt strömt vatten och att du bestämt dig för att flyta med rätt in i mörkret.

Jag ser dig i köket, på väg till jobbet, på morgonen, i soffan framför tv:n, eller med alla dina papper om hon Maria.

Och jag vill fråga dig hur du mår för jag ser att du mår dåligt, men jag är rädd för att du bara ska bli arg. Du är helt instängd, mamma, och jag vet inte hur jag ska få ut dig.

Och jag har så mycket annat som jag hellre tänker på: Skolan, böckerna, alla kompisar, allt som är kul och som jag känner att jag bara är i början av. Killarna.

Tove drar ner täcket. Rummet finns igen.

Ontet i magen, hjärtat finns kvar. Men för mig är det vanliga att ni inte bor ihop, du och pappa. Och det kommer att bli mer bråk. För jag tror inte att du kommer tillbaka hit, och jag vet inte om jag vill bo hos dig nu.

En kråka har satt sig på fönsterblecket. Den tittar in på henne. Pickar mot glaset innan den flyger iväg ut i natten.

Rummet är mörkt.

»Jag klarar mig», tänker Tove. »Jag klarar mig.»

Janne ligger i sängen med ena sänglampan tänd. Han läser en skrift från brittiska försvarsmakten. Den handlar om att bygga latriner och den hjälper honom att i minnet förflytta sig till Bosnien, Rwanda och Sudan, där han senast byggde latriner i flyktingläger. Minnena från tiden i Räddningsverkets tjänst vill han ska hålla tankarna borta från det som hände ikväll, det som har hänt och nu måste hända.

Men bilderna, svartvita i hans minne, på människor i armaste nöd på avlägsna platser på planeten, skuffas obönhörligen undan av Malins ansikte, hennes rödplufsiga, slitna alkisansikte.

Flera gånger har han konfronterat henne. Och hon duckade. Skällde på honom när han hällt ut spriten ur hennes gömda flaskor, skrek åt honom att det var meningslöst eftersom hon ändå hade tio flaskor till gömda som han aldrig skulle hitta.

Han vädjade att hon skulle träffa någon, en psykolog, en terapeut, vem fan som helst. Han hade till och med pratat med hennes chef, Sven Sjöman, berättat att Malin dricker mer och mer, att det kanske inte märks på jobbet, bett honom göra något, och fått ett löfte om att något skulle ske. De hade haft samtalet i augusti, men ännu hade inget skett.

Hennes ilska. Mot sig själv. Säkert för det som hände med Tove. Hon vägrade fatta att det inte var hennes fel, att ondskan finns överallt hela tiden och att vem som helst kan komma ivägen för den.

Det är som om hennes envishet slagit över åt fel håll. Att hon är fast besluten att driva sig själv ner i botten.

Och ikväll slog hon: Det har hon aldrig gjort förut.

Gräv djupt. Dig deep.

Regular check ups. Bacteria sanitation.

Janne kastar skriften över rummet. Släcker lampan.

Det var ändå bra idiotiskt, tänker han. Att tro att en riktigt otäck jävla händelse kunde få oss att funka tillsammans, som familj. Som om det onda kunde vara en katalysator för det goda. Det är ta mig fan precis tvärt om.

Så ser han på Malins sida av sängen. Sträcker ut handen, men det finns ingen där.

4.

Sömnlös gryning.

Axel Fågelsjö ska snart resa sig ur skinnfåtöljen, men först gnider han fingrarna mot armstödens blankslitna yta och fimpar sin cigarett i askkoppen på det läderklädda sideboardet. Sedan låter han benen bära den kraftiga, ännu vitala sjuttioåringskroppen, drar in magen, känner sig märkligt stark, som om det stod en fiende utanför dörren han måste nerkämpa med ett av alla jaktvapnen i skåpet borta i våningens master bedroom.

Axel Fågelsjö blir stående i salongen. Han ser Linköping vakna utanför fönstren, föreställer sig invånarna i sina sängar, alla dessa människor med olika förutsättningar. De som säger att det inte är skillnad på människa och människa vet inte vad de pratar om.

Träden i Trädgårdsföreningen, deras kronor vajar av och an i vinden. Bara ett stilla regn nu. Inget översvämningsväder som drar råttorna upp ur kloakerna. Det har hänt flera gånger den här hösten. Och stadens tjusiga medelklass har förfasat sig över bestarna som frodas i Linköpings underjord. Som om de vägrar acceptera att det bor råttor under deras välmående fötter. Råttor med hårlösa svansar och sylvassa tänder, råttor som kommer att finnas kvar långt efter det att de själva är borta.

Det var länge sedan han sov en hel natt. Måste upp tre gånger för att gå på toaletten och då får han stå och pressa i fem minuter varje gång innan det kommer några slattar som gjort honom osannolikt nödig.

Men han klagar inte. Det finns de med mycket värre krämpor än han.

Han saknar Bettina när han vaknar på natten. Bara en vit, tom bädd där hon alltid var kontur, värme och andetag. Som tur var hann hon gå bort före katastrofen, innan Skogså gled honom ur händerna.

Slottet som vackrast en sådan här morgon.

Han kan se slottet inom sig som om han stod framför det, på plats i skogsbrynet.

Sextonhundratalsmurarna i sandfärgad sten verkar häva sig upp ur dimman, mer livskraftiga än naturen själv.

Skogså slott. Tillbyggt och ändrat genom åren efter förfädernas excentriska nycker.

Koppartaket glänser till och med när himlen är täckt av låga moln, och så byggnadens alla otaliga ögon, de gamla skottgluggarna och de nyupptagna spröjsade fönstren. Han har alltid känt det som att gluggarna ser på honom, betraktar honom från en avlägsen plats i historien, mäter honom mot de andra som varit slottsherrar före honom. De nya fönstren är blinda i jämförelse, som om de letar efter något som gått förlorat.

Från sitt minnes utsiktsplats kan han inte se kapellet, men det finns där. Bettina ligger inte där, ville att han skulle sprida askan i skogen på ägornas norra delar.

Han kan höra dem.

Fiskarna som slår oroligt i vallgravens svarta vatten, kanske nafsar de döda ryska soldaterna dem i gälarna, hungriga inmurade andar.

Greve Erik Fågelsjö.

Rövargreven under trettioåriga kriget. Gustav II Adolfs favorit, den brutalaste krigaren av alla, hur han sägs ha lemlästat tjugo män på en dag under upprensningsstrider efter slaget vid Lützen. Jag har alltid, tänker greve Axel Fågelsjö, känt den mannens blod strömma genom mina ådror.

I sin ungdom ville han gå in i FN-trupperna. Men hans far sa nej, far Tysklandsvännen, översten som åkte runt i Preussen på trettiotalet och fjäskade för de svartklädda, slottsherren som långt in på fyrtiotalets första hälft trodde på tysk seger.

Och nu?

Med det som blivit.

Greve Erik Fågelsjö måste vrida sig i skam ute i familjegraven i kapellet på Skogså, kanske har hans lik letat sig upp på graven, ligger där naket och skriker i ren och skär ilska.

Men det finns ju en möjlighet, om det inte vore för den där förbannande sprätten, skitungen som kom ålande ner från Stockholm som en benlös ödla.

Axel Fågelsjö ser ut över parken igen. Ibland under hösten har han tyckt sig ana en man under träden, hur mannen verkat spana upp mot hans fönster.

Ibland har han trott att det var Bettina.

Han pratar med henne varje dag, har gjort så sedan hon dog för tre år sedan. Ibland åker han ut till skogen där han strödde hennes aska, trampar runt oavsett årstid, i multnande brandgula löv nu senast, svajande svampar och hans mörka röst som ett eko mellan träden, till synes rotlösa omkring honom, som om de svävade.

Bettina.

Är du där? Det var aldrig tanken att du skulle gå före. Jag saknar dig, det vet du. Jag tror ingen, inte ens barnen vet hur mycket jag älskar dig, älskade dig.

Och du svarar. Jag kan höra dig säga till mig att jag måste vara stark, att inte visa vad jag känner, du ser hur det går om du ger efter. Axel, viskar vinden, och vinden är din röst, din andedräkt mot min hals.

Bettina.

Min vackra danska. Polerad och opolerad på samma gång. Jag såg dig första gången sommaren 1958, när jag tjänstgjorde som förman på godset Madsborg på Jylland, där för att skaffa mig erfarenhet av jordbruk.

Du arbetade i köket över sommaren. En helt vanlig flicka och vi badade i sjön. Jag har glömt den sjöns namn, men den fanns på egendomen och jag tog med dig tillbaka hem efter den sommaren och jag minns far och mor, hur de tvekade först, men sedan gav efter för din charm och hur din glädje tog Skogså i besittning.

Och du, hur kunde du, Bettina? Hur understod du dig att ge vika för cancern? Var du sorgsen för att våra inkomster inte räckte för att hålla slottet i skick? Det skulle ha tärt för mycket på kapitalet, alla de miljoner som krävts.

Jag vill inte tro det. Men jag kan känna skuld, den man känner när man gjort den man älskar mest illa.

Smärtorna. Du fick lära dig allt om smärta och du sa till mig att inget vettigt fanns att hitta i den lärdomen.

Målningarna på väggarna här. Dina val. Ancher, Kirkeby. Och porträttet på min anfader Erik och alla de andra underbara tokarna och galningarna som kommit före mig.

Du dog ute på slottet, Bettina. Du skulle ha hatat att lämna det och jag skäms inför din ande nu. Lika mjuk som du kunde vara, lika hård var du i försvaret av det som var ditt.

Mest brydde du dig om pojken.

Bland de sista ord du sa: »Ta hand om Fredrik. Skydda honom. Han klarar sig inte själv.»

Ibland har jag undrat om han lyssnade utanför ditt sjukrum.

Med honom vet man aldrig. Vill kanske inte veta. Jag, som alla, älskar min dotter, och honom, min son. Men jag har alltid sett hans svagheter, även om jag inte velat. Jag har velat gnugga den synen ur ögonen, se hans goda sidor istället, men det är som om det inte går. Jag ser min son, och jag ser nästan enbart en brist och jag hatar mig själv för det. Han till och med dricker okontrollerat ibland.

Klockan på chiffonjén slår sex slag och Axel Fågelsjö blir stående vid fönstret i salongen. Så slits något loss ur mörkret därutanför och någon går genom parken. En människa klädd i svart. Samme man som han tyckt sig se tidigare?

Axel Fågelsjö slår bort tanken.

Jag visste att det var ett misstag, tänker han istället. Ändå var jag tvungen att göra det: Låta Fredrik, min förstfödde, näste greve Fågelsjö, ta hand om affärerna, ge honom tillgång till kapitalet när jag blev svart i själen efter att cancern vunnit. Han ville aldrig bli placerad på slottet, ville inte ta hand om driften av det lilla lantbruk och skogsbruk som fanns kvar, nu när det lönade sig bättre att få EU-bidrag för obrukad mark eller att arrendera ut.

Ville inte. Kunde inte. Men pengarna borde han ha klarat.

Han har ekonomexamen och fick allt utom fria tyglar.

Men alla människor har bra sidor och dåliga, fel och brister, tänker han.

Inte alla har så mycket rovdjur, så mycket hänsynslös kraft i sig som nog behövs i den här världen. Far försökte få mig att inse ansvaret som kommer med privilegium, hur vi måste ta ledarrollerna i samhället. Men på ett sätt hörde han till en svunnen tid. Visst, jag ledde arbetet på Skogså, förde respekt med mig i länets finare sällskapsliv, men ledare? Nej. Jag försökte få Fredrik och Katarina att åtminstone förstå värdet av privilegier, att inte ta det vi har för givet. Jag vet inte om jag lyckades.

Bettina, kan du berätta för mig hur jag kan göra Katarina lycklig? Och kom inte dragandes med det där urgamla igen. Vi tyckte olika där, det vet du.

Tyst, Bettina.

Tyst.

Låt mig fråga så här:

Förvanskades blodlinjen med dig, Bettina?

Han har tänkt så ibland när han sett Fredrik och kanske ibland också Katarina.

Den gröna Barbour-rocken stramar om Axel Fågelsjös mage, men han har haft den i tjugofem år och vill inte köpa en ny bara för att kilona fastnar på kroppen lättare än förut.

Saker måste ha sin gång, tänker han där han står i hallen.

Vi Fågelsjös har levt på mer eller mindre samma sätt i snart femhundra år. Vi har satt tonen i det här landskapet, i den här staden.

Ibland har han tänkt att människor i trakten härmar det liv han och hans familj alltid levt. Den första vattenklosetten i Östergötland fanns på Skogså, hans farfar bar den första tredelade kostymen. De har alltid haft vägvisarens roll och det har näringslivet och den politiska makten förstått, även om allt det där är historia nu.

Det kom ingen inbjudan till länsmiddagen i år.

Under alla de år som länshövdingar hållit länsmiddag för de mest prominenta personerna i länet har det funnits en Fågelsjö bland gästerna. Men inte i år.

Han såg bilden från Linköpings slott i Östgöta Correspondenten.

Greve Douglas var där. Historikern Dick Harrison. Direktören för Saabs flygindustrier. Informationschefen på Volvo. En statssekreterare med ursprung i staden. Sjukhusdirektören. Chefredaktören för Corren. Riksidrottsförbundets ordförande. Baron Adelstål.

Men ingen ur ätten Fågelsjö.

Han drar på sig sina grova svarta gummistövlar.

Jag kommer nu, Bettina.

Skinnhandskarna. Vilket kalvskinn!

Axel Fågelsjö tänker att det nog kan ordna sig med allt ändå. Hör Bettinas röst:

»Skydda pojken.»

Jag skyddade Fredrik. Gjorde det som var nödvändigt även om banken i teorin kunde ha hållits ansvarig.

Minnet av Bettinas ansikte bleknar.

Jag borde kanske ha låtit det gå åt helvete för pojken, tänker Axel Fågelsjö, innan han trycker på den kalla hissknappen för färd neråt, och vidare ut i den ensamma gryningen.

5.

Range Roverns motorljud är som ingen annans: Elegant men ändå kraftfullt. Och bilen svarar vackert när Jerry Petersson trycker ner gaspedalen, kanske svarade forna tiders hästar så, när grevar, nu sedan länge döda, tryckte sporrarna i sidorna på sina svettiga djur.

Inga hästar här nu.

Inga grevar.

Men han kan alltid skaffa några hästar om han träffar en kvinna som gillar djuren i fråga, de har en tendens att gilla hästar, kvinnorna. Precis som schablonen säger, men den schablonen stämmer med verkligheten, som många andra.

Jerry Petersson ser dimbankar driva in över åkrarna, lägga sig att vila vid kanten till granskogen borta i öster. Hunden sitter bredvid honom på passagerarsätet, låter sin perfekt balanserade kropp röra sig i takt med bilens fjädring, samtidigt som blicken söker ut i naturen efter något levande att jaga fatt i, ståndskälla på, hjälpa till att fälla. Jerry Petersson för sin ena hand genom dess kärva, fuktiga päls. Den luktar, hunden, men en lukt som passar in på landet, med sin råa, påträngande äkthet. En beagle, en hanne, som han gav namnet Howie efter Howard Hughes, vettvillingen i Hollywood på trettiotalet som anses ha skapat den moderna flygindustrin och som enligt myten med tiden blev en blodtransfererande enstöring på ett slott utanför Las Vegas.

Jerry Petersson läste en biografi över honom och tänkte: Om jag någonsin köper mig en hund ska jag döpa honom efter en större galning än jag själv, eller någon jag känt.

Hundens näsborrar drar sig samman, öppnas igen, och de stora svarta pupillerna verkar vilja äta markerna kring Skogså.

Ägorna är aldrig vackrare än på morgonen, när den annalkande dagen liksom verkar smörja jorden och stenen. Regnet faller mot vindrutan och bilens tak, och han stannar vid vägkanten, ser några fåglar hoppa av och an på den ostronskalsfärgade marken, picka efter mask i den ruttnande vegetationen och pölarna som växer sig större för varje dag. Löven ligger i högar här och han tycker att det ser ut som ett trasigt täcke i en underskön, bortglömd design på en oljemålning. Under det täcket kan livet ha sin naturliga gång. Larver kan förpuppas. Skalbaggar utkämpa bataljer med varandra. Möss kan simma i regnströmmarna mot mål så fjärran att de inte ens kan drömma att de existerar.

Hunden blir orolig nu, gnäller, vill ut, men Jerry Petersson lugnar den.

»Seså, ta det lugnt, du ska få komma ut tids nog.»

Ett landskap.

Kan det bli ens öde?

Ibland när Jerry Petersson kör runt på markerna tycker han sig se alla gestalter som kommit och gått i hans liv. De svävar runt träden, stenarna och husen.

Det var oundvikligt att han skulle hamna här.

Var det inte det?

Snön som föll en nyårsafton, så tätt föll den att det snöfallet får den här morgonens dimma att framstå lika genomskinlig som nytvättat glas.

Han växte upp bara några mil härifrån.

I en hyreslägenhet i Berga med sina föräldrar.

Jerry Petersson ser på sig själv i backspegeln. Startar bilen och kör vidare.

Kör genom två kurvor till innan han stannar bilen igen. Hunden ännu oroligare nu och Jerry Petersson öppnar dörren, släpper ut hunden först innan han själv kliver ur. Hunden drar iväg över det öppna fältet, har väl fått vittring på ett rådjur eller en älg eller en hare eller räv.

Han ser ut över fältet en stund innan han kliver ut på den sanka marken. Klafsar runt, ser hunden springa av och an vid skogsbrynet, hoppa ner i ett djupt dike, innan den dyker upp igen bara för att försvinna i en lövhög där blekta gulockrafärgade löv tävlar om uppmärksamheten med andra som verkar belagda med matt bronspulver och glanslöst bladguld.

Förutom hunden är Jerry Petersson alldeles ensam ute på fältet, men ändå känner han sig tillfreds här, en plats där allt kan dö, men också födas, en skiljelinje i människors liv, ett radband av möjligheter.

Han drar handen genom sitt blonderade hår, tänker på hur väl det står mot hans skarpa näsa och hårda djupblå ögon. Rynkorna i pannan. Affärsrynkor. Väl förtjänade.

Skogen där borta.

Granarna och tallarna, slyn. Mycket vilt i år. Hans arrendebönder kommer senare idag, de ska försöka få en älgkalv eller ett par rådjur. Det behöver dödas.

Familjen Fågelsjö.

Vad skulle de inte ge för att få jaga i de här skogarna igen?

Han ser på sina armar, på den knallgula Prada-regnrocken, dropparna som trummar mot huvudet och den gula Gore-Texen.

»Howie», ropar Jerry Petersson. »Howie. Dags att komma nu.»

Hård. Tuff. En iskall maskin. En man som går över lik.

Så snackades det om honom i affärskretsarna han rörde sig i uppe i Stockholm. En skugga för de flesta. Ett rykte. Ett samtalsämne, någon som inte sällan väckte beundran i en värld där det ansågs eftertraktat att vara så framgångsrik att man kunde ligga lågt istället för att hålla hög profil och gasta i tv-soffor för att få fler klienter.

Jerry Petersson?

Briljant, har jag hört. Duktig advokat. Blev inte han rik på den där it-affären. Gick han inte ur i tid? Ska vara en jävla fittmagnet.

Men också:

Akta dig för honom.

Är inte han i lag med Jochen Goldman? De har väl bolag ihop?

»Howie.»

Men hunden kommer inte, vill inte komma. Och Jerry vet att han kan låta det vara, låta hunden i egen takt leta sig hem genom skogen

33

till slottet. Han kommer alltid efter några timmar. Men av någon anledning vill han kalla hunden till sig nu, sluta en överenskommelse innan de skiljs åt.

»Howie!»

Och hunden måste ha hört det angelägna i hans röst, för nu kommer den sättande rakt över det jävla fältet, och snart är den framme hos Jerry Petersson.

Den hoppar kring hans ben och han sätter sig på knä vid den, känner vätan tränga igenom byxtyget, och han klappar hunden hårt på kroppen som han vet att den tycker om.

»Hur vill du ha det, vännen? Springa hem själv, eller åka bilen med mig? Du bestämmer själv. Kanske springa själv, man vet ju aldrig, jag kan köra av vägen.»

Hunden slickar honom i ansiktet, innan den vänder och springer ut på fältet, gömmer sig i en lövhög innan den försvinner in genom skogens mörka, öppna dörrar.

Jerry Petersson tar plats i Range Rovern igen, vrider om nyckeln i tändningslåset, lyssnar på motorljudet, låter bilen sakta leta sig fram längs vägen, in i den täta dimhöljda skogen.

Han hade inte låst slottsportarna när han gav sig av på den spontana morgonturen runt ägorna efter att ha vaknat tidigt och inte kunnat somna om. Vem skulle komma? Vem skulle våga komma? En aning spänning.

De skulle nog vilja komma.

Fredrik Fågelsjö. Gammelgubben Axel.

Katarina.

Hon har hållit sig borta.

Dotter i huset.

Mitt hus nu.

Han rörde sig i deras närhet för länge sedan.

En kråka flyger framför rutan, slår med vingarna, den ena vingen verkar skadad på något vis, kanske bruten.

Slottet är stort. Han skulle behöva en kvinna att dela det med. Tids nog hittar jag en, tänker han. Han har alltid tänkt det, i sina allt större bostäder, att han måste ha en kvinna att dela det här med. Men det var bara en tankelek som han tyckte om att leka, och när han verkligen behövde en kvinna var det enkelt för en sådan som han: Ut på krogen, eller ring ett av numren så kommer det kärlek med home delivery. Eller en kåt hemmafru i stan på konferens. Vilket som. Kvinnor att dela nuet med, kvinnor utan förankring varken bakåt i tiden eller framåt, kvinnor som begärstillande varelser. Inget att skämmas för. Bara så det är.

Han hörde ryktesvägen att Skogså var till salu.

Sextiofem miljoner kronor.

Det var Wrede fastighetsförmedling i Stockholm som hade hand om affären. Inga annonser, bara ett rykte om att ett slott med enorma tillhörande marker var till salu i Linköpingstrakten och kanske var han intresserad?

Skogså.

Intresserad?

Sextiofem miljoner sved. Men inte mycket. Och han fick mer än slottet för pengarna. Sjuttiofem hektar skog av främsta sort, nästan lika mycket åkermark. Och så det övergivna församlingshemmet som han alltid kunde riva och anlägga något nytt på platsen för.

Och nu, här, den här vackra, svarta höstmorgonen, när dimman och det tröstlösa regnet och känslan av lätthet och av att vara hemma fyller hans kropp vet han att det var väl investerade pengar, för vad ska pengar annars användas till om inte för att skapa känslor?

Han ville träffa Fågelsjö när affären skulle göras upp på Karlavägen. Ville kanske inte hånle åt honom, snarare mäta honom med blicken, få gubben att förstå hur fel han hade och berätta om de nya tider som kommit.

Men Axel Fågelsjö dök aldrig upp på mötet i Stockholm.

Det kom ett biträde till en advokat från Linköping. En mörkhårig ung sak med fylliga kinder och plutmun. Efter att kontraktet var påskrivet bjöd han henne på lunch på Prinsen. Sedan satte han på henne uppe på kontoret, tryckte upp henne mot fönstret, drog kjolen långt upp på hennes mage, slet sig ett hål i hennes svarta strumpbyxor och sedan pumpade han, uttråkad, samtidigt som han såg bussarna och taxibilarna och människorna röra sig i ett liksom förutbestämt flöde nere på Kungsgatan, och han tyckte sig höra de stora gräsklipparnas knivar uppe i Kungsträdgården.

Det ska finnas spöken på slottet.

Den osalige anden efter en greve Erik som sägs ha slagit ihjäl sin son när denne visat sig vara svagsint. Ryska soldater som ska vara inmurade i vallgraven.

Jerry Petersson har aldrig sett några spöken, bara hört knäppandet och vinandet i stenen om natten, känt kylan som lagrats genom århundradena i den gamla byggnaden.

Spöken.

Vålnader.

Slottet och byggnaderna var nergångna, allt har han renoverat. Har känt sig som en byggherre det senaste året.

Några gånger har han sett en svart bil på ägorna, trott att det var någon i familjen Fågelsjö som var ute på en nostalgisväng. Låt dem hållas, tänker han. Fast han kan ju inte veta säkert att det är någon i familjen, kan faktiskt vara nästan vem som helst, det finns ju onekligen de som vill komma.

Han blev porträtterad i Corren när det blev känt att Skogså fått en ny slottsherre. Han lät sig intervjuas, sa ödmjuka lögner om en livsdröm som gått i uppfyllelse. Men vad hjälpte det?

Journalisten, en Daniel Högfeldt, drog på skumma affärsadvokatsvinkeln och menade att han tvingat bort familjen Fågelsjö från det som varit ättens hem i snart femhundra år.

Gnäll.

Sluta gnälla. Ingen födslorätt ger någon livsrätt till någonting.

Än idag gör artikeln honom förbannad, och han ångrar att han gav efter för sin fåfänga, sin vilja att skicka ett meddelande ut på bygden om att han var tillbaka. Återställa en ordning som aldrig funnits; han hade inbillat sig att det var det han ville göra.

Hur mycket har inte familjen Fågelsjö plågat människorna här i trakten? Hur många statare och arrendebönder och löneslavar har inte fått känna på fogdepiskan? Hur många har inte blivit nertryckta i skorna av Fågelsjös känsla av att de är förmer än andra?

Jerry Petersson har inte anställt någon, istället har han hyrt in daglönare till alla arbeten som måste göras, och han har sett till att betala dem bra, behandla dem anständigt.

Och historien om vallgraven runt slottet. Att den grävts i början av artonhundratalet långt efter det att någon i det här landet behövde en vallgrav. Att en av grevarna fått för sig att han ville ha en vallgrav och rekvirerat ryska krigsfångar från von Platens kanalbygge och låtit dem gräva tills de stupade, att flera dog av utmattning. Det sägs att de murade in liken i vallgravens sidor när de stensatte den, att de stängde in de ryska själarna för evigt i en meningslös vallgrav.

Men ibland kändes det tomt ute på slottet. Och han hade för första gången känt behovet av en kamrat. Tryggheten i att ha en annan levande varelse omkring sig, en som tog ens parti vad som än skedde, som larmade om fara närmade sig. Och en hund behövdes för jakten.

Är det något som rör sig där framme på vägen? Howie? Tillbaka så fort. Omöjligt. Helt omöjligt.

En hjort?

Ett rådjur.

Nej.

Regnet forsar ner nu, men inne i Range Roverns oljedoftande värme är världen behaglig.

Så uppenbarar sig slottet ur dimman, de tre våningarna i grårappad sten verkar trycka sig upp ur jordskorpan, de sluttande murarna strävar upp i den grå himlen, som om de tycker att de bör bestämma där uppe. Och så skenet från de gröna vajande lyktor han satt upp längs med vallgraven. Han älskar det skenet.

Står det någon på slottstrappan?

Arrendebönderna han ska jaga med ska komma först senare och hittills har de aldrig varit i tid.

Han gasar.

Känner med handen bredvid sig efter hunden, men den varma pälsen finns inte där.

Just det.

Jerry Petersson vill komma snabbt fram, vill höra gruset på slottsbacken krasa under Range Roverns hjul, och visst står det någon på trappan.

Konturen av en människa. Vag i dimman. Eller kanske ett djur?

Slottsspökena?

Ryska soldaters hämndlystna andar.

Greve Erik som ska hälsa honom till mötes med lie och kåpa.
Han är tio meter från den svarta konturen nu.
Vem är det? En kvinna? Du?
Kan det vara den där personen igen? Tröttsamt i så fall.
Han stannar bilen.
Tutar.
Det svarta på trappan rör sig ljudlöst mot honom.

6.

Grått.

Morgonljuset är grått, men ändå skär det rätt in i Malins ögon. Milt är ljuset, som en oslipad kökskniv man hittar längst in i en avlägsen avliden släktings kökslåda. Hon tittar upp, ut genom vardagsrummets fönster. Molnen ligger täta i flera skikt över solen, och hon känner hur huden är svullen över svullet kött och hon försöker se sig omkring men måste ideligen stänga ögonlocken, ge den motvilliga hjärnan lite ro, dämpa dess vresiga dunkanden med mörker.

Kroppen en hög på parketten, elementet vid hennes huvud varmare nu än igår kväll, och hon kan höra det fjärrvärmda vattnet bröla lågt inne i järngångarna.

En nära på tom flaska tequila bredvid henne, korken påskruvad till hälften, och hon ser ut över lägenheten.

Grå.

Hela min värld är grå, tänker Malin. Fler grå nyanser än hjärnan kan omfatta, från det mörka blyertsaktiga under soffan, till det nästan smutsvita på väggarna.

Och vem kikar in genom fönstret, vems är ansiktet som framträder i dimman? Det dåliga samvetets konturer. Illamåendet. Hur fan kan jag bete mig så? En hand som slår.

Jag stinker. Jag vill vända ut och in på mitt ansikte för att slippa se mig själv i spegeln.

Hur i hela helvete ska jag orka mig upp härifrån?

Jag vill ringa ut till dem, till Janne och Tove, men vad skulle jag säga?

Att jag älskar dem?

Att det regnar?

Att jag ångrar mig?

»Zacharias! Zacharias!»

Hans fru Gunilla ropar nerifrån köket med sin gälla telefonsignalsröst. Vad vill hon nu?

»Martin gjorde två mål inatt», ropar hon.

Andra kvinnor har en annan röst.

Zacharias »Zeke» Martinsson, kriminalinspektör vid Linköpingspolisen, vrider sin kropp ur sängen. Reser sig, känner hur fukten i rummet har gjort kroppen onaturligt stel. Inte mycket ljus sipprar in runt den svarta rullgardinens kanter, så han vet att det fortfarande är värsta skitvädret ute, en perfekt dag att hålla sig inne på, fixa med det som behövs här i villan.

Martin.

Han fick sitt NHL-kontrakt. När han gjorde succé i Moskva-VM så kastade de pengar efter hans agent och för ett halvår sedan gick flyttlasset till Vancouver.

Rik.

Och berömd.

»Vill ni ha pengar, farsan, till en semester eller en ny sommarstuga eller för att komma hit och hälsa på så är det bara att säga till. Linus växer, ni vill väl träffa honom?»

Tolv tusen kronor.

Det kostar de billigaste biljetterna till Vancouver.

Per person.

En dryg utgift på en utredarlön.

Han är åtta månader gammal nu, pojken, mitt barnbarn. Jag vill träffa honom. Men att resa för Martins pengar?

Aldrig.

Alla miljonerna grabben tjänar på att producera lite underhållning för utarbetade obildade själar. Det äcklar Zeke ibland, precis som hockeyns fjantmacholek gör, hur utövarna och tränarna och fansen tror att de är hårda. Men vad vet de om verklig hårdhet, verklig fara och vad som krävs när man ställs inför den. Har någon av isprinsessorna i sina överdimensionerade kortbyxor med skydd vad som krävs

40

om det verkligen hettar till? Sundin, Forsberg. Fjollor.

»Zeke, nu visar de målen på 4:an. Skynda dig ner.»

Gunilla har dragit hela lasset med hockeyn. Skjutsat. Bullmammat när han inte orkat ta sig förbi sin motvilja inför spelet och ägnat sig åt stilla sång med kören Da Capo istället.

Han drar på sig kalsongerna, känner dem strama över skinkorna och pungen. Ståendes i sovrummets mörker drar han handen över den rakade skallen. Tvådagarsstubben är vass mot handflatan, men inte så lång att han behöver raka sig idag.

Mål.

Min son.

Och så ler Zeke, mot sin vilja, han klarar sig rätt bra mot sport-fjollorna, grabben. Men skynda sig ner?

Aldrig.

Hon sover inte vid min sida. Den här sängen är ett hav av förlorade möjligheter.

Polischef Karim Akbar vill kunna lägga armen om sin fru, men hon finns inte där, han är ratad för en annan. Men kanske är det ändå bättre så här? De sista åren vågade han inte närma sig henne, var rädd för att få brännsår av hennes avvisanden.

Hon var alltid trött.

Hade jobbat dubbla skift som kurator, när hälften av alla kollegor hade dragit till Norge för att jobba för dubbla lönen och två tredje-delar av arbetstiden.

Det är något jag inte ser, hade Karim ofta tänkt. Men vad? Han hade gjort abstraktion av känslan istället för att ta tag i den och försöka förstå vad den betydde, vilka konsekvenser den skulle kunna få. Han hade tänkt på hur två människor kan leva sida vid sida ett helt liv utan att förstå varandra, och att den känsla av tomhet man förgås av och samtidigt lever av i ett sådant förhållande måste vara släkt med den känsla hans far upplevde när han, ingenjören, kom till Sverige och varken fick jobb eller någon annan plats i samhället. Pappa slutade i en ögla gjord av en nylonslips i en lägenhet i Nacksta, Sundsvall.

Ibland hade Karim Akbar slagits av tanken att hon ville ut. Att hon ville skiljas. Men varför sa hon inte det i så fall? Han var en tillräckligt upplyst man för att inte hävda någon äganderätt.

Men han hade inte orkat tänka tanken till slut, aldrig orkat ställa henne mot väggen.

Och så stack hon. Tog deras nioårige son och flyttade in hos en jävla kuratorkollega i Malmö.

Hon vågade. Men han vet att hon var rädd, kanske är rädd.

Men hon behöver inte vara rädd.

Jag skulle aldrig göra som mina landsmän, brodern och fadern vi satte dit för någon månad sedan. De gör mig illamående.

Skilsmässa.

Ett bättre ord för ensamhet och förvirring. Han har försökt fly in i arbetet med sin nya bok, den om integrationsfrågor ur ett helt nytt perspektiv, men arbetet går trögt. Istället har han försökt hitta på aktiviteter för att hålla deras son på gott humör när de träffas.

Var tredje helg-pappa. Hon ville ha vårdnaden och han gav efter. Det skulle inte gå att passa ihop med hans arbetsschema att vara ensamstående varannan vecka-förälder. Geografiskt omöjligt också.

Bajran hos henne och den andre i helgen.

När han fyllde år i september var de i Stockholm, och sonen följde med in på Götrich när han valde nya kostymer, han lät till och med Bajran välja ett par slipsar.

Fin, mjuk ull i kostymerna. Kashmir. En extravagans som en uppkomling till polischef som han själv kan kosta på sig. Det och en Mercedes.

Han drar täcket om sig, hör regnet smattra mot fönsterbrädan, tänker att han längtar efter att flytta till en lägenhet inne i stan, närmare allting, för mycket Nacksta och Sundsvall över Lambohov.

Men jag kunde ha det värre. Och så ser Karim Börje Svärds ansikte tydligt framför sig, utredarens frejdiga, tvinnade mustascher. Han är tjänstledig nu, hans ms-sjuka fru Anna behöver tillsyn dygnet runt, andningshjälp, sjukdomen gav sig på de nerver som styr musklerna kring lungorna.

»Hon kan orka ett halvår», sa Börje när han sökte tjänstledigt för att ta anställning som hennes vårdare.

»Ta hand om din fru så länge du behöver», svarade Karim. »Sedan är du välkommen tillbaka.»

Och Malin Fors. Något kommer att gå sönder där, tänker Karim. Men kan jag göra något åt det? Hon dricker för mycket, men gud ska veta att hon behövs på sin avdelning.

Sven Sjöman, kommissarie och chef för Utredningsroteln på Linköpingspolisens Kriminalavdelning, vill se det som att han lockar ur träet dess innersta hemlighet, dess skönhet, den funktionella och vackra form som bor inom det.

Romantiskt så det förslår, visst, men om inte hobbyträsnide får vara romantiskt, vad får då vara fyllt av kärlek?

Svarven morrar. Spånen sprutar upp på hans blå t-shirt med reklamtryck från Bergs Brädgård.

Svens verkstad, belägen i ett ljudisolerat rum i källaren till huset i Valla, luktar av nyhyvlade träspån, av lack och fernissa, av svett.

Morgontimmen här nere är den bästa, men också mest ensamma timmen på dagen.

Han har aldrig gillat ensamheten.

Föredrar människors sällskap.

Frugans till exempel. Även om de inte säger mer till varandra än vad som behövs efter alla år.

Kollegorna.

Karim.

Och Malin. Hur är det med dig, Malin? Hon har inte haft något bra år, tänker Sven, samtidigt som han tar den blivande skålen ur svarven. Sedan stänger han av maskinen och njuter av tystnaden som snabbt tar rummet i besittning.

Det var nog ingen bra idé att du flyttade ihop med Janne igen. Ingen bra idé alls, men jag skulle aldrig kunna säga det till dig. Ditt liv måste du sköta själv, Fors. I jobbet kan jag visa dig vägen ibland, men det behövs allt mindre, allt mer sällan.

Men i livet.

Du har luktat sprit allt oftare. Sett grå, sliten, ledsen ut.

Nåja.

Bara det inte blir värre. Janne, din man, eller snarare före detta, som du bor ihop med igen, ringde mig, ville jag skulle göra något.

Talade om ditt drickande, och visst har det märkts på dig. Ibland. Och jag gav honom ett löfte. Men om vad? Prata med dig? Då blir du förbannad. Stänga av dig? Har ännu inte funnits skäl för det. Skicka dig till någon expert? Du skulle bara vägra gå dit, envis som du är.

Lite utredarfylla hör faktiskt till.

Med all skit de ser behöver de lätta på trycket.

Han drar åt bältet. Fyra hål in, tolv kilo bort. Bättre blodvärden. Men allt för många tråkiga middagsbord.

»Ta på dig overallen. Nu. Jag orkar inte säga till dig en gång till.»

Kriminalinspektör Johan Jakobsson står i hallen till radhuset i Linghem. Femåringen i sin bubbla, sjunger, hans ord inte i närheten av att nå in i hennes värld.

Varför i helvete gick de med på att åka till svärföräldrarna den här helgen när han nu äntligen har en ledig fredag? Det sista de behöver just nu är ännu en panikslagen morgon där en massa onödiga aggressiva ord får vina genom luften som vilsna pistolkulor.

»Tar du hand om Hugo? Så tar jag Emma?»

Hans fru nickar och böjer sig ner efter pojkens blå jacka.

»Jag vill inte säga till igen.»

»Måste du vara så irriterad?» frågar hans fru.

Och så är det igång.

»Det var inte min idé att sätta iväg till Nässjö tidigt som satan.»

»Pappa fyller år.»

»Ja, sextiotre. Det är inte så att han inte klarar sig själv.»

Hans fru snörper på munnen. Tänker inte svara på det sista, det var för dumt för det, antar Johan, och han sträcker sig efter flickan, tar tag i hennes tunna men starka arm och drar henne till sig.

»På med jackan.»

»Men hon måste ju inte ha den i bilen.»

Han släpper sin dotters arm.

Sluter ögonen.

Önskar att han haft jour den här helgen. Så att han kunde ha fejkat att det hänt något, eller att det kanske faktiskt hade hänt något.

Barnen. Ögonlocken är slutna, men han hör deras röster och det är som om de blir tydligare för honom nu och de låter glada, fulla av tillförsikt inför livet, trots surheten, och han tänker att tusen kramar och pussar, hundratusen berömmande ord, en miljon leenden och försäkringar om att ni är den största av alla kärlekar faktiskt fungerar. Det går att skapa lyckliga människor, det är enkelt och det är värt det.

»Johan», säger hans fru. »Lugna dig. Vi kan ta det lugnt, om du vill det.»

På den vitmålade, smutsfläckiga väggen framför honom hänger fyra klädkrokar. Den mittersta hänger löst, farligt nära att trilla ner.

Waldemar Ekenberg har öppnat altandörren och suger djupa bloss på sin cigarett. Lä på altanen, annars skulle han inte stå här, utan ställa sig under köksfläkten.

Han ser upp i himlen. På det kompakta gråvita människotaket.

Morgonciggen.

Ingen smakar bättre. Även om hans fru kommer att klaga på att han luktar rök när han kommer tillbaka till sängen.

Waldemar tvekade aldrig när vikariatet i Linköping blev utlyst. Han hade gillat den förra sejouren där i samband med ett gräsligt fall med mördade tonårsflickor.

De ville inte ha honom, det visste han, men med hans meriter kunde de inte tacka nej när alla andra sökande var fjun knappt utexaminerade från Polishögskolan.

Fors. Sjöman. Jakobsson. Akbar. Martinsson.

Ingen dum samling snutar egentligen. Hög uppklarningsprocent. Lagom med slitningar i gruppen.

Fors.

Manisk brud, sägs ha blivit ännu värre efter det som hände hennes dotter och sedan hon flyttade ihop med sin brandman igen.

Men hon är en jävligt styv utredare. Och lättretad som få.

Det kan han ha mycket roligt med.

Och hon är svår på spriten. Många är de kollegor han haft genom åren som dukat under för flaskan. Och aldrig har han kunnat göra ett skit åt det. När de väl kärat ner sig i buteljen finns ingen återvändo.

Jakobsson.

Slitet med ungar.

Han själv och kärringen där inne i sängen fick aldrig några, och lika bra det.

Nu sköter vi oss själva. Var i Thailand i vintras. Bara de två och de kunde ta det hur lugnt som helst, till skillnad från småbarnsföräldrarna på hotellet.

Ett barns kärlek. Kärleken till ett barn.

Man kan inte sakna det man aldrig upplevt, tänker Waldemar, samtidigt som han drar det sista blosset på cigaretten.

Eller kan man det?

Malin står vid kassan på Seven Eleven på Ågatan.

Håret är vått av regn och hennes trosor skär in mellan skinkorna, känns lika äckliga som det förbannade vädret utanför. Hon hittade ett par gamla stentvättade jeans och en rosa tröja längst in i garderoben i sovrummet i lägenheten, säkert tio år gamla, men de får duga. H&M har inte öppnat än och hon får hämta grejorna ute i Malmslätt när hon hinner. För det är vad hon ska göra: Hämta grejorna, Tove, återuppta livet som det var innan de flyttade ihop som en familj igen, innan hon försatte Tove i livsfara.

En tandborste, deodorant, tandkräm och kaffe på disken framför henne, den tjocke expediten ser sömnig ut när han slår in hennes varor.

»Bortamatch?» frågar han.

Bortamatch. Hade LHC bortamatch igår?

Så förstår hon vad han menar och hon vill slå igen hans feta trut, men skakar bara på huvudet.

»Ingen bortamatch alltså. Men det blev sent. Eller hur? När jag mår som du ser ut att göra tar jag mig inte ur sängen.»

»Du, sluta snacka så förbannat och ta betalt.»

Expediten slår ut med armarna.

»Jag försökte bara vara rolig. Det brukar kännas bättre då. Förlåt.»

Malin sliter åt sig sin växel och sedan går hon de hundra meterna upp till sin lägenhet i regnet.

Snart står hon i duschen.

Vatten kallare än regnet nyss omsluter hennes huvud.

Driver ut det onda.

Låter det förfrysa.

Tänk inte på det som hände igår, säger hon till sig själv, drick kaffet i koppen som står på tvålhyllan, låtsas att de dubbla Alvedonen du hittade i medicinskåpet biter på din huvudvärk.

Det dånar i skallen.

Tove får flytta hit i veckan. Kanske redan ikväll.

Jag jobbar idag. Men inget lär väl hända som kan ta fokus från den här jävla skallen?

7.

Göte Lindman, nyss fyllda femtiotvå år, stryker sig över den våta, renrakade skallen. Han har varit inne på Skogså slott en gång tidigare.

Åtta år gammal stod han bredvid sin far i Axel Fågelsjös gemak och hörde honom diktera villkoren för sommarens arbete, för kommande tider, för att de skulle få hyra ett soldattorp borta i egendomens sydvästra hörn.

»När jag kallar kommer ni.»

Göte Lindman tycker sig höra grevens röst, hårdheten och våldet den döljer, nu när han och Ingmar Johansson, några år äldre, går genom korridorerna på första våningen och ser på de kalla, grå stenväggarna som ungefär var femte meter pryds av en konstig tavla.

»Han har en hund», säger Göte Lindman. »Men den är inte här inne, då hade vi hört den nu.»

»En skällig beagle», muttrar Ingmar Johansson.

Över fyrtio år sedan Göte Lindman var här med sin far.

Hans egna förehavanden med Fågelsjös sköttes på advokatkontor inne i stan, och tack och lov arrenderade han bara mark numera, hade skaffat sig en egen liten marklös gård utanför Bankekind.

Han hade informerats av en advokat när försäljningen av Skogså var ett faktum. Hans arrende skulle löpa som tidigare.

De går förbi rum på rum.

Kikar in, knarrar runt på trägolv och stengolv, kvadratmeter efter kvadratmeter av oanvänd yta. De åkte dit i Lindmans svarta Saab och nu står den bredvid Peterssons Range Rover nere på slottsbacken. Portarna in till slottet var olåsta och larmpanelen blinkade grön. De tvekade innan de gick in, ville inte göra den nye slottsherren upprörd.

Jerry Petersson hade stått på Göte Lindmans gårdsuppfart en dag, bredvid sin Range Rover och med ett brett leende i sin fåniga gula rockjävel. Vinden hade rufsat om hans blonderade hårman och Göte Lindman hade vetat att besöket bara kunde innebära trubbel.

»Du vet vem jag är?» hade Petersson frågat och Göte Lindman hade nickat till svar.

»Bjuder du på kaffe?»

Ny nickning.

Och sedan hade de suttit vid köksbordet och ätit Svetlanas bullar och druckit nybryggt kaffe och Petersson hade sagt att arrendet fick löpa precis som förut, men att han hade ett krav: När han kallade till jakt skulle de komma, hur dåligt väder det än var, vilka omständigheter som än förelåg.

»När jag kallar kommer du. Förstått?»

Ingmar Johansson ser in i slottsköket.

Kopparkastruller hänger i skinande rader i snören från taket. Till och med i det skumma morgonljuset glänser de. Hela köket är nytt, vit marmor på väggarna och golvet, stålglänsande maskiner, en två meter lång spis med tio gasplattor.

Men inga människor.

Ingen Jerry Petersson. Ägaren av marken han precis som Lindman arrenderar syns inte till någonstans.

Samtalet hade kommit på torsdagskvällen.

»Jag behöver dig här imorgon klockan åtta. Vi ska fälla rådjur. De börjar bli för många.»

I helvete att det var för många rådjur på Skogså. Snarare för få, men Peterssons röst gav inget utrymme för opposition. Och han hade varit tydlig med villkoren för arrendet.

»Det var väl åtta vi sa?» säger Ingmar Johansson.

»Prick», svarar Göte Lindman.

De hade talats vid på telefon strax efter att de båda haft besök av Petersson. De hade konstaterat att det kunde ha varit mycket värre, han kunde ha velat göra storjordbruk av slottet och ägorna. Jerry Petersson hade inte svarat när Ingmar Johansson frågade honom rakt ut vad hans planer för driften var, bara sagt att arrendet gäller med villkoret om hjälp med jakten.

»Var i tid.»

Peterssons bestämda röst i telefon.

Och nu är de båda på plats.

Men ingen Jerry Petersson syns till.

Trappstegen är höga och farligt hala för våta stövlar. Så de går försiktigt uppför stentrappan till andra våningen, ropar Peterssons namn, men stavelserna bara studsar mot den kalla stenen. Ovanför dem i den tjugo meter höga trapphallen hänger en ljuskrona som måste vara flera sekel gammal, prydd med över hundra till hälften utbrunna ljus på flera omfångsrika rundlar. På ena väggen i entrén hänger en till största delen blå målning av en man som stryker solkräm på en kvinnas rygg.

Flämtande når de andra våningen.

»Han borde installera hiss», säger Ingmar Johansson.

»Skulle bli dyrt», svarar Göte Lindman.

»Det har han råd med.»

»Ska vi inte börja med att leta i källaren?»

»Den skiter vi i. Säkert bara en jävla tortyrkammare där nere. Du vet järnjungfrur och en ensam stol utställd mitt i ett rum.»

»Fy fan. Jag visste inte att du hade sådan fantasi», säger Göte Lindman.

De rör sig genom rummen.

»På den här våningen bor han», säger Ingmar Johansson.

»Jävla konstiga tavlor», viskar Göte Lindman när de kommer in i ett rum med flera stora fotografier som föreställer Jesusfigurer nersänkta i gul vätska.

»Tror du det där är piss?» frågar Ingmar Johansson.

»Fan, vet jag.»

En stor skulptur föreställande en rosa och lila plastbjörn med sabeltänder klädda med ädelstenar och diamantliknande ögon blickar på dem från ett hörn.

En målning som visar en kambodjansk lägerfånge verkar vilja jaga dem ut ur rummet.

Möbler som ser ut att vara skapade för ett rymdskepp: Raka i linjerna, svart som blandas med vitt, former som Göte Lindman känner igen från inredningstidningarna han brukar bläddra i hos frisören.

»Ja, jävlar, vad kan man inte lägga sina surt förvärvade slantar på», säger Ingmar Johansson.

»Petersson! Petersson! Vi är här nu.»

»Jakten kan börja! Rådjursdags!»

De stannar upp, flinar mot varandra, sedan en kall tystnad.

»Var tror du han kan vara?» undrar Göte Lindman samtidigt som han knäpper upp sin gröna täckjacka och torkar svetten ur pannan.

»Ingen aning. Kanske ute på ägorna? Här i slottet är han nog inte. Hade hört oss i så fall.»

»Bilen var ju där nere. Och dörren olåst.»

»Förbannade skrytåk.»

»Men du skulle bra gärna ha en själv.»

De ser båda på en fristående klädstång med strukna bomullsskjortor i alla upptänkliga färger.

»Vad tycker du om honom?» frågar Ingmar Johansson.

»Petersson?»

»Nej, gud själv. Petersson så klart.»

Ingmar Johansson ser på Göte Lindman. På de bittra rynkorna kring hans ögon och mun, på de djupa fårorna i hans panna.

Ingmar Johansson vet att Lindman levde ensam på gården länge sedan hans kärring lämnat honom för femton år sedan. Kärringen hade varit på konferens i Stockholm, och kom hem alldeles tokig, sa att hon inte stod ut på gården längre.

Någon måste ha knullat sansen ur henne där i Stockholm.

Men sedan hade han träffat en ny, en exportryska.

»Vad jag tycker om honom?» säger Göte Lindman och suger på orden. »Han verkar ju inte vilja röra arrendet. Sedan den här skiten med att vi ska komma som några jävla hjon när han ringer. Ja, vad ska man säga?»

Ingmar Johansson nickar.

»Kände du till honom sedan tidigare?» frågar Göte Lindman sedan.

Ingmar Johansson skakar på huvudet.

»Han växte tydligen upp i Berga. Och hans affärer läste jag aldrig om. Sådan skit bryr jag mig inte om.»

Ingmar Johansson ser hur jättebjörnens ögon lyser. Kan de där ögonen vara gjorda av äkta diamanter?»

»Och så skulle han prompt ha det här jävla slottet.»

»Måste varit bittert för Greven.»

»Ja, men rätt åt honom.»

De stannar i ett av rummen.

Ser på varandra.

»Hör du vad jag hör?» frågar Ingmar Johansson.

Göte Lindman nickar.

Utifrån hörs en hunds envetna skall.

Ängsliga.

»Han är upprörd över något», säger Göte Lindman. »Det är ett som är säkert.»

De står stilla ett slag innan de går mot ett av rummets fönster.

Ett lågt moln löses upp till dimma när det rör sig långsamt förbi glaset, lägger små droppar av fukt att vila på ytan.

De ställer sig bredvid varandra, väntar på att molnet eller dimman ska dra undan. Lyssnar på hunden, hör den larma.

Så ser de ut över markerna.

Granskogen, tallarna, åkrarna. Dimstråk skymmer sikten ner mot vallgraven.

»Det är vackert», säger Johansson. »Ser du hunden?»

»Nej.»

»Ja, man kan förstå att Greven älskar de här markerna.»

»Han trivs nog inte i stan.»

Ingmar Johansson flinar och vänder blicken från landskapet. Nere på slottsbacken krattade grus står Range Rovern och bilen de kom i.

Så drar dimman bort från vallgraven. Och där står hunden, och dess mörka kropp rycker varje gång den riktar huvudet upp mot himlen och skäller.

»Ståndskall», säger Göte Lindman. »Kanske ett rådjur som trillat ner i vattnet?»

Vallgravens vatten är svart, stilla. De gröna lyktorna runt om lyser svagt.

Men det är något som inte stämmer. Det är något i vattnet som inte borde vara där. Inte ett rådjur, tänker Göte Lindman.

Hunden tittar ner, sedan ännu ett krampaktigt skall.

Något gult flyter i det svarta, en vag, liksom pulserande gul rundel för hans med åren allt svagare syn.

»Du, Johansson, vad är det som flyter där nere i vallgraven? Det där ljusa? Som hundfan skäller åt.»

Ingmar Johansson ser ner i vattnet.

En svart tuktad orm instängd av uråldriga grå stenkanter. Är det sant det där med de inmurade ryska soldaterna? tänker han.

Kanske femtio meter bort, vid vattenytan i vallgraven, rör sig det ljusa, gula sakta fram och tillbaka, i vattnet en mörk kontur, skepnaden, formen, han känner igen den, instinktivt, och han vill vända bort blicken.

Ett huvud.

En kropp dold, men ändå tydlig i vattnet.

Blont hår.

Ett ansikte vänt åt sidan.

En mun.

Han tycker sig se självlysande fiskar, små yngel, som simmar in i den munnen, som för länge sedan måste ha slutat kippa efter luft.

»Fy fan.»

»Det var det jävligaste.»

»Fy fan», säger Ingmar Johansson igen och vet inte vad han ska känna eller göra härnäst, vet bara att han vill att hunden ska sluta skälla, men den hunden kommer att skälla i hans drömmar tills tiden tar slut.

8.

Det är något som inte rör sig längre.

Något som har stannat av för alltid. Istället rör sig det som omsluter mig. Jag behöver inte andas för att leva här, precis som det var för länge sedan, när allt tog sin början och jag svävade, tumlade runt inne i dig, mamma, och allt var värme och mörker och lycka förutom de höga ljuden och ilskna stötarna som skakade sansen, den lilla sans jag hade, ur mig.

Ingen värme här.

Men heller ingen kyla.

Jag hör hunden. Howie. Det måste vara du, jag känner igen ditt skall, även om det låter som om du är oändligt långt borta.

Du låter orolig, nästan rädd, men vad vet en hund som du om rädslan?

Mamma, du lärde dig allt om den rädsla som finns i smärta. Är jag närmare dig nu, det känns så?

Vattnet borde vara så kallt, kallt som de små tunga haglen som sprutat ur himlen den här hösten.

Jag försöker vända mig om, så att mitt ansikte kommer uppåt, men kroppen finns inte längre, och jag försöker minnas vad som förde mig hit, men allt jag minns är dig, mamma, hur jag vaggades i takt med dig, precis som i den här vallgravens vatten.

Hur länge ska jag ligga här?

Det finns en hänsynslöshet här och jag speglar mig i den hänsynslösheten, den är mitt ansikte, mina skarpa rena drag, näsborrarna vars sammandragning kan sätta skräck i folk, vem som helst.

Högmod.

Är jag högmodig?

Är den tiden förbi nu?

Nu när allt blivit stilla.

Jag kan flyta här i tusen år, i det kalla vattnet, och vara herre över de här markerna och det är gott så.

Rådjur ska nerläggas.

Harar ska tas ur.

Människor ska lämna sina varma, säkra vatten.

Nya dagar ska födas.

Och jag ska vara med om dem alla.

Äga dem alla.

Jag ska ligga här och se mig själv, pojken som jag var.

Och jag ska göra det även om jag är rädd, jag kan erkänna det nu, jag är rädd för den där pojkens ögon, det sätt ljuset öppnar världen för honom, stötvis, som en övergiven hunds desperata ståndskall.

9.

Linköping med omnejd, sommaren 1969

Världen blir till genom ögonen, för om man blundar finns inga bilder, och pojken är fyra år gammal när han lär sig att känna igen sina egna ögon, de bumlingstora djuphavsblå tingestarna som sitter på perfekt avstånd från varandra i en lika perfekt formad skalle. Jerry märker vad han kan göra med de ögonen, få dem att blixtra så det sker de mest märkliga under, och bäst av allt, att han kan få dagisfröknarna att ge honom det han vill.

Hans verklighet är ännu direkt. Vad vet han om att det denna dag fälls tonvis med agent orange och napalm över tropiska skogar där människor trycker i skräck i hålor långt under marken, väntar på att brinnande gelé ska gräva sig ner i jorden och förgöra dem.

För honom är varmt bara varmt, kallt är kallt och det svartmålade kopparstupröret som sitter fäst på en oändlig sträv röd träyta är så hett att det bränner hans fingrar, men inte på ett farligt sätt utan ett som är skönt och gör honom både trygg och rädd; rädd därför att värmen i honom väcker en känsla av att allt kan ta slut.

Mycket händer i detta liv.

Bilar kör. Tåg åker. Båtar på Stångån tutar.

Han ligger i gräset i trädgården till sin farmors torp och känner den feta doften av klorofyll fylla honom, ser hur gräset färgar knäna och kroppen gröna. På kvällarna, när myggen anfaller, ställer pappa en klargul badbalja på gräset och vattnet är varmt om hans kropp och luften runt om honom är kall och sedan springer han vid sidan om det vrålande grässlukande monstret som stinker av en skarp lukt och pappa svettas när han för det framåt över gräset. Knivarna nafsar efter pojkens fötter, sprutar vingklippta grässtrån ur ett stort svart gap, det här är ingen lek och pappa ser blicken i hans ögon men låter sig inte bevekas. Pappa vänder monstret, jagar pojken genom trädgården, skriker: »Nu skär jag fötterna av dig, nu skär jag fötterna av dig», och pojken springer ner mot skogsbrynet, vill springa tills ljudet av gräsklipparen inte längre hörs.

Men i husets kök, hos mamma och farmor, fungerar ögonen och han förstår att det är bäst att äta bullarna tidigt, innan möglet i trossbotten hunnit ge vetebrödet en skämd smak.

Pappa kommer till torpet efter jobbet.

Med påsar som klirrar. Och då vill mamma sitta still. Mår bättre efter att pappa kommit med påsar och farmor också, hur de blir glada men inte glada på riktigt.

Solen försvinner och värmen i den svartmålade kopparen byts ut mot en metallisk doft i ett kyligt trapphus och skimrande glaskulor i flera färger rullar över sanden i en sandlåda, och sedan ner i ett hål och någon står i vägen, en annan pojke.

Bort. Du ska inte vara där. Och Jerrys hand flyger upp, träffar där han vill, på näsroten och så kommer blodet och pojken skriker, rakt ut skriker den han slagit och själv skriker han: »Plåster!», inte: »Han slog mig», den lögnen håller han sig för god för.

I den direkta världen finns ett kattlik i en papperskorg vid gungorna i parken. Han gav den katten grädde en gång.

Det finns känslor som svävar i lägenhetens två rum, det finns frågor som ställs till honom. »Vet du att vi bor i Berga?» »Att pappa jobbar på Saab med att skruva ihop flygplan som kan åka snabbare än orden genom luften?» Och han känner igen skratten, de saknar värme, och de sitter i den orangebrunspräckliga soffan, den de bäddar åt honom varje kväll, och häller upp dricka ur flaskorna som de alltid har i en påse. Sedan pratar de högre, luften blir söt och obehaglig, och de ser på svartvita människor på en ruta, och mamma kan resa sig som hon inte kan annars, kan flyga upp ur soffan och de dansar, det gör hon bara när de druckit sprit och han tycker om att se mamma dansa. Men så börjar pappa jaga honom, är gräsklipparen som försöker fånga honom och slå honom över smalbenen och på armarna, och pojken är fyra år, smiter ut genom en olåst lägenhetsdörr, ut i världen utanför som är full av liv som väntar på att erövras; en katt ska begravas, en gunga ska svingas mot skyn, bilar och tåg ska köras, människor ska inte ligga i spyor och smärtor, ska inte jaga honom någonstans.

Så han skriker.

Slår sönder.

Målar med kritor på väggarna.

Får tag på tändstickor och tänder eld på världen, ser hur hans träbåt brinner i sanden och känslor som han inte kan namnet på, känslor som kanske inte har några namn, svävar i lågorna och det pyrande skrovet vilar på en öde sandbotten omgiven av träramar.

Pappas uppgivenhet. Hur pojkens lilla kropp flyger in i elementet under vardagsrumsfönstret när pappa full ramlar över honom. Mammas trötta blinkningar.

Smärtan som ännu alltid är ny.

Ingenting är fast.

Ingenting är stelnat i sin form.

Kanske är därför heller ingenting möjligt.

Pojken ligger i sin säng om natten. Han är vaken. I augustikvällen gör sig höstens första kyla märkt.

Han vet redan nu att det finns en annan värld, men han tänker inte på den, är upptagen med att leva i den direkta verkligheten.

Det finns inga baktankar när han vakendrömmer i mörkret om att döda sin far. Att han dödar honom med strålar som kommer ur de blå bumlingarna till ögon. Han ska få tyst på gräsklipparen.

Dess knivar ska aldrig mer nafsa honom i hälarna.

10.

Ögat, lika svart som vattnet, tycks blinka mot Malin Fors när huvudet guppar i de små, knappt skönjbara vågorna.

Den gula regnrocken nästan självlysande i vattnet.

Dunkandet i hennes egen skalle.

Hunden som skäller nere i bilen vid skogsbrynet. Ljudet som låga avlägsna kanonskott, som om den satt i en tryckkokare.

Hunden stod vid vallgravens kant när de kom. Skällde som besatt, men blev inte arg när de ledde den ner till bilen, fortsatte bara att skälla.

Bang, bang.

Vad ser det där ögat i vattnet nu? Vad var det sista det ögat såg?

Huvudets guppande rörelser, de små ormliknande fiskarna runt om det, värken i Malins eget: Två saker som kommer att ge den här dagen dess alldeles egna, galna struktur och logik.

Skogså slott. Hon har kört förbi avtagsvägen flera gånger, men aldrig sett slottet förut, inte haft anledning att köra in i skogen och ut bland fälten. Men hon har sett bilder på det i en bok om svenska slott och herresäten som finns i mammas och pappas lägenhet vid Infektionsparken. En jävla stenlåda, garanterat fullproppad med mallighet, även om det vilar något sobert över byggnaden. Linjerna är raka, utsmyckningarna nästan obefintliga, en ödmjukhet inför det drama som spelats upp här genom åren.

Malin står på huk vid sidan av vallgraven. Stora, blankhuggna stenar som måste ha tagits direkt från urberget stupar brant ner mot vattnet, det gröna ljuset från lyktorna som speglar sig i vattenytan. Fiskarna där nere, hundratals, inte mycket större än yngel, svartare än vattnet rör de sig stimvis runt kroppen.

Malin har dragit upp den svarta Gore-Tex-jackans dragkedja ända upp, kapuschongen tätt om huvudet, tredubbla tröjor under och ändå fryser hon, känner tunga regndroppar hamra mot vindtyget. Zeke hade jackan i bilen, kommenterade hennes urgamla tröja när han hämtade upp henne, undrade om hon köpt den på Myrorna. När han såg jeansen flinade han: »Östeuropeiskt mode är the next big thing.»

Men han kommenterade inte att han fick hämta upp henne vid lägenheten, även om han måste ha undrat vad hon gjorde där.

Kylan får huvudet att klarna.

Blicken att bli fast, så att hon kan fokusera på liket som flyter vid vattenytan, på det blonda håret, på ögat som stirrar upp på dem.

Zeke vid hennes sida.

Yrvaken. Undrande.

»Hur fan ska vi få upp honom?»

»Vi får ta hit dykare från brandkåren.»

Samtalet om fyndet av kroppen hade kommit till polishusets växel klockan kvart över åtta, Malin hade hört telefonen ringa när hon klev ur duschen och den hade haft en omisskännlig ton av angelägenhet, precis som om telefonen hade ett medvetande och kunde ändra sin signal allt efter verklighetens krav.

Zekes röst: »Några bönder har ringt in och sagt att de hittat en man mördad ute på Skogså slott.»

Hon hade kastat på sig kläderna, de hade åkt söderut mot Skogså. Han hade kommenterat hennes andedräkt och sagt att hon såg sliten ut, undrat om hon druckit, men hon hade sagt att hon bara tagit ett litet glas tequila på kvällen, skämtat om att han måste ha extra känsligt väderkorn.

De hade varit första bil på plats, och när de kommit fram och parkerat vid skogsbrynet hade de stora portarna till slottsbyggnaden öppnats och ut kom de två männen hon nu vet är arrendebönderna Ingmar Johansson och Göte Lindman.

De hade väntat där de blivit tillsagda när hon och Zeke tagit in scenen och lett iväg hunden, försiktigt, utan att röra till brottsplatsen. Förklarat att de skulle jaga rådjur med Jerry Petersson, men att han inte mött dem på utsatt tid och att de hittat honom, eller det som de trodde var hans kropp nere i vallgraven.

»Det går ju inte att se säkert», hade Ingmar Johansson sagt.

»Men det är han», hade Göte Lindman fyllt i. »Han har en sådan regnrock.»

Liket i vattnet.

Jerry Petersson.

Stjärnadvokaten. Affärsmannen. Den aningen skumme affärsjuristen som gjort sig en förmögenhet i Stockholm och flyttat hem när han fick chans att köpa Skogså slott. Malin hade läst porträttet i Corren.

Om det nu är han.

Dunkandet i skallen. Hundskallen. Borta vid skogsbrynet anländer två patrullbilar. Fullt pådrag när det är misstanke om mord.

Jerry Petersson.

Men vem skulle det annars vara? Malin sluter ögonen, känner huvudvärken, lyssnar ut i luften, och tycker sig höra hur regndropparna faller som på en osynlig kropp, någon som viskar ord hon inte kan förstå, ord som vill göra världen begriplig, lätt att omfamna och ta till sig, men de försvinner innan hon hinner få fatt i deras mening.

Dykarna anlände efter en halvtimme och nu står det röda utryckningsfordonet bredvid Zekes bil och kriminaltekniker Karin Johannisons blå Mercedes, Sven Sjömans röda Volvo. Bilarna står parkerade i en slänt på andra sidan vallgraven, långt ifrån Peterssons Range Rover och arrendatorernas Saab. Reportagebilarna har kommit en efter en. Journalisterna står i en klunga med stora och små kameror, blixtar som tagna ur ett gigantiskt urladdande oväder. De ropar åt polisernas håll, men blir ignorerade.

De anar snask, journalisterna. Löpsedlar. En storsäljande berättelse som appellerar till människors behov av att på tryggt avstånd få umgås med döden och våldet.

Precis som i en sketen deckare, tänker Malin. Verkligheten härmar fiktionen.

Ingen av poliserna eller personalen från brandkåren har kört upp på slottsbacken.

Ingen vill förstöra några hjulspår, några fotavtryck eller tecken på strid i gruset, eller vad Karin Johannison nu kan hitta. Malin ser Karin röra sig runt Range Rovern, fotografera, skaka på huvudet, gnida regndroppar ur pannan. Till och med i en gul regnparkas lyckas den kvinnan se glamorös ut.

Hon nickade åt Zeke när hon kom, och han drog sin mörkblå regnrock tätt omkring sig.

En alldeles för lång nick, tänker Malin, vet att den döljer något hon inte vill veta ett skit om, en sanning gjord tydlig på det sätt som bara en riktig bakfylla kan ge ett nytt sken åt sakernas tillstånd.

Med håglösheten kommer tydligheten.

Men vad vet jag egentligen om deras förehavanden? Jag kanske bara inbillar mig.

Brandmännen, dykarna är inga hon känner igen.

Tack och lov. Men de vet säkert vem hon är, känner till allt om henne och deras kollega Janne.

Inte tänka på igår nu.

Istället tacka gud för det här fallet. Istället tänka på offret i vallgraven, vem han är, hur han hamnade där, och Malin ser hur dykarna, klädda i svarta grodmansdräkter och gula cyklop, hissar sig ner från vallgravsbron med hjälp av grova rep och hur deras kroppar långsamt klyver den svarta vattenytan.

Karin vid hennes och Zekes sida nu.

Regnet har lagt sig på tvären, går rätt in i ögonen, och borta vid skogskanten, två hundra meter bort, bortom en hage, driver dimman in i låga sjok.

»Försiktigt», skriker Karin när dykarna närmar sig kroppen. »Så försiktigt som möjligt.» Och de fäster en sele runt liket, gör tummen upp mot den tredje brandmannen som står med en vinsch på bron och snart hörs ett surrande och kroppen i vattnet rör sig sakta uppåt, varsamt hållen av vattentrampande dykare.

»Vilken jävla morgon», säger Zeke.

Sven Sjöman, klädd i grön regnrock, har även han slutit upp vid deras sida.

»Vad tror vi om det här?»

»Han har knappast hoppat i frivilligt», säger Malin. »Eller ramlat i.

Vuxna män trillar sällan i vattnet, annat än om de är rejält fulla eller får en hjärtattack eller något åt det hållet.»

»Om det är Petersson var han väl runt fyrtiofem. Det är inte många som får hjärtattack då.»

»Nej. Han lär nog ha fått hjälp med sin situation.»

»Det är det troligaste. Vi får veta säkert så snart Karin fått upp kroppen.»

Malin nickar.

»Om det är Petersson och han blivit mördad är det här en journalists våta dröm.»

»Försiktigt», ropar Karin, samtidigt som kroppen snurrande lyfts ur vattnet och blir hängande med fötterna neråt, vattnet droppandes från det gula tyget i regnrocken, från brunt byxtyg och ett par svarta läderstövlar.

Vattnet som droppar färgas rött. Den gula regnrocken är perforerad av mängder med hål och i några stora revor kan Malin se den såriga kroppen, där blod blandat med vallgravsvatten rinner i små rännilar från tiotals huggsår. Blodet blandar sig med regnet. Det regnar blod, tänker Malin. Och inte trillade du i graven på fyllan.

Små silverglänsande fiskar faller från offrets mun, sprattlar som övergivna spädbarn på sin väg ner mot vattnets trygghet.

Ormfiskar, tänker Malin.

Ett svart öga som stirrar rätt ut i regnet och den tunna dimma som drivit ner i vallgraven. Likets andra öga är stängt.

Du ser förvånad ut, tänker Malin. Men är du det egentligen?

Om jag är förvånad?

Knappast.

Vattnet omsluter mig inte längre.

Jag lämnar minnet av dig, mamma, och istället hänger jag här och stirrar ner i vattnet, och bort mot slottet, på de okända människorna.

Jag hör och ser Howie, hur han skäller mer intensivt nu. Ser han hålen i min kropp? Jag vet att de är många, men jag känner ingen smärta, bara vinden som drar igenom mig.

Vilka är de, människorna?

Vad vill de mig?

Är det de ryska soldaterna sägnerna berättar om?

Jag åker långsamt uppåt, mot ett surrande ljud och jag snurrar runt runt men jag blir inte yr, så åker jag inåt bron, hållen av ett par stadiga armar, och sakta sänks jag neråt, min stelnande blodiga kropp.

Ett klafsande ljud när jag träffar marken igen.

Jag blir liggande på rygg.

Svart plast under min kropp. Hur kan jag veta det när jag ligger på rygg, när jag varken känner eller ser något?

Men det är väl så det är nu?

Alla människorna som står vid vallgravskanten och tittar på mig. Vilka är de?

Jag har mina aningar, men jag vill inte tro att det är sant, att det har hänt till slut. Jag vägrar att gå med på det här. Men det är väl lönlöst att spjärna emot? Och om det har hänt, så finns det många gåtor att lösa.

Och surret från gräsklipparna finns inte här.

Ett kvinnoansikte i mitt blickfång. Hon är vacker.

Så en annan kvinna.

Hon kunde ha varit vacker, men ser ut som om hon borde sova i ett halvår, ögonen liksom tomma på lust till livet.

Och som de pratar, jag vill faktiskt inte höra vad de säger, inte än.

»Det är Petersson», säger Karin när hon och Malin hukar vid kroppen som ligger på bron över vallgraven. »Jag känner igen honom från bilder i Corren och Kalles affärstidningar.»

»Vi kan be någon av arrendatorerna att identifiera honom», säger Malin. »Men jag känner också igen honom så det ska egentligen inte behövas.»

Johansson och Lindman väntar i en polisbil. De ska förhöra dem ingående när de är klara här ute.

»Förutom såren har han ett stort blåmärke i nacken», säger Karin. »Med största sannolikhet kommer såren på bålen från knivhugg. Allt tyder på ett kraftigt yttre våld som man nästan bara ser i raseri.

Ni kan utgå från att han inte kan ha orsakat skadorna själv. Men jag kan inte göra så mycket mer konkret här ute, måste få in honom till stan för att se om jag kan få fram något mer ur kroppen. Marken här är helt omöjlig att undersöka. Regnet har effektivt utplånat alla spår. Kanske kan jag hitta blodrester nere i gruset, men det är långt ifrån säkert.»

Ambulansen anlände nyss.

Körd av Stiglund, en gammal arbetskamrat till Janne. Han hälsade glatt och frågade om Janne mår bra, och Malin svarade att det gör han.

Hon ser på liket.

Det öppna, nästan magiskt blå ögat vill tränga ur sin håla och hon känner sig illamående, vill resa sig upp men höjer istället blicken mot Zeke.

»Vad tror du?»

»Någon har knivhuggit honom i raseri och slagit honom i nacken och kastat i honom. Eller tvärtom.»

»Från och med nu är det här officiellt en mordutredning», säger Sven.

Raseri, tänker Malin. Min hand som höjs mot Janne, fy fan, jag var så arg, tänk om jag haft en kniv i handen, men tänk inte, tänk inte, säg istället:

»Vi får undersöka bilen, marken omkring, hela slottet och de andra byggnaderna och se om vi hittar något. Något som tyder på handgemäng, eller några andra spår. Och om vi kan hitta mordvapnet. Med största sannolikhet en kniv, och en sten eller liknande.»

»Gör så», säger Sven. »Vi får samla ihop styrkorna, ta ett inledande möte, innan vi drar igång det som måste göras. Vi får förhöra de där två som hittade honom. Ringa in de andra i gruppen. Karin, kan du cleara ett rum i slottet som vi kan använda?»

Karin nickar.

En bil uppenbarar sig i skogsbrynet.

Ännu en av Correns blå och vita reportagebilar.

Allt ska ha sin gång, tänker Malin, samtidigt som hon känner magen dra ihop sig och hon blir akut illamående.

Malin går på gruset i riktning mot slottets portar, tänker på de hundratals människor som måste ha gått precis som hon här genom åren. I fruktan eller stolthet, trötta eller med den upprymdhet som bara betydande egendomar kan ge.

De människorna är som andar förankrade i landskapet, vålnader som inte vill lämna marken för att sväva.

Hon stängde Jerry Peterssons öppna öga nyss.

Ville att han skulle få ro, slippa betrakta världen med stirrande död kall blick. Det räcker att vi levande betraktar världen med sådan blick, tänkte hon. Sedan såg hon på honom. Hans slutna ansikte, de blottade såren i hans ganska vältränade torso. Vem var du, tänkte hon. Vem måste man vara för att hamna där du gjorde? Hur blev allt det här ditt? Vem blev så vild av raseri att han eller hon eller de högg dig i veka livet, om och om igen?

Sedan gick hon runt slottet, hittade ett litet kapell på baksidan, men dörren var låst. Hon kikade in, och mitt i det oktagonformade rummet fanns en upphöjning i sten som hon antog markerade släkten Fågelsjös familjegrav. Från väggarna stirrade tjugotals ikoner ner mot henne, guldet som omslöt Kristusgestalterna verkade försöka trotsa årstidens mörker, säga: »Det vackra är möjligt.«

På andra sidan slottet stod två stora röda traktorgräsklippare av märket Stiga parkerade, tysta, som om de använts för sista gången, och kanske berövats sina knivar.

Malin kliver upp på slottstrappan, drar i sig förmiddagsluften.

Trots illamåendet är hon upprymd.

Hon skäms över känslan. Tänker: Det går att skämmas för alla känslor. Var det skamkänslor som tog livet av dig, Jerry? Vad skämdes du för? Om du nu skämdes över något. Kanske måste man vara fri från skam för att äga och bo i ett slott?

I slottets entré hänger en gigantisk ljuskrona märkligt ensam i rymden. Som om den väntar på att få sprida ljus, tänker Malin. Och så målningen på väggen. En man, en kvinna. Lite solkräm på en rygg, kärlek? Kanske. Undertryckt våld. Definitivt.

Den där tavlan kostar säkert en hel förmögenhet, tänker Malin.

Mummel.

Frågor.

Tro inte att jag svarar.

Något ska ni väl göra för att förtjäna er lön?

En kamera rasslar.

Min evighet förevigas.

Jag kan inte röra mig. Men ändå kunde jag se Malin Fors beskåda min ikonsamling nyss.

Jag kan kanske ha lite roligt med allt det här. Leka med rättvisan som så många gånger förr.

Men hur ska jag kunna göra det? Min kropp är full av hål. Det stämmer inte. Det stämmer inte.

Hjälp.

Hjälp mig.

Malin Fors.

Jag känner inte igen min rädsla, den är helt ny.

Bara du kan ta mig härifrån, Malin, eller hur?

Bara du kan döva den rädsla jag så förtvivlat försöker fly ifrån. Som du själv försöker fly ifrån, eller hur?

11.

Ett stort svartvitt fotografi med siluetter av människor i en hammock hänger på bibliotekets långvägg. Det är som om människorna flytt ut ur bilden och bara lämnat sina skuggor kvar.

Malin har ingen aning om vem som är konstnären bakom verket, men det ser dyrt ut, det stinker finkonst om det.

Säkert tio meter högt i tak i rummet.

Karin Johannison och två nyanlända kollegor har gått igenom det och inte hittat något av intresse, och nu är det deras mötesrum.

Väggarna är klädda med mörka träpaneler och platsbyggda, tomma bokhyllor som en gång säkert hyst franska band i mängder. Vilka författare? Rousseau? Knappast. Shakespeare? Säkert. Sven Sjöman har tagit plats i en av de bågformade, vitklädda fåtöljerna som står i rummets mitt. Han ser trött och mager ut, tänker Malin, men om Sven ser trött ut, hur ser jag då ut själv?

Zeke på en kantigt modern stol på andra sidan det spensliga metallbordet. Han har tagit av sig sin regnjacka och på den renrakade skallen dröjer sig regndroppar kvar. Även Waldemar Ekenberg har anlänt, tagit plats i soffan där Malin snart förväntas sätta sig. Waldemar luktar rök, hans ögon är mörka i bibliotekets dunkla ljus och de långa smala benen verkar nästan försvinna i tyget på hans allt för vida bruna gabardinbyxor.

»Sätt dig, Malin», säger Sven och gör en gest mot platsen bredvid Waldemar. »Men ta av dig den där våta jackan.»

Ta av dig jackan. Tror han att jag är fem år?

»Klart som fan jag tar av mig jackan», säger Malin och Sven ser förvånad ut över hennes ilska, säger:

68

»Malin, jag menade inte så.»

Hon tar av sig jackan, slår sig ner bredvid Waldemar och röklukten från hans kläder får illamåendet att nå nya höjder.

»Jerry Petersson», säger Sven. »Mördad med kraftigt yttre våld. Vi kan utgå från det så länge, tills vi får den exakta dödsorsaken i Karins rapport. Det här är första mötet, om än hastigt uppsamlat, med spaningsgruppen för förundersökningen rörande mordet på Jerry Petersson.»

Gruppen med poliser sitter tyst.

Känner allvaret och koncentrationen, fokuseringen som finns i starten av varje mordutredning, känslan av att de måste skynda, måste komma någon vart snabbt, för de vet att för varje dag som går i spaningsarbetet minskar möjligheten till ett uppklarande.

Sven fortsätter: »Jag lät stationen göra en snabbkoll. Jerry Petersson var född 1965 och har enligt det vi snabbt kunnat få fram bara en nära släkting och det är hans far, som bor på Åleryds sjukhem. En präst och en kurator är på väg dit nu med beskedet. Vi får höra fadern tids nog. Han är gammal.»

Göte Lindman och Ingmar Johansson hade nyss identifierat Jerry Petersson ute på vallgravsbron. De hade inte tvekat och båda hade varit märkligt lugna.

»Några idéer om var vi ska börja?» säger Sven sedan.

Tonläget i Svens röst intresserat, ärligt frågande, men Malin vet att han snart ska ta till orda igen.

»Okej», säger Sven. »Vad vet vi mer om Jerry Petersson?»

»Advokat, från trakten ursprungligen», säger Zeke. »Läste i Lund, men var verksam i Stockholm. Gjorde sig en förmögenhet och flyttade hem när han kunde köpa Skogså av familjen Fågelsjö. Det antyddes i artikeln i Corren att de hamnat på obestånd och varit tvungna att sälja. Artikelförfattaren insinuerade också att Jerry Petersson haft en hel del tvivelaktiga affärer för sig.»

»Jag läste det också», säger Malin, minns att det var Daniel Högfeldt som skrivit artikeln. »Han måste ha haft ett rejält kapital för att kunna köpa det här. Och jag kan tänka mig hur bittra Fågelsjös måste ha varit över att sälja egendomen. Den har väl varit i familjens ägo i nästan femhundra år?»

Fågelsjö, tänker hon. En av de mest kända adelssläkterna i länet. En sådan familj som alla vet något om. Utan att egentligen veta varför.

»Fågelsjös ska höras om sina förehavanden och omständigheterna kring försäljningen», säger Sven. »Ta reda på vilka i familjen det kan ha berört.»

»Familjen består av en patriark, och två barn. En son och en dotter tror jag», säger Zeke.

»Hur vet du det?» undrar Malin.

»Det stod i Corren det också. I ett sådant där födelsedagsporträtt av gammelgubben när han fyllde sjuttio.»

»Namnen på barnen?»

»Ingen aning.»

»Men det ska vara lätt att ta reda på», säger Waldemar.

»Ni får dela upp förhören mellan er», säger Sven. »Ta dem så snart som möjligt. Jag ser till att vi får dörrknackning i bostäderna här omkring och får ut ett meddelande i lokalmedierna om att vi söker alla som kan ha iakttagit något anmärkningsvärt i området det senaste dygnet.»

»Om han nu var riktigt rik», säger Malin, »kan det faktiskt ha varit ett rånmord. Någon som hört om den nye rikingen på slottet och bestämt sig för att slå till.»

»Kan vara så», säger Sven. »Slottsportarna var ju öppna. Men av det vi sett verkar inget fattas här inne. Och Karin hittade hans plånbok i den gula regnrocken. Knivhuggen mot bålen tyder ju också på ett kraftigt raseri man sällan ser vid rånmord.»

»Nej, jag får inte heller känslan av rån eller inbrott. Det här är något annat», säger Malin.

»Och Peterssons affärsrelationer?» undrar Zeke. »Om han var lite sleazy som nu ryktet säger kan det ju finnas hundratals människor som ville honom illa. Som kan vara förbannade på honom.»

»Det är vårt viktigaste spår nu», säger Sven. »Vi får leta efter dokument och affärshandlingar här i huset som kan leda oss vidare. Vilka skumraskaffärer var han inblandad i? Före detta kollegor? Hans firma? Hade han några affärer på gång som kan ha gått snett? Vi får göra en rejäl bakgrundskoll på honom. Det måste finnas en hel del skrivet. Du och Jakobsson får ta tag i det, Waldemar. Börja med att leta igenom slottet efter papper allt eftersom Tekniska blir klara. Vi får också ta reda på om han hade någon form av testamente. Vem ärver allt det här? Det är en minst sagt intressant fråga.»

»Jakobsson är ledig», säger Waldemar.

»Ring in honom», säger Sven. »Och ni två, Malin och Zeke, förhör de två som hittade honom.»

De pratar med Ingmar Johansson först.

Arrendebonden sörplar kaffe på andra sidan bordet i slottets kök, stryker ena handen över sitt blonda hår med jämna mellanrum och berättar hur han först varit orolig när det blev en ny ägare till slottet, men att det hela verkat »lugnt» när han väl fått tala med Petersson.

»Han skulle inte ändra i arrendena.»

»Inga ändringar alls?» frågar Zeke.

»Nej, eller nja.»

»Nja?» undrar Zeke.

»Ja, han ville vi skulle hjälpa honom med jakten när det passade.»

»Och det hade du inget emot?»

»Nej, varför skulle jag ha det? Det är ju inte bra för mig om det blir för mycket vilt på marken jag arrenderar heller.»

»Hur mycket skulle ni ställa upp?» frågar Malin.

»När han ringde.»

»Men hur mycket?»

»Det sa han aldrig. Och när han ringde igår var det första gången på länge.»

»Du såg inget märkligt när du kom hit?» frågar Malin, trots att hon frågade samma sak när de först anlände till slottet. Vill vrida sanningen ur Ingmar Johansson med upprepningens kraft.

»Nej. Jag åkte med Lindman, och Range Rovern stod på slottsbacken. Jag trodde att Petersson var inne i slottet och skulle komma ut, och när han inte kom gick vi in för att leta efter honom.»

»Du mötte ingen bil?»

»Nej.»

»Var portarna till slottet öppna?»

»Det har ni redan frågat. Ja. Annars hade vi ju inte kunnat gå in. De där portarna forcerar du inte så lätt.»

»Du var inte här ute tidigare idag», frågar Zeke. »Eller inatt?»

»Nej, varför skulle jag ha varit det?»

Ingmar Johanssons ansikte tycks skrumpna ihop, läpparna dras samman och han ser misstänksamt på dem.

»Fråga kärringen där hemma om ni inte tror mig. Vi kollade på tv hela kvällen sedan gick vi och la oss. Hon gjorde frukost till mig imorse.»

»Vet du något mer om Jerry Petersson som du tror kan vara av intresse för oss?» frågar Malin.

»Nej, inte ett skit.»

»Något om hans affärer?»

»Inget.»

»Levde han ensam här ute?»

»Jag tror det. Han hade inga anställda. Hyrde in de tjänster han behövde, sas det.»

Ingmar Johansson ger dem en min som säger: Nu räcker det med frågor. Nu har jag sagt mitt.

»Du kan gå nu», säger Malin trött. »Men se till att vara tillgänglig för fler frågor.»

»Du får mitt mobilnummer», säger Ingmar Johansson samtidigt som han reser sig.

Göte Lindman är en ensam man, tänker Malin när hon ser hans ansikte mot kökets vita kakel.

En ensam bonde som säkert trivs bäst för sig själv i en skördetröska eller med sina djur, om han nu har några. Kvinnan han refererat till, Svetlana, omnämndes mer som en möbel än som en livskamrat.

Göte Lindman har precis berättat samma saker för dem som Ingmar Johansson. Hur de blivit ditkallade för att jaga, hur det ingått som en informell punkt i avtalet med den nye slottsherren och att det inte spelade Göte Lindman någon roll, för jagade gjorde man på höstarna och då var det också som minst att göra med det egna jordbruket.

»Petersson verkade vara en ärlig karl.»

Göte Lindman säger orden med eftertryck innan han fortsätter:

»Skit att vi skulle behöva hitta honom i vallgraven så där, det hade kunnat bli bra. Det är jag säker på. Fågelsjö är en otrevlig jävel.»

»Vem av dem?» frågar Zeke.

»Jag hade att göra med gubben, Axel.»

»Otrevlig hur då?» frågar Malin.

»Hans humör, ja det var ... han lät en veta vem som hade makten, om jag säger så.»

Göte Lindman tystnar, skakar på huvudet, och en hastigt påkommen rädsla drar över hans ögon.

»Hur lät han er få veta?» frågar Malin.

»Genom att chockhöja arrendet till exempel», säger Lindman snabbt.

Malin nickar.

Moderna slottsherrar. Samma maktmän som alltid, samma tilltryckta arrendebönder som alltid, samma underdånighet som alltid. Men samtidigt: Vissa människor har en förmåga att tycka illa om alla auktoriteter.

»Vet du något om Petersson?»

»Inte mer än att han var uppvuxen i stan och gjort sig klöver i huvudkommunen.»

»Vet du hur han tjänat pengarna?» frågar Zeke.

Lidman skakar på huvudet.

»Inte en susning.»

»Bodde han ensam här?»

»Bara med hunden, så vitt jag vet. Vad händer med den nu?»

»Den tar vi hand om», svarar Malin och inser att hon inte har en aning om vad de ska göra med hunden som alltjämt skäller nere i bilen.

Sedan frågor och svar, om de sett något ovanligt på vägen dit, mött någon bil, om Range Rovern stått på slottsbacken när de anlände, om han hade någon aning om vem som kunde ha gjort detta, vad han själv gjorde natten till idag och imorse.

»Jag har ingen aning om vem som kan ha gjort det.»

»Jag var hemma på gården. Fråga Svetlana.»

»Ni tror väl inte att det är jag som gjort det? Då hade jag väl inte ringt in?»

»Vi tror inte», svarar Malin, »att du är inblandad i det troliga mordet på Jerry Petersson. Vi måste bara fråga, hålla alla möjliga vägar öppna, samtidigt som vi stänger vissa andra.»

Malin och Zeke är ensamma i köket.

De vitkaklade väggarna får Malin att tänka på ett slakthus och sedan på ett bårhus, och att dimman där ute i skogen och på fälten är rök och krutdimma från ett sextonhundratalsslagfält.

Blod och skrik.

Avhuggna lemmar.

Förruttnelse och slemmiga svampar under fötterna.

Människor utan armar som skriker i svavelosande rök från brinnande halm. Benlösa varelser, barn med avhuggna öron.

Precis som de Janne sett i Rwanda.

»Varför tror du att dörren stod öppen?» frågar Malin. »Han har konst för säkert flera miljoner här inne.»

»Han kanske var inne när han såg någon komma på slottsbacken och gick ut och låste inte efter sig? Det är ju fullständigt naturligt.»

»Eller så hade han gått en sväng, eller tagit en tur med bilen och glömt låsa.»

»Eller så var han typen», säger Zeke, »som har svårt för vardag och struntade i att låsa, bara för spänningens skull.»

»Eller så bodde han inte ensam. Någon kanske var kvar i slottet när han gick ut.»

»En kvinna?»

»Kanske. Men jävligt underligt, eller hur? Att han skulle bo i det här schabraket till slott ute på vischan alldeles själv.»

»Men alla säger att han bodde ensam här. Han kanske gillade ensamheten?»

»Hör du hunden?» frågar Zeke sedan.

»Nej. Men vi måste ge den vatten.»

Zeke nickar.

»Vad ska vi göra med den?» frågar Malin.

»Köra den till djurhemmet i Slaka.»

»Eller till Börje Svärd. Han har ju hundgård hemma.»

»Tror du han orkar?»

Hans fru Anna. I respirator i det mest smakfullt inredda hem Malin sett. En god människa i en ond kropp.

Hon tänker på sin egen lägenhet. Bara det här köket är tre gånger så stort.

»Vi måste få veta mer om Petersson», säger Malin, tänker: Vi famlar i höstdimman nu. Men en sak är säker, han hade gjort det jag inte lyckats med, tagit sig bort från det satans Linköping. Och varför, varför kom han tillbaka? Vad var det för inre röster som kallade honom hit?

»Vem tror du att han var?» frågar Malin.

Zeke rycker på axlarna och Malin undrar vilka drömmar och önskningar en man som Jerry Petersson kan ha haft. Vilken glädje, smärta kan ha varit hans?

12.

Vad vill du veta om mig, Malin Fors?

Jag kan berätta allt, bara du lyssnar tillräckligt noga. Jag vet att du är bra på att lyssna på de röster som inte hörs, på det ljudlösa mummel som hyser vissheten och kanske till och med sanningen.

Jag är ingen hård människa.

Har aldrig varit, men jag har ändå trott på hårdheten, sett allt den givit mig. Visst gjorde den mig ensam, men jag valde att tro att min ensamhet var självvald.

Jag behöver ingen. Kan inte leva med någon. Jag är inte rädd för ensamheten.

Det inbillade jag mig.

En bildörr går igen.

Nyss var det en dragkedja som drogs upp över mitt ansikte och för en sekund var allt svart, men sedan blev världen åter öppen för mina ögon. Enkel och vacker på ett sätt som den aldrig varit förr, och plötsligt kändes tron på hårdheten som ett misstag.

Jag har fel, tänkte jag. Du har fel, Jerry Petersson.

Och nu rullar vi framåt, ambulansen och jag och jag förbannar mig själv där jag ligger i den svarta plasten på britsen och skumpar av och an när hjulen tar för sig av rullgruset på vägen som leder in i skogen.

Jag är här inne.

I den svarta kalla påsen.

Jag är här uppe.

Högt uppe i skyn och ser ner på Skogså, på Malin Fors och Zacharias Martinsson som går över slottsbacken, hopkurade i sig själva,

på väg till Malins bil där Howie slutat skälla och har tungan törstigt
utanför munnen.

På gubbfan Fågelsjö i sin våning.

Var är de på väg, alla människorna? Sedan och i stort?

Det kan jag se om jag vill.

Men istället glider jag i väg till andra rymder, ser mig själv, hur
jag färdas likadant som jag gör nu, likadant fast ändå så oändligt
annorlunda, en kropp på en bår, en smärta som jag inte känner i
detta nu.

13.

Linköping, Berga 1972 och framåt

Pojken blir lika förvånad varje gång han känner smärta, men ändå är det i den stunden, när ambulansen kränger till av okänd anledning och hans hastigt spjälkade brutna skenben dunkar i bårens kant som han blir medveten om att han har ett minne och att det inte alltid är av godo. Det gör, i den stunden, mer ont än någon smärta han tidigare upplevt, och han är medveten om det, det är som om den här nya smärtan är summan av all tidigare smärta i hans liv, och med en gång förstår han sin mamma, men pappa förblir dold för honom, den själsliga smärtan omöjlig att omfatta.

Varken mamma eller pappa får åka med i ambulansen, och han kan se sin egen oro speglas i mannen som sitter bredvid honom, den vänlige som stryker över hans hår och säger att allt kommer att bli bra. Denna junidag inleds FN:s miljökonferens, den första i sitt slag, och bomberna fortsätter att regna över Sydostasien.

Det finns ingen hiss i huset i Berga. Deras lägenhet ligger på andra våningen och han vet att mamma har svårt att gå i trapporna, att hon har ont, alltid ont, men han vet inte att hennes knäleder sedan länge är låsta av reumatismen och att hon har bett läkarna på Regionsjukhuset att öka dosen av kortison, men att de vägrar: »Härda ut», säger de, »vi kan inget göra.»

Och i sin trötthet kan hon inget göra åt honom, timmarna efter att farmor hämtat honom vid skolan innan pappa kommer hem från skiftet i monteringshallen.

Han går balansgång, pojken, på det smala balkongräcket, och rosenrabatten fem meter ner ser mjuk ut av alla blommorna, deras röda och rosa färger lyser mot de flagnade fasaderna på femtiotalshusen, mot de ovårdade gräsmattorna parkarbetarna brukar ligga på när de tar sina förmiddagspilsner och låter kvartingen med Explorer gå från hand till hand, mun till mun.

Han är inte rädd.

Är du rädd faller du.

Hon ropar på pojken inifrån köket, för trött för att resa sig från stolen som hon baxat fram till spisen där ärtsoppan eller dillköttet eller kåldolmarna går färdigt, hon skriker oroligt och i ilska:

»Gå ner från räcket. Du kan slå ihjäl dig!»

Men pojken vet att han inte ska slå ihjäl sig, vet att han inte kommer att trilla ner.

»Jag berättar för pappa, han ger dig en omgång när han kommer hem.»

Men pappa ger aldrig pojken en omgång, inte ens på fyllan, för då kan han alltid smita undan. Istället tar han ut honom i sovrummet när han är nykter, viskar till honom att skrika som om han blir slagen, och det är deras gemensamma hemlighet.

Nere i sandlådan på gården sitter två ungar och Jojjes storasyster gungar på den enda hela gungan i gungställningen. De tittar alla tre upp mot honom, inte ängsligt utan med blickar säkra på att han klarar sin balansgång.

Men så ringer telefonen inne i lägenheten. Han vill svara, som han brukar, och glömmer att han är på räcket och överkroppen viker av, först åt ena hållet sedan åt det andra, han undrar om det är farmor som ringer, som vill ha honom med ut till landet i helgen men glömt att säga det, och det smala järnräcket försvinner under hans fötter. Han hör mamma skrika, han hör Jojjes syrra skrika och sedan ser han husen och den blå tidiga sommarhimlen, sedan skär rosenbuskarna in i kroppen, han får ett hårt slag mot benet och sedan en brännande smärta och han försöker röra sig men ingenting händer.

Han får ta konsekvenserna.

De gipsar honom upp till låret för att han ska hålla sig stilla. De ger mamma mer kortison, så att hon ska kunna ta hand om honom. Pappa tar upp barnvagnen ur källaren och han får åka i den när de går till Konsum uppe i centrum och människorna tittar på honom som om han vore en bebis där han ligger.

När gipset är borta springer han snabbare än han någonsin gjort tidigare.

Han vet vad påsarna betyder nu. Håller sig långt borta när de åker fram, och pappas bittra ord når honom allt mer sällan. Han, Jerry, är hundra steg före i allt, men ändå letar han sig till pappas famn ibland, trots att han vet att den kan sluta sig om honom som en vargkäft, att pappas starka fingrar kan bli gräsklipparens knivar som sticks in i hans kropp, att hans ord kan vara deras skarpslipade eggar: »Du, du duger väl ingenting till, pojk.«

Sommarens sista veckor, hans allra sista på lekis, får de göra prov.

Komma ihåg vad som fattas på en bild. Para ihop saker med varandra. Sådana saker, och han förstår vad det innebär att vara duktig, vilken beundran det väcker hos människor som inte förväntar sig duktighet av någon. Men blicken, de bumlingstora ögonen är fortfarande oslagbara för att få vad han vill.

Fröken har sett resultaten på proven i lekis. Hon ropar upp hans namn med förväntan i rösten den första dagen i skolan, men sedan läser hon hans adress på pappret, blir besviken, hennes axlar sjunker, vilket problem kan detta inte bli, en Bergaunge med skalle.

Han räknar snabbast.

Skriver bäst.

Läser flest ord. Räcker upp handen när ingen annan kan och han ser på fröken att hon fylls av avsmak inför honom, men ännu förstår han inte varför. Han ser inte smutsen på sina kläder. Skiten i öronen. Det allt för långa stripiga håret. Hålen i tröjan. Han ger henne ögonen istället, och något händer det tredje året. Hon blir hans anförvant, tar sig an honom, ser den han är och kan bli.

Han håller sig ute på kvällarna. Smyger hem, men ibland är pappa vaken.

Och han gör själv det pappa kanske skulle vilja göra på kvällarna när han druckit sig otörstig på vin och mellanöl, men som pappa aldrig vågar göra: Slår när han säger att han ska göra det.

Han slår dem som kommer i hans väg. Han slår rektorn när mamma och farmor orkat sig till skolan för ett möte.

Men han får gå kvar i sin klass.

En lysande begåvning, säger fröken.

Och så slår han när de inte ser.

Han slår sig fri från alla känslorna, de namnlösa känslor som inte har någonstans att ta vägen i den cirkel som är gården i Berga, lägenhetens två rum med kök, Ånestads lågstadieskola, farmors olika hem, och de snabba fötterna trummar rastlöst mot marken och undrar vad den här världen är till för.

14.

Ambulansen med den genomborrade kroppen.

Den åker målmedvetet bort mot skogen, långsamt, som för att inte väcka eller uppröra den döde. Hunden i bilen skäller efter ambulansen, hoppar mot rutan.

Från sin plats på slottsbacken ser Malin de gröna lyktorna som vaggar i vinden, hur deras skogsfärgade ljus gör det grå dagsljuset grumligt. Multnande högar med löv i skogsbrynet. Som hopvikta papper målade i starka färger av ungar på ett nerläggningshotat dagis. Och träden, de kala kronorna ser på dagens märkliga skådespel från en upphöjd position ovanför högarna, de vinkar adjö när vinden hjälper grenarna att röra sig.

Samma frågor som alltid i början av en utredning. Malin ställer dem till sig själv, vet att de andra i spaningsgruppen ställer samma frågor.

Hur få ordning på det här?

Vad har hänt?

Vem var han, Jerry Petersson? Svaret på frågan om var våldet kommer ifrån finns alltid i den dödes liv. Och i hans död. Vad satte hans återkomst till staden och de omgivande markerna i rörelse? Han hade varit hemma i drygt ett år, men ibland rör sig ondskan långsamt.

Så tycks skogen öppna sig för hennes blick, springorna mellan träden verkar vidga sig, och i tomrummet syns ett mörker fullt av konturlösa gestalter.

Malin tycker sig höra en röst, som om alla gestalterna talade med samma, sa detsamma:

»Jag ska sväva här i tusen år. Jag ska vara herre över de här markerna.»

»Rädda mig», skriker rösten sedan. »Jag var skyldig till mycket, men rädda mig, ge mig förlåtelse.»

Så lugnar den sig, viskar: »Varför blev jag den människa jag blev?»

Ormungar, blekgula, verkar kräla runt Malins fötter. Hon stampar men de försvinner inte.

Hon blinkar långsamt.

Ormarna och gestalterna är borta

En vanlig deprimerande grådaskig höstskog. Grus under henne.

Vad var det där? Håller jag på att bli galen? Men ändå är hon inte rädd, alkoholen och det andra har väl bara blivit för mycket. Sedan tänker hon på hur någon för bara några timmar sedan brutalt knivhögg någon här.

Mördade.

Hade ihjäl Jerry Petersson.

Hon slår på mobilen igen, har haft den avstängd sedan hon kom hit ut.

Två missade samtal. Båda från Tove, men inga meddelanden. Jag borde, borde ringa henne nu.

Hunden är tyst och stilla. Måste ha lagt sig ner i baksätet.

»Malin, Malin!»

Hon känner igen Daniel Högfeldts röst. Han ropar till henne från sin plats i förarsätet i Correns reportagebil.

Hon vill ge honom fingret.

Istället vinkar hon till honom.

»Kan du ge mig något?»

Hans alerta röst.

»Glöm det, Daniel», ropar hon.

»Han är mördad, eller hur? Och det var Petersson.»

»Du får höra senare. Karim kallar säkert till presskonferens.»

»Kom igen, Malin.»

Hon skakar på huvudet och han ler ett varmt och mjukt leende, precis ett sådant leende som hon behöver.

Syns det så tydligt?

Daniel skrev artikeln om Petersson. Kan han veta något? Kan inte fråga honom nu, jag skulle bekräfta för mycket.

Hon hade trott att det skulle bli ett slut på hennes och Daniels kärleksmöten när hon flyttade ut till Janne. Men så en kväll, när hon svettats skiten ur sig på polishusets gym i källaren och kände att det inte räckte för att lugna kroppen, ringde han när hon skulle sätta sig i bilen för att åka hem.

»Kan du komma?«

Tio minuter senare låg hon naken i hans säng på Linnégatan.

De sa inte ett ord till varandra. Inte den gången. Och inte nästa eller nästa eller nästa.

Han bara tog henne med allt vad hans kropp förmådde och hon tog honom tillbaka och de skrek tillsammans, såg på varandra och verkade undra, vad fan är det här? Vad gör vi? Vad fattas oss?

Daniel Högfeldt ser på Malin och mot sin vilja kan han inte tänka annat än att fy fan vad hon ser sliten ut, på gränsen till så sliten att hon inte längre är sexig.

Han har försökt att få henne att se honom som något annat än bara en kropp, men det verkar vara omöjligt. Hon tycks bara tro honom om ont, att han vill åt information om utredningar, när det i själva verket är henne han skulle vilja komma närmare.

Hon har flyttat ihop med sin exman igen. Men hur bra kan de ha det egentligen? När hon vill knulla skiten ur mig?

Helt klart är att hon mår dåligt. Men skulle jag försöka säga något skulle hon vända på klacken direkt, göra vad som helst bara för att komma undan.

Daniel lutar sig tillbaka i sätet. Ser den skallige polisen som han vet heter Zeke komma fram till Malin.

Daniel sluter ögonen. Gör sig redo att spela den tuffe reportern när han ska försöka få något ur de andra poliserna.

När Zeke och Malin kommer till bilen reser sig hunden i baksätet. Dess kuperade stump till svans viftar, och han vänder ivrigt blicken mot vattenskålen i Zekes hand. Men när de öppnar dörrarna drar sig hunden undan. Lägger sig ner på golvet bakom förarsätet och verkar vänta på vad som ska hända. Zeke ger honom vattnet och de kan höra djuret lapa i sig.

»Vi tar den till Börje», säger Malin.

»Okej», svarar Zeke.

Malin har valt passagerarsätet. Zeke får köra.

Hunden gnyr i baksätet.

Daniel Högfeldts nakna kropp.

Vad fattas mig, tänker Malin.

Den falurödmålade stugan ligger vid kanten av vägen som leder upp mot Skogså, inte långt före avtagsvägen in mot Linköping. Runt stugan öppnar sig skogen i en åker som mest påminner om ett större trädgårdsland. De stannade på vägen in till stan, något inom Malin sa henne att de skulle prata med den som bodde i huset, att de inte skulle lämna det till några uniformer.

»Hunden klarar sig.»

Malins ena knutna hand mot dörren.

Men innan handen når sitt mål åker dörren upp.

Malin ryggar tillbaka. Zeke kastar sig åt sidan. Ett hagelgevärs mynning pekar rätt mot dem och i andra änden står en kortvuxen, gråhårig gumma.

»Ni, vilka är ni», kraxar hon med hes röst.

Malin backar ytterligare, i ögonvrån ser hon Zeke famla efter sitt vapen.

»Lugn, lugn», säger Malin. »Vi är från polisen. Låt mig få visa min legitimation.»

Gumman ser på Malin.

Verkar känna igen henne.

Sänker vapnet.

Säger: »Dig känner jag igen från Östnytt. Kliv på. Ni får ursäkta bössan, men man vet aldrig vad som rör sig i de här trakterna.»

Nere i bilen har hunden börjat skälla på nytt.

»Häng av er här i hallen. Kaffe? Det är visserligen lunchdags men någon mat har jag inte att bjuda på.»

Gumman som just presenterat sig som Linnea Sjöstedt går före dem in i köket.

Hennes steg får mina egna att verka tillhöra en sjuklings, tänker Malin, samtidigt som tanken på lunch gör henne illamående.

Gumman lägger geväret på ett allmogebord som står på en gulgrön, säkert hemvävd, trasmatta. En gammal Husqvarnaspis. Samlartallrikar på väggarna.

En doft av gammal människa, en sur men inte alls oangenäm doft och en stark känsla av att tiden alltid har sin gång, vad människor än må vilja.

»Slå er ner.»

För gumman är redan händelsen med geväret långt borta, men Malin känner adrenalinet pumpa i ådrorna, och Zekes kläder är våta av gräset han kastade sig ner på. De ser henne sätta en gammal kaffekanna på spisen, ta fram Blå blom-mönstrade koppar.

»Du får inte rikta vapen mot människor så där», säger Zeke samtidigt som han sätter sig.

»Som jag sa: Vem vet vad som rör sig där ute.»

Obekväma pinnstolar, hårt mot baken.

»Tänker du på något särskilt?» frågar Malin.

»Vem vet vad ondskan hittar på. Något måste ha hänt eftersom ni kommer hit.»

»Ja», säger Malin. »Jerry Petersson, den nye ägaren till Skogså har hittats död.»

Linnea Sjöstedt nickar.

»Mördad?»

»Med största sannolikhet», svarar Zeke.

»Jag är inte förvånad», säger gumman samtidigt som hon slår upp kaffe.

»Något bröd har jag inte. Jag blir fet av det.»

»Så nu undrar vi om du sett något anmärkningsvärt igår, eller inatt eller imorse. Eller något annat du tycker varit konstigt den senaste tiden?»

»Imorse», säger Linnea. »Såg jag Johansson och Lindman åka till slottet. Klockan var väl kanske halv åtta.»

Malin nickar.

»Något mer?»

Malin tar en klunk av kaffet.

Kokkaffe.

Starkt så att nackhåren reser sig.

»Ibland, när man är så gammal som jag», säger Linnea Sjöstedt, »så vet man inte alltid om man drömmer eller om det man ser eller tycker sig uppleva verkligen har hänt. Johansson och Lindman är jag säker på, för då hade jag druckit mitt första kaffe, men det jag kan ha sett innan? Det vet jag inte.»

»Så du såg något innan, Linnea?»

Malin anstränger sig för att låta allvarlig. Som om drömmar finns på riktigt.

»Ja, jag tror jag såg en svart bil åka mot slottet just i den allra tidigaste gryningen. Men jag är inte säker. Ibland drömmer jag att jag går upp, och det här kan ha varit ur en sådan dröm.»

»En svart bil?»

Linnea Sjöstedt nickar.

»Inget märke? Sort?»

»Kanske en herrgårdsvagn. Den var stor. Bilmärken har jag aldrig lagt någon vikt vid.»

»Hyr du av slottet?» frågar Malin.

»Nej, gubevars, min far köpte loss stugan av Fågelsjös på femtiotalet. Jag flyttade hit för tjugo år sedan när min far gick bort.»

»Och Petersson. Vad vet du om honom?»

»Han var förbi och hälsade. Trevlig ung man, även om han nog inte alltid var så trevlig. Affärer som han hade med den där Goldman och allt.»

»Goldman?»

»Ja, Jochen Goldman. Han som svindlade det där finansbolaget i Stockholm på flera hundra miljoner och sedan flydde utomlands. De ska ha haft affärer ihop. Jag läste om det på nätet. Vet ni ingenting, konstaplarna? Den där Goldman ska vara en riktigt ruggig typ.»

»Ruggig?» frågar Malin.

Linnea Sjöstedt svarar inte, skakar bara sakta på huvudet.

Pinsamt, tänker Malin sedan. Uppläxad av en åttioårig dam. Men visst, Goldman figurerade i Correns artikel, även om den fokuserade mer på Petersson här och nu, hans planer för slottet och hur han nästan skulle ha fördrivit Fågelsjös.

Men hon minns Jochen Goldman. Hur han tömde ett börsbolag på pengar med hjälp av en fransk greve, hur han hållit sig borta i ett decennium, fått massor av medieuppmärksamhet, givit ut böcker om livet på flykt, och hur nu, för bara något år sedan, hans brott blivit preskriberade.

Att ingen av dem kom ihåg kopplingen mellan finansboven och deras offer vid mötet ute på slottet?

Märkligt. Men utredningshjärnorna håller väl ännu på att vakna. Är lika dimmiga som hösten.

Irriterat frågar Malin:

»Vad gjorde du natten till idag och imorse?»

»Tror inspektören att jag haft med Peterssons frånfälle att göra?»

»Jag tror ingenting», säger Malin. »Svara bara på min fråga, är du snäll.»

»Jag kom hem vid fyratiden imorse. Med Taxi Linköping, så det kan ni kontrollera. Jag var hos Anton inatt, min älskare som bor i Valla. Ni kan få hans nummer också.»

»Tack», säger Zeke. »Men det ska nog inte behövas. Vet du något annat som du tror vi kan ha nytta av att veta?»

Gumman plirar med ögonen.

Öppnar munnen som för att tala, men tystnar innan några ord passerar hennes läppar.

Zeke ska just starta bilen. Nyss klappade han hunden på huvudet. Pratade med den, lugnade den, fick den att på nytt lägga sig på golvet. Den verkade inte vilja se ut över skogen och hagarna.

Hjärnan fungerar inte som den ska, tänker Malin.

Vill ha mer sprit, hjärnan.

Goldman.

En av de största svindelskandalerna i landets historia och han lyckades hålla sig borta tills brottet var preskriberat.

Och en sådan hade Petersson affärer med. De har mycket att kolla, det fanns papper i mängder i flera av rummen på slottet, och när det är fråga om en mordutredning kan de ta vad de vill ha, behöver inte invänta tillstånd från dödsboet. Om Jerry Petersson hade affärer med Goldman, vilka andra kan han då inte ha varit i lag med?

Malin ser ut över det dimhöljda fältet och skogen och vägen. Tusentals grå nyanser går i varandra. Vinden är tillräckligt stark för att få de tunga löven att flyga som kopparflagor över den grönsvarta marken, irra av och an som svävande metallstjärnor på en allt för låg himmel. Borta i en slänt ligger flera strängar med djupröda löv, som blodet som rann ur Jerry Peterssons kropp.

Måste ringa tillbaka till Tove.

Malin försöker fästa blicken, men allting flyter för hennes ögon. Backspegeln. Hon vill inte se sig i den, hatar de svullna dragen, orsaken till att hon ser ut så, vill inte se skammen som står skriven i hennes panna, på kinderna, i ansiktets minsta vrå. Bilen verkar sjunka ihop. Hon får svårt att andas. Vill kasta sig ut. Tove. Janne. Hur ska ni någonsin kunna förlåta mig?

Helvete.

Ge mig en stor jävla drink. Nu. Svetten rinner. Jag vet allt jag borde göra, men jag klarar inte av ett skit av det.

»Är du okej?» frågar Zeke.

»Helt okej», svarar hon. Tvingar sig själv att tänka på deras gudasända fall:

En svart bil i en dröm? Lindmans? Johanssons? Men varför?

Jochen Goldman.

Hela familjen Fågelsjö.

Pengakåta typer i största allmänhet.

Undrar vilka som är värst att göra förbannade?

15.

Bara tanken på att gå igenom alla pappren gör Johan Jakobsson irriterad. Hur många pärmar har de burit in i rummet nu?

Två hundra. Tre hundra?

Hans ljusblå skjorta är gråfläckig av smuts från allt kånkande.

Johan ser ut över mötesrummet i hjärtat av polishuset. Rapar och känner smaken av lunchens köttfärssås.

Det fönsterlösa utrymmet med gråvita vävtapeter och konsolhyllor kommer att få fungera som strategirum under utredningen av mordet på Jerry Petersson.

Två hårddiskar.

Ett framgångsrikt yrkesliv ihopsamlat i en skrubb hos polisen. Beskt, tänker Johan men han är ändå på ett sätt glad över att något hände den här fredagen. De hade inte ens kommit fram till Nässjö och svärföräldrarna när Sven Sjöman ringde, berättade vad som hänt och undrade om han kunde komma in.

»Jag kommer. Det tar en timme eller två.»

Hans fru hade fått ett raseriutbrott och han kunde inte klandra henne. Hon hade motvilligt kört honom till Skogså och sedan vänt tillbaka ner mot Nässjö ensam med barnen.

Till och med det pappersarbete som väntar dem nu är hundra gånger roligare än att frottera sig med de gamle i Nässjö. De har alldeles för mycket åsikter om saker i stort, och om familjens liv i synnerhet, för att Johan ska orka med dem.

Var och en ska sköta sitt.

Så mycket bättre då.

Pärmarna med papper och hårddiskarna med dokument handlar

om de tillfällen då människor inte sköter sitt, så mycket är Johan säker på. Vilken skit kan de inte hitta här? Och vilken skit kan inte det de hittar i sin tur leda till? Eller så hittar de ingenting. Det är inte olagligt att ha ett tvivelaktigt rykte.

Pärmarna är märkta med årtal, i vissa fall med namn.

De har bara bläddrat som hastigast i några få av dem, men Jerry Petersson verkar ha varit en rigorös ordningsmänniska, varje dokument tycks finnas på precis rätt plats. Det gör inte hans och Waldemar Ekenbergs jobb mindre omfattande, bara en smula enklare.

Namnen på pärmarna.

Han känner inte igen dem, förutom ett: Goldman. En gäckande skugga som verkar höra fiktionen till, trots att han faktiskt finns i verkligheten. Malin ringde, nämnde kopplingen till Goldman, och nu finns pärmarna med hans namn framför Johan på bordet, säkert trettio stycken fyllda med girighetens säregna bokstäver.

Malin röst. Den lät sträv på det vis som bara alkohol kan göra en röst sträv. Och hon lät trött och sorgsen. Hon har sett tröttare och tröttare ut, och Johan har velat fråga henne hur hon mår, men Malin Fors är inte någon man småpratar om känslotillstånd med.

Dörren till rummet åker upp med en ilsken smäll.

I öppningen står Waldemar nertyngd av två kartonger.

Pärmar med papper, hårddiskar.

Perfekt egentligen för mig, tänker Johan, men Waldemar ser jobbet som ett straff, och det är det kanske på ett sätt: Sven vill väl hålla den beryktade vettvillingen under kontroll. Hans skitrykte stämmer, Johan har flera gånger sett honom misshandla människor för att få fram information. En gång tryckte Waldemar sin pistol långt ner i halsen på en misstänkt för att tvinga ur honom sanningen. Eller vad Waldemar trodde var sanningen. Men våldet kan fungera. På kort sikt. I slutändan biter det alltid sig självt i svansen.

Waldemar släpper ovarsamt lådorna i ett av rummets hörn.

Sträcker på ryggen.

Frustar och pustar, muttrar något om att han behöver en cigg, sedan sätter han sig på en av stolarna runt bordet, och Johan ser hur det obekväma galonklädda ryggstödet liksom ger vika för kollegans tyngd.

»Satan, vad med skitjobb vi har i det här rummet.«

»Har vi tur dyker något upp som gör att vi knappt hinner börja med det här», säger Johan Jakobsson.

Så minns han hur han städade ur sina föräldrars lägenhet för fyra år sedan, då pappa dött bara månader efter mamma. Hur han rotade runt i pappren, letade efter något som han motvilligt insåg var pengar, ett bankpapper med en stor summa, en lotterivinst, det enda sättet hans föräldrar någonsin skulle ha kunnat få ihop en större summa pengar på.

Men inga pengar fanns. Och han skämdes.

»Tror du det?» säger Waldemar.

»Nej.»

»Vad är det som säger att den här Petersson inte var ett jävla rötägg? Han kan ha haft kontakter med stans undre värld. Vi borde kolla. Jag kan ge mig ut och snacka runt lite.»

»Vi koncentrerar oss på pappren nu», säger Johan trött.

Waldemar drar upp ett paket cigaretter ur sin kavajficka och håller upp det mot Johan.

»Vill du ha? Du har väl inget emot att jag röker här inne?»

Rummet fyllt av kväljande cigarettrök.

Rökförbud i hela polishuset, men Johan kunde inte säga nej. Ville inte framstå som en lungsvag tönt i hårdingens ögon.

Varför, tänker Johan, bryr jag mig egentligen ett skit om vad han tycker?

Men det gör jag.

De bläddrar förstrött i några pärmar. Har begärt upp extra skärmar från Tekniska och tangentbord så att de ska kunna läsa igenom dokumenten på Peterssons hårddiskar här i rummet.

Var börja?

Ingen aning, och Waldemar tänker detsamma som han själv, säger:

»Det är så jävla omfattande. Vi måste ha hjälp. Och så kommer det att vara ekonomisk information som jag ärligt talat inte fattar ett smack av. Kan du sådant?»

Johan skakar på huvudet.

»Lite grann.»

»Vi får ta hit någon från Eko.»

»Och så är det bättre att vi gör en rejäl sökning på nätet allra först. Ser om vi kan hitta något som verkar skumt. Inte minst med hans och Goldmans förehavanden.»

Så tappar Waldemar en svart mapp på golvet. Svär när han tar upp den och lägger den ensam högt uppe på en hylla.

Papper, papper, papper, tänker Johan.

Ett liv som affärsjurist, advokat.

Som pappersproducent.

Som brottsling i det fördolda? Man har inte bekanta som Goldman utan att själv vara lite smutsig. Eller har man det?

1 278 989 träffar på Google på Jerry Petersson. Kanske tusen av dem på *den* Jerry Petersson. Hans firmas namn i Stockholm dyker upp på några få ställen. Petersson Advokatbyrå AB.

Johan kollade snabbt i de senaste årsredovisningarna. Petersson verkade ha arbetat ensam, inte haft en enda anställd, inte ens en sekreterare. Namn på revisorer, men de behöver han ju inte ens ha mött personligen. Inga årsredovisningar för advokatbyrån sedan Petersson köpte Skogså, bara dokumentation om att han hade firman vilande. Samtidigt som han startade ett nytt bolag, Rom Productions, för att driva Skogså. Inga konstigheter någonstans vad Johan kunde se vid en ytterst hastig anblick, och med sin begränsade kompetens i ämnet redovisning.

Ganska många träffar ändå, tänker Johan samtidigt som han försöker ignorera Waldemars sura kaffe- och rökandedräkt som träffar honom i örat varje gång kollegan andas.

De sitter vid Johans plats i det öppna kontorslandskapet, vid hans dator, ville ut från cellen.

Många av deras träffar verkar röra någon sjuttonårig golfspelare i Arboga.

Flera kopplar Petersson till Goldman. Artiklar i Dagens Industri, Veckans Affärer, SvD Näringsliv. Det verkar som om Petersson varit Goldmans ombud när denne varit på flykt, varit mellanhand för Goldmans kontakter med myndigheter och media.

Några andra träffar i samband med affärer. Men inga uppseendeväckande historier, bara tråkiga, till synes helt normala affärsuppgörelser.

Så dyker Jerry Peterssons namn upp i samband med att ett it-bolag såldes till Microsoft i början av 2002. Petersson ska ha varit en av de som investerade i bolaget och som i samband med försäljningen kunde kvittera ut närmare tvåhundrafemtio miljoner kronor.

Johan visslar till.

Waldemar suckar, säger:

»Dra åt helvete.»

Jobbet som affärsjurist gjorde dig nog tät, tänker Johan, men jösses, den där affären gjorde dig snuskigt rik.

De läser om bolaget.

Inget om några schismer. Allt verkar ha gått helt korrekt till. Inga konstigheter alls, bara en massa nya lyckliga mångmiljonärer.

Så Goldman igen.

Enligt en artikel från i år, när hans brott preskriberades, så bodde han då på Teneriffa. Till artikeln hör bilder på en något fetlagd paddliknande man med mörkt hår och solglasögon. Mannen sitter vid ratten på en stor sportbåt i en solbestänkt hamn.

»Det är där vi ska börja», säger Johan.

»Vi gör så», svarar Waldemar. »Men jag tror att vi ska höra på gatan också.»

Sven Sjöman vankar av och an i sitt tjänsterum, kan nästan sakna den stora magen vid sådana här tillfällen, den trygga tankefrämjande rundningen under hans kupade händer. Istället är det nästan tomt under den beige skjortan och brunspräckliga kavajen.

Karim Akbar står vid hans skrivbord. Har nyss ringt Stockholm och begärt förstärkning från Eko.

Presskonferens om tjugo minuter.

De har just fått Karins preliminära rapport.

Obduktionen av Jerry Petersson visade att han dog av ett slag mot nacken med ett trubbigt föremål, kanske en sten. Knivhuggen mot bålen, fyrtio till antalet, kom med stor sannolikhet efter Peterssons död, eller när han förlorat medvetandet efter slaget mot huvudet.

Det fanns inget vatten i lungorna så han var med säkerhet död när kroppen hamnade i vallgraven. Av kroppens tillstånd att döma hade döden inträffat någon gång mellan fyra på natten och halv sju på morgonen. Han hade inte legat i vattnet mer än högst fyra timmar. Mord var den enda möjliga slutsatsen till dödsorsaken. Förövaren kunde vara en man eller en kvinna, knivhuggen var djupa, men inte djupare än att en kvinna kunnat åstadkomma dem. Förövaren var, av huggens placering och riktning, av allt att döma högerhänt.

Den tekniska undersökningen av Peterssons bil var ännu inte klar, men på slottsbacken hade undersökningarna inte givit något. Regnet hade förstört eventuella bevis.

I själva slottet fanns det tusentals olika fingeravtryck. Många kanske tiotals år gamla, men inga tecken på brott någonstans. Offrets ägodelar verkade vara orörda. Alltså inget som tydde på rånmord. Slottskapellet och de övriga byggnaderna var också rena.

Vallgraven håller som bäst på att tömmas på jakt efter mordvapnet eftersom dykarna inte kunnat hitta något i bottenslammet. Sven bekymrade sig först om fiskarna, men insåg att de måste offras.

»Hur ska du spela det här?»

Sven ser bort mot Karim.

»Säga som det är. Inte ge några detaljer.»

»Kopplingen till Goldman?»

»Den har de redan gjort själva. Corren har det på sin sajt. TV4 Riks är här. Fler är att vänta. Ett jävla hallå.»

Sedan kommer Malins ansikte för Sven. Hon såg mer sliten ut än någonsin ute vid slottet. Rödmosig, nästan gammal. Hon kunde mycket väl ha supit hela natten. Har något hänt? Med Tove? Hon klandrar sig för det som hände i Finspång förra hösten. Eller gäller det henne och Janne? Det verkar inte fungera särskilt väl.

»Fy fan», säger Sven sedan. »Varför har jag en känsla av att vi bara är i början av eländet?»

16.

Börje Svärd står i regnet i sin trädgård i Tornhagen klädd i en kornblå regnrock. Från bilen kan Malin se honom höja handen och kasta en pinne mellan äppelträden ner mot den rödmålade hundgården. De två vackra schäferhundarnas pälsar glänser av fukt när de jagar efter pinnen, lekfullt slåss om den med blottade, vassa tandrader.

Börje är storvuxen och hans vaxade mustascher slokar mot gräset.

Zeke stannar framför grinden, parkerar bakom en blå bil från Hemsjukvården. I baksätet har Jerry Peterssons beagle flugit upp, skäller inte, utan blickar förväntansfullt ut mot hundarna i trädgården.

Börje ser mot dem. Vinkar dem till mötes men förblir på sin plats mitt i trädgården.

Det lilla enplanshuset är vitmålat och välhållet. Börjes fru Anna skulle inte tillåta något annat, trots att hon är så svag att hon inte ens längre kan andas själv. Sjukdomen har förstört nervtrådarna till lungorna och hon lever på övertid, femtio år gammal.

De lämnar Peterssons hund i bilen och schäfrarna rusar mot dem när de öppnar grindarna.

Inte vaktigt, utan välkomnande, hälsar nosande och slickande, innan de sätter iväg neråt trädgården igen utan att ta notis om beaglen i baksätet.

Zeke och Malin går bort till Börje. Skakar hans våta hand.

»Hur har ni det?» frågar Zeke.

Börje skakar på huvudet, vänder blicken mot huset.

»Jag unnar ingen vad hon går igenom.»

»Så illa?» frågar Malin.

»Sköterskorna tar hand om henne nu. De kommer fyra gånger per dygn. Annars klarar vi oss själva.»

»Vill hon träffa oss sedan, tror du?»

»Nej», säger Börje. »Hon vill knappt ha sällskap av mig. Jag ser att ni har en hund i bilen? Knappast din, Fors?»

Malin berättar vad som hänt, vems hunden är, att kanske kan han ta hand om den så länge, tills de vet om det finns någon anhörig eller annan som vill ha den.

Börje ler. Ett leende som sakta bryter igenom lager på lager av trötthet, av sorg uttagen i förskott.

»En tik?»

»Nej. En hanne», säger Zeke.

»Då ska det gå bra», svarar Börje och sedan går han bort till bilen och hunden hoppar av och an i baksätet och minuterna senare står den som i givakt bredvid Börje samtidigt som schäfrarna nosar längs dess kropp.

»Ser ut som om han känner sig hemma här», säger Malin. »Hur enkelt som helst.»

»Jobba ni på, så tar jag hand om hunden. Vad heter han?»

»Ingen aning», svarar Malin. »Du får väl kalla den för Jerry?»

»Då blir han nog rejält förvirrad», svarar Börje.

»Vi ska vidare med vårt nu», säger Zeke.

Börje nickar.

»Jag uppskattar verkligen att ni kom förbi.»

»Ta hand om er nu», säger Malin och vänder sig om.

Samtalet kommer exakt kvart över två när Malin och Zeke parkerar bilen vid gamla busstorget. Inte mycket kvar av den gamla buss-stationen som låg på torget för urminnes tider sedan. Istället en parkeringsplats omgärdad av hus från olika epoker. Fula sextiotals-kåkar med grå plåtfasader, välhållna sekelskifteshus med Trädgårds-föreningens skelettlika, svarta träd i fonden.

Nära mammas och pappas lägenhet nu. De fuktiga mörka rummen där ingen bott på åratal. Lägenheten anspråksfullt stor, men ändå inte en riktig våning. Varför har de den kvar? För att mamma ska kunna säga till sina väninnor på Teneriffa att de har en våning i stan? Deras ansikten börjar blekna för mitt minne, tänker Malin när telefonen ger ifrån sig ännu en signal. Mammas smala kinder och spetsiga näsa, pappas skrattrynkor och märkligt släta panna.

En tyst kärlek deras. En överenskommelse. Som min och Jannes? En kvarglömd kärlek som huserar långt bak i våra minnen, i ett rum vi ännu inte klarat av att stänga dörren till.

Blommorna de tror lever.

Torkade.

Inte en enda jävla blomma vid liv längre, men vad kan de förvänta sig när de inte varit hemma på över två år.

Hon fiskar upp mobilen ur Gore-Tex-jackans ficka.

Hör regnet trumma mot biltaket. Zeke avvaktande bredvid henne.

Toves nummer på displayen.

Vad ska jag säga till henne? Kommer hon att vara ledsen, rädd?

Hur prata med henne så att Zeke inte fattar?

Han kommer att fatta. Han känner mig allt för väl.

»Tove. Hej. Jag såg att du hade ringt.»

Tystnad i andra änden.

»Jag vet att det slutade konstigt igår och att jag borde ha ringt tillbaka, men det har hänt en grej och jag var tvungen att jobba. Pappa, är han inte där?»

Jag slog honom, tänker Malin. Jag slog honom.

»Jag är i skolan», hörs Toves röst till slut. Hon är inte ledsen, inte rädd, låter nästan arg. »Behöver du prata med pappa så ring honom.»

»Just det, du är i skolan. Jag kan ringa själv om jag behöver prata med honom. Men du kan väl komma in till stan ikväll så käkar vi middag. Okej?»

Tove suckar.

»Jag åker till huset, till pappa.»

»Så du åker ut till pappa.»

»Ja.»

Ny tystnad från Tove. Hon verkar vilja fråga något, men vad?

»Du gör vad du vill, Tove», säger Malin och vet att det är exakt vad hon inte borde säga, hon borde säga saker som: Allt ordnar sig, jag hämtar dig efter skolan, jag vill ge dig en stor kram, jag ska bättra mig, hur mår du, älskade dotter.

»Hur mår du, mamma?»

»Hur jag mår?»

»Glöm det. Jag måste sluta. Jag har lektion nu.»

»Okej, hej då. Vi får höras senare. Puss.»

Regnet mot taket.

Zeke som ser på henne med medlidsam blick. Han vet allt, precis allt.

»Så du bor i stan igen? Jag anade ju det när jag hämtade dig imorse.»

»Skönt att komma hem.»

»Var inte så hård mot dig själv, Malin. Vi är bara människor.»

Tove trycker bort samtalet och ser sina skolkompisar skynda fram och tillbaka längs korridoren på Folkungaskolan, ser hur det höga taket och mörka ljuset som faller in genom de välvda fönstren utifrån den regndränkta världen får eleverna att verka mindre, se värnlösa ut.

Jävla mamma.

Hon kunde i alla fall ha ringt tillbaka, och att hon ska komma hem till huset ikväll verkar inte finnas på kartan. Nu växer det onda i magen under hjärtat igen, blir så där omöjligt stort. Hon var kort och jobbmässig i tonen, det verkade mest som om hon ville prata klart så fort som möjligt, hon frågade inte ens hur jag mår, varför ringde jag ens? Hon vill väl bara dricka sin jävla sprit.

Jag vet varför jag ringde.

Jag vill att hon ska komma hem. Att de ska stå i köket och kramas och att jag ska se på.

Tänk inte mer på det, Tove.

Hon slår sig själv på låtsas med mobilen i huvudet.

Tänk inte på det.

Kanske tjugo meter bort har tre större killar samlats i en ring runt en mindre, tjock kille. Tove vet vem han är. En irakier som knappt kan svenska och som de där stora älskar att ge sig på. Förbannade fegisar.

Hon vill resa sig, springa dit och be dem sluta. Men de är stora, mycket större än hon själv.

Mamma lät besviken när hon sa att hon skulle ut till pappa. Tove som hade hoppats att det skulle få henne att också vilja komma dit, men innerst inne vet hon att det inte fungerar så i de vuxnas värld, att allt är jävligt mycket mer komplicerat där.

Nu slår de killen.

Abbas heter han.

Och hon lägger sin penna och sitt anteckningsblock på golvet framför sitt skåp. Tränger sig igenom röran med elever bort mot de tre mobbarna. Hon knuffar den längsta av dem i ryggen, skriker: »Ni kan väl ge er på någon i er egen storlek istället», och Abbas gråter nu, hon kan se det, och kraften i hennes skrik måste ha gjort de dumma jävla killarna förvånade, rädda, för de drar sig bakåt, stirrar på henne: »Försvinn», skriker hon igen och de ser på henne som om hon vore ett farligt djur, och så förstår Tove varför hon gör dem rädd, de måste ha vetat vad som hände i Finspång, vad hon varit med om, och de har respekt för henne på grund av det.

Fjantar, tänker hon. Sedan kramar hon Abbas, han är kort och hans kropp är mjuk, och hon låtsas att han är mamma, som hon kan trösta med bara en kram och ett löfte om att allt kommer att bli bra, från och med nu kommer allt att bli bra.

Axel Fågelsjös våning på Drottninggatan har en magnifik prakt, för att använda fastighetsmäklarspråk, tänker Malin. Men våningen är ändå bara en bråkdel så praktfull som Skogså slott.

Paneler och orientaliska, blanka täta mattor med sinnrika mönster som får huvudvärken att blossa upp igen. Äkta och dyra, helt olika i känslan de billiga auktionsmattorna som ligger på golvet i mammas och pappas våning. Det nötta skinnet i fåtöljerna skimrar i ljuset från kristallkronor och kandelabrar.

Och så mannen framför dem.

I en skinnfåtölj, med en snart färdigrökt cigarett i högerhanden.

Han måste vara dryga sjuttio, tänker Malin. Och högerhänt. Pondus personifierad och hon försöker att hålla sig lugn, inte gå på defensiven som hon vet att hon alltid gör när hon träffar människor som står högre upp på samhällsstegen än hon själv någonsin kommer att göra.

Allt det där lever kvar.

Sossarna lyckades kanske skapa en yta av jämlikhet i det här landet ett tag, men den ytan var tunn och genomskinlig och falsk.

Porträtten med greve Axel Fågelsjös förfäder hänger på rad ovanför panelerna. Maktmän med skarpa ögon. Krigare många av dem.

De berättar om Axel Fågelsjös medvetenhet om att han är bättre än vi andra, mer värd. Eller är det bara min fördom, tänker Malin.

Det är skillnad på kreti och pleti i Sverige anno 2008. Större än någonsin kanske, för det finns en förment politisk vilja att skapa ett blått sken av jämlikhet, en osann lyster, som om det lyser grönt av cash även över de fattigas liv.

De blå säger att vi är lika mycket värda. Att alla ska ha det lika bra. Och så upprepar de det. Och då blir det till en sanning även om de driver en politik som gör att de med pengar på banken bara blir allt rikare, trots kristiderna.

Det ligger ett lögnens sken över hela samhället, tänker Malin.

Och i det ljuset föds en känsla av att vara lurad, förnekad och förvägrad.

Det kanske är så jag känner det innerst inne, tänker Malin. Trampad på utan att jag ens fattar det själv.

Röstlös av naturen.

Och har man varken ord eller någons öra, då föds våldet hos vissa. Jag har sett det tusen gånger.

Malin ser på porträtten på väggen i Axel Fågelsjös salong och sedan på den bredmagade, rödkindade greven med sitt självsäkra uppblåsta leende.

Nya pengar, som de Petersson hade. Gamla som Fågelsjös. Är det någon skillnad egentligen? Och vad har ärvda privilegier egentligen att göra i ett modernt samhälle?

»Det var vänligt att ta emot oss», säger Malin sedan samtidigt som hon sätter sig till rätta i den sanslöst bekväma skinnfåtöljen och Axel Fågelsjö fimpar sin cigarett.

Axel Fågelsjö ler, hans leende är vänligt på riktigt nu, han vill oss väl, tänker Malin, men med alla sina privilegier kan han nog kosta på sig det?

»Självklart tar jag emot er. Jag förstår varför ni är här. Jag hörde på radion om Petersson, och det var väl bara en tidsfråga innan ni kom hit.»

Zeke bredvid Malin, vaksam, även han påverkad av den gamle grevens självklara närvaro.

»Ja, vi har anledning att tro att han blivit mördad. Och då finns det ju av naturliga skäl en del frågor», säger Zeke.

»Till ert förfogande.»

Axel Fågelsjö lutar sig framåt, som för att visa sitt intresse.

»Först», säger Malin, »vad gjorde du natten till idag och imorse?»

»Jag var hos min dotter Katarina och drack te igår kväll. Sedan, vid tio, gick jag hem hit.»

»Och sedan?»

»Jag var hemma, som sagt.»

»Någon som kan styrka det?»

»Sedan min hustru dog lever jag ensam.»

»Det går rykten», säger Zeke. »Om att familjen hamnat på obestånd och att det var därför ni tvingades sälja Skogså till Petersson.»

»Och vem sprider sådana rykten?»

Axel Fågelsjös blick fylld av plötslig ilska, men ändå en tillkämpad ilska, tänker Malin: Ingen idé att dölja det som alla vet.

»Det kan jag inte säga», säger Zeke.

»Det där är bara rykten», säger Axel Fågelsjö. »Det som skrevs i Corren var strunt. Vi sålde slottet för att det var dags, det hade tjänat ut sin roll som släktens säte. Det är nya tider nu. Tiden hade helt enkelt kommit ikapp vår livsstil. Fredrik jobbar på Östgötabanken, Katarina med konst. De vill inte arbeta med lantbruk.»

Du ljuger, tänker Malin. Sedan tänker hon på samtalet med Tove nyss och blir illamående över hur hon mot sin vilja behandlade det nästan som ett jobbsamtal, hur hon inte orkade tränga igenom och säga saker som behövde sägas. Hur kan du, Fors? Hur kan man?

»Så det låg ingen schism bakom?» frågar hon sedan. »Inga problem?»

Axel Fågelsjö svarar inte, istället fortsätter han:

»Jag träffade aldrig Petersson i samband med försäljningen. Det där fick advokaterna sköta, men jag fick intrycket att han var en sådan där affärsnisse som inte ville annat än att bo på ett slott. Han hade nog ingen aning om vilka arbetsinsatser det kräver av en person, hur mycket pengar man än har för att leja ut tjänster.»

»Han betalade bra?»

»Det kan jag inte säga.»

Axel Fågelsjö ler åt sina ord, och Malin kan inte avgöra om han är medvetet ironisk och härmar Zeke eller inte.

»Jag har svårt att se vilken betydelse summan kan ha för er utredning.»

Malin nickar. Summan går att få fram, om den nu spelar roll.

»Hade du skrivit över slottet på din son?»

»Nej. Slottet var ännu i min ägo.»

»Försäljningen måste ha tagit dig hårt», säger Malin. »Dina förfäder hade ju bott där i århundraden.»

»Det var dags, inspektör Fors. Inte mer med det.»

»Dina barn? Tog de försäljningen känslomässigt?»

»Inte alls. De är nog glada över alla pengarna. Jag försökte ju placera barnen på slottet men det passade inte dem.»

»Placera dem?»

»Ja, låta någon av dem ta över driften, men de var inte intresserade.»

»Trivs du här?» frågar Zeke och ser ut i lägenhetens rymd.

»Ja, jag trivs här. Har bott här sedan försäljningen. Jag trivs faktiskt så mycket att jag vill vara ifred nu, om ni inte har fler frågor.»

»Vad kör du för bil?»

»Jag har två. En svart Mercedes och en röd Toyota SUV.»

»Det var allt för ögonblicket», säger Zeke och reser sig. »Vet du var vi kan hitta dina barn?»

»Ni har deras nummer antar jag. Ring dem. Jag vet inte var de befinner sig.»

I hallen lägger Malin märke till ett par svarta gummistövlar. Att jorden på dem knappt torkat.

»Har du varit ute i skogen?» frågar hon Axel Fågelsjö som följt dem till dörren.

»Nej. Bara nere i Trädgårdsföreningen. Det är nog skitigt där så här års.»

När ytterdörren gått igen går Axel Fågelsjö bort till serveringsgången ut mot köket.

Han lyfter telefonen. Slår ett nummer han med stor möda lyckats pränta in i minnet.

Väntar på svar.

Tänker på de instruktioner som ska ges, hur extremt tydlig han måste vara för att barnen ska begripa. Tänker: Bettina. Jag önskar du vore här nu. Så vi kunde ta hand om det här tillsammans.

»I den bästa av världar», säger Zeke när de går mot bilen.

»Förlåt?»

»Han lever, eller vill leva i den bästa av världar.»

»Han ljuger för oss om försäljningen, så mycket är säkert. Undrar varför? Det verkar ju vara allmänt känt att de hamnat på obestånd. Har till och med stått i Corren.»

Zeke nickar.

»Såg du hur han knöt nävarna när du frågade om försäljningen? Det verkade som om han knappt kunde hålla sitt raseri i schack.»

»Jag såg», säger Malin, när hon öppnar dörren till bilens passagerarsida och tänker på känslan hon fick av att Axel Fågelsjö spelade sin ilska. Varför? tänker hon sedan.

»Vi får gräva vidare», säger Zeke och ser på Malin, hur hon verkar kunna falla i sömn när som helst, eller börja skrika efter en drink.

Måste prata med Sven. Hon är helt under isen.

»Vi får hoppas att Ekenberg och Johan gör det just nu, gräver vidare.»

»Och Karim njuter nog som bäst av fotoblixtarna», säger Zeke.

17.

Karim Akbar suger åt sig av fotoblixtarna, låter hjärnan jobba när reportrarna smattrar fram sina aggressiva frågor.

»Ja, han är mördad. Med ett slag av ett trubbigt föremål i bakhuvudet. Och sannolikt knivhuggen i bålen.»

»Nej, vi har inte föremålet. Inte kniven.»

»Vi dyker i vallgraven nu», ljuger han. Dykningarna är redan färdiga. »Vi kan komma att torrlägga den», säger han. Vattnet nog borta nu. Hans lilla glidande på sanningen är bara dumt, journalisterna kan lätt kolla vallgraven, men Karim kan inte hålla sig, vill visa hyenorna vem som håller i taktpinnen.

»I nuläget har vi ingen misstänkt. Vi arbetar helt förutsättningslöst.»

Samlingen med grå typer framför honom, de flesta sjavigt klädda som journalistschablonen bjuder.

Daniel Högfeldt ett undantag. Snygg skinnjacka, välstruken svart skjorta.

Karim kan svara på frågor och tänka på annat samtidigt, så många gånger har han gjort det här.

Är det dags att sluta då?

När autopiloten går på.

När man börjar leka med allvaret?

Han kan se sig själv stå i rummet, som en välslipad drillad pressekreterare i Vita huset och peka på journalisterna, svara undvikande på deras frågor och istället hela tiden få ut sin egen agenda.

»Ja, du har rätt. Det kan ha funnits många som haft anledning att vara missnöjda med Jerry Peterssons göranden. Vi söker även bakåt i tiden.»

»Och Goldman. Har ni pratat ...»

»Vi arbetar förutsättningslöst i detta läge.»

»Vi söker personer ur allmänheten som kan ha gjort intressanta iakttagelser natten mellan ...»

Waldemar Ekenberg sitter lutad över bordet i deras strategirum.

Läser i en av pärmarna om Jochen Goldman. Johan Jakobsson slokar på andra sidan bordet, bredvid den tekniker som håller på att fixa med en skärm.

»Det finns en gatuadress och ett nummer antecknat här. Vistamar trettiofyra. Till en J.G.», säger Waldemar.

»Måste vara Jochen Goldman.»

»Anteckningen verkar vara från i år.»

»I vilket sammanhang?»

»Siffror, något bolag.»

»Vad är det för landsnummer?»

»Trettiofyra.»

»Då kan det vara till Teneriffa, om han nu bor där. Vistamar. Definitivt spanskt. Ska jag ringa?»

»Vi vill ju prata med honom.»

Johan lutar sig bakåt, sträcker sig efter telefonen, ringer.

Han håller luren mot Waldemar.

»Inget svar, men jag kom fram i alla fall. Verkar inte finnas något meddelande.»

»Hade du väntat dig det? Vi får ringa igen senare.»

»Malins föräldrar bor på Teneriffa», säger Johan.

»Jävligt varmt där nere.»

»Vi kanske borde låta Malin ta det samtalet.»

»Så du menar att hon borde ringa för att hennes föräldrar bor där nere?»

Johan skakar på huvudet.

»Nja, du börjar ju känna henne nu, hon kan bli sur annars. Sådana sammanträffanden är viktiga för henne.»

»Hon tror visst på spöken», säger Waldemar.

»Vänta med samtalet. Låt henne ta det. Om det nu ens är Jochen Goldmans nummer.»

Waldemar slår igen pärmen.

»Jag fattar inte mycket av de här siffrorna och sakerna. När skulle killen från Eko komma?»

En polis, de visste ännu inte vem, skulle komma med tåg imorgon bitti.

»Redan imorgon», säger Johan.

Waldemar nickar.

Östgötabanken i hörnet Storgatan-S:t Larsgatan. Bara ett stenkast från Malins lägenhet på Ågatan, men de två husen kunde inte vara mer olika. Malins hus ett senfunkishus från sextiotalet, med lågt i tak och plastlister insatta i mitten på sjuttiotalet. Östgötabanken en prålig jugendbyggnad i brun sten med pampig inredning.

Men regnet är lika för alla byggnader, tänker Malin när hon drar upp den tunga porten och kliver in i den stora foajén med välputsad marmor och säkert tio meter högt i tak. Receptionen upp till kontoren ligger till vänster om kassorna som knappt syns bakom tjockt pansarglas.

Zeke och Malin har ringt till Fredrik Fågelsjös mobil, men inte fått något svar. Ringt hans hemnummer, men inte fått något svar där heller.

»Vi åker till banken och ser om han är där», sa Malin när de åkte från Axel Fågelsjös lägenhet och nu tittar en surögd, rödhårig receptionist i Malins egen ålder på hennes polislegitimation.

»Ja, han jobbar här», säger receptionisten.

»Kan vi få träffa honom?» frågar Malin.

»Nej.»

»Inte. Det här är ett polisärende av betydelse. Är Fredrik Fågelsjö ...»

»Ni kommer för sent», säger receptionisten avmätt, men ändå med viss triumf i rösten.

»Har han gått för dagen?» frågar Zeke.

»Han brukar gå vid tre på fredagarna. Vad gäller saken, egentligen?»

Bry dig inte om det du, tänker Malin, säger: »Vet du vart han kan ha tagit vägen?»

»Prova hotell Ekoxen. Han brukar vara där, i baren på fredagarna efter jobbet.»

»Fredagsöl?»

»Snarare fredagskonjak», säger receptionisten, nu med ett varmt leende på läpparna.

»Kan du beskriva hur han ser ut? Så vi hittar honom i baren?»

»Ta den här. Han finns med på personalbilden längst bak.»

Sekunden senare håller Malin en årsredovisning i sin hand. Det blanka, mörkblå, glättade pappret verkar vilja fräta hål på hennes handflata.

Ekoxen.

Ett av stadens flådigaste hotell.

Kanske det flådigaste, beläget mellan Tinnerbäcksbadet och Trädgårdsföreningen i ett sockerbitsliknande vitrappat hus. Hotellets pianobar har utsikt ner mot badet och är en av de populäraste dryckesplatserna i stan. Inget för mig, dock, tänker Malin. Alldeles för jävla fisförnämt.

De rullar sakta Klostergatan fram mot hotellet i ett avvaktande duggregn. Hon håller fotot i årsredovisningen framför sig. Av bilden att döma är Fredrik Fågelsjö i fyrtioårsåldern. Han har ett smalt ansikte som domineras av en rak, tunn näsa och ett par ängsliga gröna ögon. Han är smal, till skillnad från sin far, och den blå clubblazern han bär på bilden ser ut att vara nyinköpt. Han kutar med ryggen, verkar nästan rädd för att ramla, och det finns något undflyende och jagat över hela hans uppenbarelse.

Zeke saktar in framför hotellets entré. I backspegeln ser Malin en sidodörr öppnas och någon kliva ut.

Fredrik Fågelsjö.

Är det du? Är du färdig med din fredagskonjak?

»Jag tror det var Fågelsjö som gick ut där bak nyss.»

En svart Volvo står parkerad precis vid den bakre dörren, och innan Malin eller Zeke hinner reagera har mannen de tror är Fredrik Fågelsjö satt sig i bilen och kört iväg åt motsatt håll som dem själva.

»Helvete», säger Malin. »Vänd.»

Och Zeke lägger om ratten, men i samma ögonblick svänger en lastbil in från andra hållet och de blir stående.

»Satan.»

»Jag ringer igen på hans mobil.»

Så backar lastbilen undan och Zeke girar över den motsatta körbanan, pressar gasen i botten och de åker ner mot Hamngatan i hög fart, kör om en lusig vit folka.

»Han svarar inte», säger Malin samtidigt som de svänger ut på Hamngatan. »Jag ser honom», säger hon sedan. »Han väntar på rödljus borta vid McDonald's.»

»Vi kör ikapp och får honom att stanna», säger Zeke. »Visar att vi vill prata med honom.»

Inga saftblandare, tänker Malin, ingen prejning. Bara köra upp på sidan och vinka, som reglementet anger. Vi vill ju bara prata med honom.

Zeke pressar bilen framåt och de hinner upp jämsides med det de tror är Fredrik Fågelsjös bil innan ljuset slår om. Hungriga tonåringar inne på McDonald's. Folk som trotsar det tilltagande regnet rör sig hastigt över Trädgårdstorget i bakgrunden.

Zeke tutar och Malin håller upp sin legitimation mot rutan. Fredrik Fågelsjö, ingen tvekan om att det är han, ser på Malin, på legitimationen och hans ansikte får ett panikslaget uttryck när Malin gör tecken för att han ska stanna och invänta dem vid McDonald's.

Fredrik Fågelsjö nickar, men sedan ser han framåt, med hela kroppen verkar han trycka ner gaspedalen, och hans Volvo skjuter iväg mot gult, svänger in framför dem och bränner iväg upp längs Drottninggatan.

Helvete, hinner Malin tänka. Skriker: »Han drar. Den jäveln drar!»

Och Zeke lägger om ratten, följer efter Fredrik Fågelsjö upp längs Drottninggatan samtidigt som Malin vevar ner rutan och fäster deras saftblandare på bilens tak.

»Vad i helvete nu», skriker Zeke. »Anropa centralen på radion. Få dem att skicka mer bilar om vi har några.»

Malin förblir tyst, vill låta Zeke koncentrera sig på jakten, nu när

Fredrik Fågelsjö i säkert hundra kilometer i timmen kör förbi det orange hus där Riksbanken en gång huserade, och vidare bort mot Abiskorondellen förbi den gamla essensaffären.

Vad i helvete är det här, tänker Malin. Är du en mördare som fått panik? Vad fan flyr du från oss för?

Hundra meter framför dem ser Malin några fotgängare kasta sig åt sidan när Fredrik Fågelsjö kör mot rött. Hon känner adrenalinet pumpa i kroppen när hon skriker instruktioner över radion.

»Smitningsförsök. Vi förföljer en svart ... leden ut mot Bergsrondellen, alla tillgängliga bilar till ...»

Zeke sicksackar mellan några bilar som kommit in mellan dem och Fågelsjö och hastigheten, etthundratjugo nu, mitt i stan, får Malin att uppleva hur världen som hon känner den försvinner i vilda linjer och färger och hur illamåendet blir akut, huvudet dunkar, men snart tar adrenalinet över och nuet blir klart och tydligt.

»Han svänger av ner mot Ikea, och ut mot Vreta Kloster», skriker Malin och motorns ilskna arbetande ljud blandas med deras siren till en märklig upphetsande symfoni.

Fågelsjö kör förbi Ikeas lada i Tornby och hans bil kränger av och an på körfältet som om han vore berusad.

Han kan vara berusad, tänker Malin. Kom ju ut från Ekoxen. Hon känner illamåendet ta tag i magen på nytt, hon vill spy, men adrenalinet trycker undan känslan igen.

Zeke släpper ratten med ena handen, trycker igång cd:n och tysk körmusik, något ur en Wagneropera, dånar genom bilen.

»För helvete», skriker Malin.

»Jag kör bättre då», flinar Zeke.

Fredrik Fågelsjö har tur med rödljusen innan han fortsätter genom rondellen vid E4:an. De passerar miljonprogramsområdet Skäggetorps sista byggnader och sedan är de ute på landet, omgivna av öde åkrar och små gårdar som ruvar i vinden.

Orden från centralen knappt hörbara genom alla körens stämmor:

»Fredrik Fågelsjö bor på slätten, åt vänster från Ledbergshållet till. Han kan vara på väg hem.»

Han drar ifrån, tänker Malin. »Stå på», skriker hon. Kan vi verkligen vara nära nu? Har Fredrik Fågelsjö dödat Jerry Petersson? Är det därför han flyr?

En radiobil åker upp jämsides, men Zeke vinkar den bakåt, och när de kommer till Ledbergskorset sladdar Fredrik Fågelsjö åt vänster, men lyckas räta upp bilen och fortsätter sedan i allt högre hastighet ut mot en liten samling av hus omgivna av glesa träd kanske två kilometer längre ut på slätten ner mot sjön Roxen.

Zeke svettas i pannan. Malin känner hur hon andas med korta, stressade andetag, och hon drar sin pistol ur axelhölstret samtidigt som vägen svänger igen vid gruppen av hus. En stor stenvilla, gulmålad, inne i en dunge. En riktig överklasskåk, och hundra meter längre fram svänger Fredrik Fågelsjö igen, ner i en allé.

De kör efter, och sjuttio meter längre fram har Fredrik Fågelsjö stannat framför en svankande rödmålad ladugård omgiven av kala buskar och lönnar. Han hoppar ur bilen, springer över ladugårdsbacken, in i ladugården.

Zeke stannar bakom Fågelsjös bil, radiobilen gör halt just bakom dem. Malin slår av cd:n, saftblandaren och allt blir märkligt lugnt.

Över radion säger Malin stilla: »Ni kliver ur, täcker oss när vi går efter in i ladugården.»

Gruset och leran framför ladugården klafsar under fötterna. Malin ser mot byggnaden, känner hur regnet tilltar medan de går de få meterna från bilen till ladugårdsdörren. Bakom sig har hon villan, byggd i italiensk stil, säkert Fredrik Fågelsjös hem. Har han familj verkar de inte vara hemma nu. De två uniformerna har dragit sina Sig Sauer, tagit betäckning bakom bilens dörrar och är redo att skjuta om något skulle gå snett.

Zeke bredvid henne, båda håller sina pistoler framför sig när Malin sparkar upp dörren till ladugården, samtidigt som hon skriker:

»Fredrik Fågelsjö. Vi vet att du är där inne. Kom ut. Vi vill bara prata med dig.»

Tystnad.

Inte ett ljud inifrån den gödselluktande byggnaden.

Om du flyr, tänker Malin, så är det dummaste du kan göra. Vart ska du ta vägen? Goldman. Han höll sig borta i tio år. Så visst går det. Men du trycker där inne, eller hur? Väntar på oss. Men du kan ha vapen. Sådana som du äger alltid åtminstone jaktvapen. Väntar du på oss med ett vapen?

Hennes samtal med sig själv hjälper henne att hålla skärpan, att hindra rädslan från att ta över. In i mörkret nu, Malin. Vad som än väntar där inne.

»Jag går först», säger Zeke, och Malin känner tacksamhet. Han viker aldrig när det hettar till, Zeke.

Han går in i ladugården, Malin följer i hans fotspår. Svart och mörkt, med en stank av färsk svingödsel och intorkad odefinierbar djurspillning. Ett ljus från det hörn som vetter ner mot en åker, Zeke börjar springa mot ljuset och Malin följer efter.

»Helvete», skriker Zeke, »Han stack säkert ut där.»

De rusar fram till den öppna dörren.

Kanske hundra meter ner på fältet i regnet och dimman springer Fredrik Fågelsjö, klädd i bruna byxor och vad som måste vara en grön oljerock. Han ramlar, reser sig, springer igen, förbi ett träd som ännu håller löven.

»Stopp», skriker Malin. »Annars skjuter jag.»

Vilket hon inte skulle göra. De har inget på Fredrik Fågelsjö och en flykt undan polisen är inte nog anledning för ett skott.

Men det är som om luften går ur Fredrik Fågelsjö. Han stannar, vänder sig om, höjer sina tomma händer och ser på henne och Zeke, som sakta närmar sig honom med dragna vapen.

Fredrik Fågelsjö vajar fram och tillbaka.

»Du är full som fan», tänker Malin, skriker: »Lägg dig ner. Lägg dig ner.»

Och Fredrik Fågelsjö ligger på magen på lös lera när Malin sätter handbojor runt handlederna som han håller bakom sin rygg. En skitig, grön klassisk Barbour-rock.

Han stinker sprit, men säger ingenting, har kanske svårt att prata med munnen mot marken.

»Vad fan skulle det där vara bra för», säger Malin, men Fredrik Fågelsjö svarar inte.

18.

»Vad fan hände?»

Zekes händer skakar lätt på ratten när de åker tillbaka in till Linköping, förbi de vitteglade hyreshusen i Skäggetorp och Arlas stora fabrik i Tornby. De möter Correns reportagebil. Är det Daniel som kör? De är helt jävla outtröttliga, gamarna.

»Inte vet jag», säger Malin. Adrenalinet har lagt sig en aning, huvudvärken och ångesten är tillbaka, och en uppenbart berusad Fredrik Fågelsjö är tryggt placerad i radiobilens baksäte. Malin ville inte ha honom i den bil de själva färdas i, både hon och Zeke behövde få lugna ner sig.

Östnytts bil.

»Men kanske», fortsätter Malin, »så har han mycket med det här att göra och fick för sig att vi vet det och så ville han fly. Och så kom han på det meningslösa i det ute på fältet i regnet.»

»Eller så var han bara full och fick panik när vi försökte stoppa honom», säger Zeke.

»Vi får se när vi förhör honom. Men han kan mycket väl vara vår man», svarar Malin, men tänker att det är något som inte går ihop, att fallet inte kan vara så enkelt. Eller kan det vara det?

Hennes telefon ringer och hon ser Sven Sjömans nummer på displayen.

»Jag hörde», säger Sven. »Märkligt. Kan det vara han? Vad tror du?»

»Kanske. Vi förhör honom när vi kommer till stationen.»

»Johan och Waldemar får ta förhöret», säger Sven. »Ni får försöka få tag på Katarina Fågelsjö. Pressa henne när brorsans dumheter är färska.»

Först vill Malin protestera. Men sedan slappnar hon av. Är det någon som kan få något ur Fredrik Fågelsjö är det Waldemar Ekenberg.

Fredrik Fågelsjö hade inte sagt ett ljud när de reste honom upp och ledde honom över fältet. Samma tystnad när de satte honom i radiobilen.

»Okej. Vi gör så», säger Malin. »Något annat?»

»Inte mycket nytt. Johan och Waldemar har ringt till en del personer vars namn och firmor dykt upp i Peterssons papper. Men det har inte givit någonting.»

»Någon älskarinna?»

»Ingen kärlek heller», svarar Sven.

Katarina Fågelsjö svarade i sin telefon.

Var villig att träffa dem, och nu åker Malin och Zeke Brokindsleden framåt under tystnad i det skumma eftermiddagsljuset.

Försöker båda återhämta sig, komma ner på normal energinivå inför mötet med Katarina Fågelsjö.

De åker förbi villaområdet Hjulsbro.

I Malins samhällskunskapsbok omnämndes området som ett överklasstillhåll i samma stycke som Connecticut i New York, men inte bor överklassen här, snarare den välbeställda medelklassen.

I Hjulsbro trängs läkarvillorna bredvid varandra, anspråkslösa typhus till det yttre, men nog så stora och storslaget inredda när man väl kommer in i dem. Ett av de dyraste och mest prestigefyllda bostadsområdena i staden, men ändå så futtigt på något vis, om man jämför med Djursholm i Stockholm eller Örgryte i Göteborg.

När de åker genom området förstår Malin alla dem som växer upp i en landsortsstad och flyttar till en större scen så fort de bara kan, en värld med större djup och höjd än den en vanlig sketen svensk, om än fisförnäm, landsortshåla kan erbjuda.

Stockholm.

Hon bodde där med Tove när hon gick polisskolan. I en etta i Traneberg hyrd i andra hand och det enda hon minns är plugg och dagishämtningar, barnvakter hittade i lokaltidningarna, unga tjejer som var dyra och opålitliga och hur Stockholm inte hade ett skit att erbjuda en ensamstående, fattig morsa. Hela staden kändes sluten, som om alla dess möjligheter och hemligheter aldrig skulle kunna bli hennes och därför hånflinade åt henne hela tiden.

Det måste ha varit precis tvärtom för Jerry Petersson.

Malin har blivit erbjuden tjänst i Stockholm flera gånger, senast före sommaren hade de en öppning på våldsroteln och chefen, en Kornman, hade handplockat henne. Ringde själv upp, sa att han kände till hennes arbete, var hon kanske sugen på vidare jaktmarker?

Malin misstänkte att de behövde kvinnor.

Hade sitt önskade liv med Janne och Tove, allt hade inte gått åt helvete då. Så hon tackade nej.

Och nu i bilen förbannar hon sig själv. En nystart är kanske precis vad jag skulle behöva? Eller skulle storstan ta knäcken på mig? Men det gör ju småstaden också.

Eller bara nästan.

Radion är på.

Hon övertalade Zeke att de inte skulle lyssna på hans körmusik, och han gick med på att ha på vanlig hederlig skvallerradio.

Tonerna av Grand Archives låt »Torn blue foam couch» har just klingat ut och nu hör Malin sin väninna radioprataren Helen Anemans hesa röst.

Hon talar om deras offer.

Om Jerry Petersson som ingen verkar tycka synd om eller hysa djupa känslor för. Som inte verkar väcka någon sorg hos någon.

Men någonstans finns det en människa som sörjer dig, tänker Malin när hon hör Helen, och den människan ska jag ge visshet om vad som hände. Kanske din far, vi får prata med honom tids nog. Du hade inga syskon, och din mor är död, så mycket vet vi. Kanske en kvinna, kanske ett barn, även om du inte hade några egna.

»En av stadens allra rikaste söner har gått ur tiden», säger Helen. »It-klippare, enligt rykten brottslingars vän, en spännande människa som vi nu kanske inte får veta så mycket om. Han köpte Skogså för något år sedan, den kända adelsfamiljens Fågelsjös egendom ... Tydligen var nu inte denne Petersson guds bästa barn, men inte förtjänade han ett sådant öde, eller vad säger ni? Ring in om ni har något att berätta om Jerry Petersson.»

En Madonnalåt.

»American pie.»

Zeke nynnar med. Kanske får låten honom att tänka på Martin i Vancouver? På sitt barnbarn? Eller så sjunger de den kanske i kören där han är med?

De har kört förbi Hjulsbro.

Småborgerligheten, den kvävande, lagd bakom dem.

Zeke gasar och bilen svarar. De svänger av.

Där framme ser hon Landeryds Golfbana. Det gigantiska ballongliknande hus som rymmer stadens inomhus-driving range.

Ett golfparadis i hösthelvetet.

Där det regnar golfbollar genom luften.

19.

Golfbollarna viner under ett järnbalkstak i den flera hundra meter långa hangarbyggnaden, studsar högt där de dimper ner.

Tretton utslagsplatser.

Det låter som örfilar när järnklubborna träffar bollarna.

En hink med femtio bollar kostar två hundra kronor. Den summan är inga problem att betala för dem som är medlemmar i någon av stadens golfklubbar.

Putters.

Träklubbor.

Jerry Petersson slagen med ett trubbigt föremål i huvudet, men knappast en golfklubba, tänker Malin när de närmar sig Katarina Fågelsjös smärta, långa gestalt.

»Jag står på tretton. Längst nere vid väggen.»

Ingen förvåning över att de ville tala med henne, hon visste vad som hänt, men kunde knappast veta vad hennes bror just gjort.

Aggressiva slag, svordomar, bollar som driver in i väggarna och åt sidorna och det är ett simhallsliknande larm här inne och en liknande unken, fuktig fast klorbefriad doft.

Hur kan man frivilligt spendera en eftermiddag här, tänker Malin samtidigt som hon studerar Katarina Fågelsjö när hon svingar, till synes lätt och elegant. Hon har kraft i kroppen, tydligt att hon har den där självklarheten inför sig själv och livet som alla med hennes bakgrund har, som de får inpräntat i sig från den dag de för första gången slår upp ögonen i den här världen.

Katarina Fågelsjö höjer en järnklubba, måttar och släpper axeln och klubban gör en tjusig sving ner mot bollen på peggen på astroturfen.

117

Säkert lågt handicap, tänker Malin. Och hon har högerfattning.

Katarina Fågelsjö måste ha anat dem i rörelsen.

Hon stannar till, vänder sig om, ser på dem, tar ett kliv ner från den lilla upphöjning där hon står. Sträcker fram handen och Malin tänker att hon måste ha varit vacker en gång, och att hon nästan är det nu, med samma skarpa näsa som sin bror och fina kindben, men med en allt för rynkig panna och många grå hår i det nacklånga blonda hårsvallet.

Bittra rynkor. Missnöjesfåror kring den tunna munnen. Sorgsna ögon, fulla av en märklig längtan.

Hon hälsar först på Malin, sedan på Zeke.

De visar sina legitimationer.

Katarina Fågelsjö drar med ena handen över pannan och Malin tänker att hon är nog inte mer än fem år äldre än jag själv, har kanske gått på samma gymnasieskola som jag, före mig, och på samma skola som Jerry Petersson. Om hon nu inte gick på Sigtuna eller på Lundsberg.

»Kan vi ta det här?» frågar Katarina Fågelsjö samtidigt som hon lutar klubban mot marken. »Eller ska vi ta det i restaurangen?»

»Vi kan ta det här», säger Malin. »Du vet varför vi vill tala med dig? Vi hann inte nämna det över telefonen.»

»Jerry Petersson. Jag kan lägga ihop ett och ett.»

»Och att din bror försökte fly undan oss idag.»

Katarina Fågelsjös mun öppnas, ögonbrynen höjs hastigt men på bara några sekunder har hon funnit sig.

»Min bror gjorde vad?»

Malin berättar om biljakten, hur han försökte fly när de skulle försöka få en pratstund med honom, och att han nu är på polisstationen för förhör.

»Så han kom från Ekoxen?» säger Katarina Fågelsjö konstaterande. »Då var han rädd för att ni skulle ta honom för rattfylla. Han har dömts för det tidigare, efter en fest hos bekanta för tre år sedan, och denna gång hade det väl blivit fängelse.»

Rattfylla. Köra berusad. Jag gjorde det igår, tänker Malin, slår bort tanken som en golfboll.

»Vi tog honom», säger Zeke. »Och han var berusad.»

»Han flydde kanske för att han har något med mordet på Jerry Petersson att göra?» frågar Malin, och hoppas att den raka frågan ska provocera fram en reaktion.

»Skulle min bror ha mördat någon? Knappast.»

Vinandet av golfbollar genom luften får Malin att tänka på skjutbanan, hur pistolers kulor kan låta när de letar sig mot måltavlorna. Precis som Katarina Fågelsjö gjorde nyss när de berättade om hennes bror.

Och nu.

Katarina Fågelsjös ansikte är helt uttryckslöst när hon väntar på nästa fråga och Malin blir trött bara av att se på det. Klockan har närmat sig fem, och trots att Malin vet att de måste vidare i utredningen snabbt så vill hon hem, duscha och sedan?

Tycka synd om mig själv.

Jävligt synd.

Flytande synd.

Huvudvärken har lagt sig, men nu skriker kroppen efter mer, hennes ågren är som en näve om hjärtat. Måste ta tag i en jävla massa saker. Pallar jag?

Och så den här kvinnan framför mig, mallig och stroppig, men ändå öppen och trevlig, på ett sätt. Det är väl det som kallas social kompetens?

»Så du tror inte det?» frågar Zeke.

»Min bror är harmlös. Kanske inte på alla vis, men någon våldsverkare är han inte.»

»Kan du berätta lite om honom?» frågar Zeke.

»Han gör nog det bäst själv.»

Katarina Fågelsjö tar upp en järnklubba ur sin bag. Synar den uppifrån och ner.

»Låt mig gå rakt på sak», säger Malin, tänker: Fokusera på Katarina Fågelsjö själv istället.

»Vad gjorde du natten till idag och imorse?»

»Min far var hemma hos mig igår kväll. Vi drack te.»

»Han gick vid tio, sa han. Vad gjorde du när han gått?»

Katarina Fågelsjö harklar sig.

»Jag åkte hem till min älskare. Överläkare Jan Andergren. Han kan bekräfta att jag var där tills imorse.»

Hon ger dem ett nummer, som Zeke knappar direkt in i sin mobil.

»Jag gillar vita rockar», skämtar Katarina Fågelsjö. »Men ni ska veta att han bara är en älskare som jag träffat några gånger och inte planerar att träffa så särskilt många gånger till.»

»Varför inte?» frågar Malin och Katarina Fågelsjö lägger an en min som verkar betyda: Vad har du med det att göra?

»Vet du inte det? Alla affärers gyllene regel. Fler än fem träffar och man kan börja inbilla sig att det är kärlek.»

Gör dig inte märkvärdig för att du knullar med en läkare, tänker Malin. Kokettera inte inför mig, Katarina Fågelsjö. Jag är alldeles för trött för att stå ut med det.

»Hade du några förehavanden med Petersson?» frågar Zeke.

»Inga alls», svarar hon tvekande, innan hon fortsätter med stadig röst: »Det där skötte Fredrik och far. Hur så?»

»Försäljningen av slottet», säger Malin. »Du var inte emot den?»

»Nej. Det var dags. Det var tid att sälja helt enkelt. Dags för familjen att gå vidare.»

Du säger samma saker som din far Axel, tänker Malin. Har han sagt till dig vad du ska säga?»

»Du ville själv inte ta över?»

»Jag har aldrig haft några sådana ambitioner.»

Bollarna fortsätter att vina runt omkring dem.

Poänglösa projektiler.

En jävla fjössport, tänker Malin, samtidigt som Katarina Fågelsjö rättar till bältet i sina blå byxor, stryker kragen på sin rosa bomullströja till rätta och sätter tillbaka klubban i bagen.

»Vi har hört rykten om att ni tvingades sälja på grund av ekonomiska problem. Stämmer det?»

»Inspektören. Vi är en adelssläkt som går tillbaka flera hundra år i tiden. Nästan ett halvt årtusende. Vi pratar ogärna om pengar, men vi har aldrig, säger aldrig, haft några ekonomiska problem.»

»Får jag fråga vad du jobbar med?», frågar Zeke.

»Jag arbetar inte. Efter min skilsmässa tar jag det lugnt. Innan dess ägnade jag mig åt konst.»

»Konst?»

»Jag hade ett galleri för 1800-talsmåleri. Mest överkomliga Östgötakonstnärer som Krouthén. Men också dyrare konstnärer. Känner ni till Eugène Jansson? Han var min specialitet, tillsammans med kvinnliga danska nationalromantiker.»

Malin och Zeke skakar på huvudet.

»Kände du Jerry Petersson sedan tidigare?» frågar Zeke.

»Nej.»

»Du skilde dig nyligen?» frågar Malin.

»Nej, för tio år sedan.»

»Barn?»

Katarina Fågelsjös blick förmörkas, hon verkar undra vad det har för betydelse.

»Nej», svarar hon.

»Ni var lika gamla, du och Petersson», säger Malin. »Kände du honom från gymnasiet?»

Katarina Fågelsjö stirrar ut mot driving rangen.

»Vi gick på Katedralskolan. Han i trean samtidigt som min bror, när jag gick i ettan.»

Malin och Zeke ser på varandra.

»Jag minns honom», fortsätter Katarina Fågelsjö alltjämt med blicken vänd utåt driving rangen. »Men vi umgicks inte. Han tillhörde inte min klick. Men vi var säkert på samma fest någon gång, det gick inte att undvika.»

Nej, tänker Malin. På gymnasiet korsades alla världar, vare sig man ville det eller inte. Folk kunde hamna på samma fest, men det betydde inte mer än det skulle göra om två för varandra okända personer besökte samma bar idag.

»Och vilken klick var det?» frågar Zeke.

»En flickklick.»

»Så ni umgicks aldrig?»

Katarina Fågelsjö ser på dem igen och en hastigt påkommen sorg verkar skymta i hennes ögon.

»Vad sa jag nyss», säger hon sedan.

»Vi hörde dig», säger Malin.

Katarina Fågelsjös smala läppar drar ihop sig till ett tunt streck.

»Och nu sitter Jerry Petersson som en satans Gatsby där ute på vårt slott. Snart börjar han väl ordna fester också? Stora jävla fester.»

En plötslig desperation i både rösten och blicken.

»Han kanske satt därute som en Gatsby», säger Malin. »Men nu ligger han på bårhuset uppe på SKL.»

Katarina Fågelsjö vänder sig bort från dem igen, lägger en boll på peggen, slår med frenesi, och bollen viker nästan direkt av tvärt åt höger.

»Vad kör du för bil?» frågar Zeke när hon åter ser på dem.

»Min ensak», svarar Katarina Fågelsjö. »Jag vill inte vara oartig, men det har ni inte med att göra.»

»En sak», säger Malin, »ska du ha klart för dig. Att så länge vi letar efter Jerry Peterssons mördare, så har vi med minsta lilla hår i ditt arsle att göra.»

Katarina Fågelsjö ler, säger:

»Seså, inspektören, dämpa sig. Lugn och fin. Jag kör en röd Toyota, om det nu ska vara så viktigt.»

Malin vänder sig om.

Går ut ur golfhelvetet. Hör Zeke tacka Katarina Fågelsjö för att hon tog sig tid. Tack och lov ber han inte om ursäkt för hennes beteende.

»Var snälla mot min bror», ropar Katarina Fågelsjö efter dem. »Han är harmlös.»

»Även om du har problem med de här typerna så får du faktiskt ta och skärpa dig. Du kan inte tilltala folk på det där sättet. Hur illa du än mår.»

Zeke sitter bakom ratten, säger sin förmaning när de kör ut från Landeryds parkeringsplats. Regnet skvalar alltjämt från himlen, och den annalkande kvällens mörker gör Linköping ännu en aning ogästvänligare, och i skogsbrynet åt öster tycker sig Malin se ormungarna krylla och väsa, försöka äta varandra.

»Jag mår inte illa», säger Malin.

Sedan nickar hon.

»Du vet hur det är. Dryga jävla typer.»

Och hon vet att ilskan är ett sätt att skyla över osäkerheten, det är rena barnpsykologin, och hon skäms, hoppas att inte Zeke kan se hennes kinder hetta.

»Hon döljer något. Precis som sin far», säger Zeke. »Och kanske som sin bror.»

»Det gör hon», säger Malin. »Kanske ett släktdrag att leka med sanningen.»

»Eller så vill de bara göra jobbet så svårt för oss som möjligt», säger Zeke.

De passerar villorna i Hjulsbro igen, och de vita hyreshusen med loftgång mitt emot, på andra sidan Brokindsleden. Det regnar sidledes över vägen, som om vinden och dropparna försökte binda ihop de olika världarna.

»Vi får väl helt enkelt se om förhöret med Fredrik Fågelsjö ger något», säger Zeke. »De håller väl på som bäst nu, när han nyktrat till en aning.»

20.

Visarna på klockan på väggen i förhörsrum ett i källaren på Linköpings polisstation rör sig ljudlöst.

18.01.

De gråsvarta väggarna är täckta med räfflade ljuddämpande paneler, och halogenbelysningen är placerad så att den bildar ljuskoner över de fyra golvfasta stolar som står placerade runt ett avlångt bord i metall. De monterade fast stolarna i golvet nyligen, det hände allt för ofta att misstänkta vräkte dem i väggen i ilska över sin trängda situation.

En spegel på ena långväggen vetter ut mot observationsrummet där Sven Sjöman och Karim Akbar har personerna i förhörsrummet under uppsikt.

Johan Jakobsson ser på Fredrik Fågelsjö. Blodprovet visade på just under en promille, men han verkar ha nyktrat till snabbt. Blicken i det skumma ljuset på andra sidan bordet är klar och vaken. Bredvid Johan rättar Waldemar Ekenberg till sig på stolen, försöker hitta en bekväm ställning. Fredrik Fågelsjö är klädd i blå clubblazer och gul skjorta och bredvid honom sitter hans advokat, en tjusig typ vid namn Karl Ehrenstierna, som Johan haft med på andra förhör som då alltid givit noll. Vi får se, tänker Johan, om vi kan överlista dig den här gången.

Han trycker igång den lilla svarta bandspelaren som står placerad mitt på bordet.

»Förhör med Fredrik Fågelsjö i utredningen om mordet på Jerry Petersson, samt i samband med andra lagöverträdelser. Fredag den tjugofjärde oktober klockan 18.04.»

Hittills har Fredrik Fågelsjö knappt sagt ett ord. Svarade bara ja när de frågade om han ville ha advokat närvarande vid förhöret, sa Ehrenstiernas namn, utan att ge dem något nummer, tog väl för givet att de visste. Sedan bad han att få ringa sin fru Christina, och Sven hade inte sett någon rimlig anledning att neka honom det. De hade nog för att få honom häktad för en rad mindre allvarliga brott, men i fråga om mordet på Jerry Petersson var Fredrik Fågelsjö de facto ännu bara ett namn som dykt upp i utredningen. Inte tillräckligt för en husrannsakan i samband med mordutredningen, men hans bil beslagtog de, och den kollas som bäst på SKL.

»Vi börjar med dagens händelser», säger Johan. »Varför flydde du när polisen gav tecken åt dig att stanna?»

Fredrik Fågelsjö ser på sin advokat med ängslig blick, som om han undrar hur de ska leda det här förhöret dit de vill och inte falla i någon förhörsteknikfälla. Advokaten nickar åt honom att svara.

»Jag blev rädd», säger Fredrik Fågelsjö och torkar bort några svett- droppar på överläppen. »Jag visste att jag hade druckit för myck- et. Och jag ville inte gripas för rattfylla igen, och hamna på Skän- ninge i sommar. Så jag fick panik och försökte fly. Det var som om all sans bara flög ur huvudet och sedan, när jag börjat fly, så fanns det liksom ingen återvändo. Dumt som fasiken. Och jag vill be om ursäkt.»

»En jävla ursäkt kommer nog inte att räcka», säger Waldemar.

»Inga svordomar om jag får be», säger Ehrenstierna och Walde- mar biter ihop, säger:

»Du kunde ha dödat oskyldiga. Vi har dig fast för rattonykterhet, hinder av tjänsteutövande, vårdslöshet i trafik och säkert tio andra saker. Är du alkoholist?»

Ehrenstierna är tyst.

»Du kanske vill erkänna de sakerna», säger Waldemar.

»Jag kommer inte att försvåra de processerna», säger Fredrik Få- gelsjö, »och nej, jag är inte alkoholist. Men ibland dricker jag lite för mycket. Men det gör väl alla? Jag fick panik. Och jag är skyldig till att ha kört berusad. Men det är väl inte huvudanledningen till att jag sitter här?»

»Nej», säger Waldemar och lutar sig fram över bordet.

»Främst vill vi prata med dig med anledning av mordet på Jerry Petersson.»

»Det är inte så att du flydde för att du trodde att vi skulle anhålla dig i samband med det brottet?» frågar Johan.

»Min klient har redan svarat på varför han flydde när ni försökte preja honom», säger Ehrenstierna.

»Jag visste inte ens att Petersson var mördad. Det berättade advokaten för mig nyss.»

Ehrenstierna nickar.

Så förändras blicken i Fredrik Fågelsjös ögon och han börjar prata innan Ehrenstierna hinner tysta honom.

»Låt mig säga så här. Ni har hittat pajasen död. Mördad till och med. Bra nyheter, ska jag säga er.»

Fredrik Fågelsjös nyss trötta kropp vaknar till liv, varenda muskel verkar spännas.

Ovärdigt, tänker Johan och ser på Waldemar med en blick som betyder: »Tryck till nu.»

Ehrenstierna lägger ena handen på Fredrik Fågelsjös axel, säger:

»Ta det lugnt, Fredrik.»

»Så du ville se honom död?» frågar Waldemar.

»Det svarar inte min klient på.»

»Du kan lita på oss», säger Johan. »Vi vill dig väl. Om du inte har med mordet att göra så vill vi veta det, om du har det så ska vi se till att göra det bästa av situationen. Du kan väl hålla med oss om att det var konstigt att du flydde? Du har något du vill berätta. Eller hur?»

»Min klient svarar inte på det heller. Och han har svarat på varför …»

»Vad gjorde du natten till idag och imorse?» frågar Waldemar.

»Jag var hemma med min fru.»

»Är det riktigt säkert?» säger Waldemar.

»Kan hon bekräfta?» frågar Johan.

»Hon kan bekräfta», säger Ehrenstierna. »De var ute på Villa Italia, ute i Ledbergskorset, dit ni följde efter min klient.»

»Så du var inte ute på Skogså», säger Waldemar.

Ingen av de två på andra sidan bordet svarar.

»Det sägs att det låg ekonomiska problem bakom försäljningen av

Skogså. Stämmer det?» frågar Johan istället.

»Jag var trött på skiten», säger Fredrik Fågelsjö. »Det var dags att sälja. Far är för gammal och jag vill inte ta över. Inte min syster heller.»

»Så du har inget du vill berätta för oss? Om dåliga affärer? Om hatet mot pajasen Jerry Petersson som tog över? Som du ville se död?»

Waldemars röst irriterad när han slungar orden över bordet.

»Den där Petersson», säger Fredrik Fågelsjö. »Var en uppkomling av värsta sort som aldrig kan begripa betydelsen av ett gods som Skogså. Men han gav oss bra betalt. Och om ni tror att jag hade något att göra med det där? Good luck. Bevisa det. Som sagt, jag blev rädd och fick panik. Jag är beredd att ta mitt straff.»

»Kände du Petersson sedan tidigare?»

»Jag visste vem han var», säger Fredrik Fågelsjö. »Vi gick i gymnasiet, på Katedralskolan samtidigt. Men jag kände honom inte alls. Vi umgicks inte i samma kretsar. Men vi var kanske på samma fest någon gång. Det var en liten värld, ändå.»

»Ni hade egentligen inget med varandra att göra? Då eller senare?»

»Bara när slottet skulle säljas. Men inte ens då träffade jag honom.»

»Jag är förvånad», säger Waldemar. »Jag trodde alla som du gick på Sigtuna eller Landsberg.»

»Lundsberg», säger Ehrenstierna. »Lundsberg. Jag låg vid Lundsberg. Har ni fler frågor till min klient? Om hans utbildning eller annat?»

Waldemar reser sig hastigt upp, spänner sin ormblick i ögonen på Fredrik Fågelsjö.

»Berätta allt du vet, din jävel. Du döljer en massa skit, eller hur?»

Fredrik Fågelsjö och advokat Ehrenstierna ryggar tillbaka.

»Du var ute vid slottet, du ville ge dig på Petersson för att han tagit marken ifrån er, eller hur? Du tappade besinningen och högg honom gång på gång. Erkänn nu», skriker Waldemar. »Erkänn!»

Dörren till rummet flyger upp, Karim rusar in, stänger av bandspelaren och han och Johan hjälps åt att lugna Waldemar samtidigt som Sven meddelar Fredrik Fågelsjö och advokaten att åklagaren nyss beslutat att Fredrik Fågelsjö ska häktas som misstänkt för grovt rattfylleri och grov vårdslöshet i trafik.

Ehrenstierna protesterar, men bara lamt, vet att beslutet redan är fattat och att han inte kan göra något åt det här och nu.

Fredrik Fågelsjös ansikte en gåta, tänker Johan, när adelsmannen leds ut ur rummet av en uniform.

Nobelt, men undflyende. De ängsliga ögonen överlägsna nu. Han är, tänker Johan, medveten om att vi inte har ett skit på honom. Men han kan mycket väl vara skyldig. Och från och med nu är han vår huvudmisstänkte.

Malin släpper av Zeke utanför hans rödmålade villa.

»Ta bilen du», säger han. »Men kör nu som anständigt folk.»

Han slår igen dörren efter sig, inte i ilska utan i trötthet, och går därifrån.

De svarta takpannorna på villan är som motvilligt skinn för trummande regndroppar.

Det lyser inifrån köket.

Lördagsjobb imorgon. Inte en jävla tanke på att vara ledig när de har ett helt färskt mord.

Sven Sjöman har kallat till uppsamlingsmöte klockan åtta. Assistent Aronsson hörde Fredrik Fågelsjös fru Christina direkt efter att Johan Jakobsson och Waldemar Ekenberg förhört honom. Frun gav honom alibi för mordnatten, sa att han säkert fått panik när de skulle stoppa honom, att han ibland drack för mycket men inte var någon alkoholist.

Nu låter Malin bilen gå på tomgång, försöker förmå sig själv att köra vidare in i kvällen, men hur, säg mig hur, tänker hon, ska jag kunna angripa timmarna som återstår av dagen?

Orkar inte ta tag i någonting. Det som hände igår känns overkligt, som om det hände för tusen år sedan, om det alls har hänt.

Hon lägger i ettans växel.

Samtidigt som hon ska köra bort från villan ser hon Zeke öppna ytterdörren och springa ut i regnet, hon ser hur regndropparna nästan smeker hans rakade skalle, men det är inte behagligt, det ser hon på grimasen i hans ansikte.

Malin vevar ner rutan.

»Gunilla undrar om du vill stanna på middag?»

»Så du undrar inte?»

»Larva dig inte, Fors. Kom in. Få i dig lite varm mat. Det gör dig gott.»

»En annan kväll, Zeke. Hälsa och tacka Gunilla för omtanken.»

Gunilla?

Du skulle väl hellre ha Karin Johannison där inne? tänker Malin.

»Kom in och käka med oss», säger Zeke. »Det är en order. Vill du verkligen vara ensam ikväll?»

Malin ler trött.

»Du ger inte mig några order.»

Hon kör iväg med rutan nervevad, i backspegeln ser hon Zeke stå stilla i regnet, ett par flygande höstlöv blänker roströda i baklyktornas sken.

Det är mörkt utanför bilen när hon kör inåt stan. Fy fan för mörkret.

Vilken jävla dag. Ett mordfall. Ett fett härligt sådant. En galen biljakt. En kärring med gevär. Ingen tid att tänka på all annan skit. Ibland älskar hon all mänsklig dynga den här staden kan producera.

Kläder.

Måste ha kläder.

Kanske kan jag ändå åka ut till huset, hämta det jag behöver lite snabbt. Men kanske kommer Janne vilja att jag ska stanna, Tove kommer att se på mig med bedjande ögon, och då kommer jag också att vilja det.

Så råkar Malin se en skymt av sitt ansikte i backspegeln och hon vänder den åt sidan, och så inser hon plötsligt vad hon gjort: Hon har lämnat den man hon älskar, hon har slagit honom, hon försatte sin dotter i livsfara och istället för att hjälpa henne vidare i livet har hon flytt rätt in i sin egen skit, givit vika för sina sämsta sidor, givit vika för kärleken till ruset, till den mjukkantade bomullsvärlden där ingenting finns. Vare sig historia, här och nu eller framtid. Men det är fel, fel, fel, och hon skäms, skäms, skäms så mycket att skammen tar över andetagen, hela hennes kropp och hon vill åka ut till huset i Malmslätt, men istället kör hon till Tornby, till Ikeaparkeringen, parkerar i ett avlägset hörn och kliver ut.

Hon står i regnet och ser på mörkret omkring sig. Platsen är helt anonym och ensam, trots att den ligger öppet, ljusen från köpladorna tränger inte hit.

Hon går bort mot köpcentret. Vill ringa Tove, be henne vara smakråd, men det går ju inte. Det är ju därför jag är här, för att jag fuckat upp allt bortom räddning.

Hon rör sig mellan klädraderna på H&M, sliter åt sig trosor och strumpor och behåar, tröjor, byxor och en kofta. Hon betalar utan att ens prova kläderna, kollade storleken som hastigast, skiten borde passa, det sista jag vill se är mig själv i en helfigursspegel, min svullna kropp, mitt röda ansikte, mina skamfyllda ögon.

Hon sjunker ner på en bänk på köpcentrets huvudgata. Ser bort mot bokhandeln på andra sidan, skyltfönstret är belamrat med självhjälpsböcker. *Så blir du rik på lycka, Självkänslan!, Bli en framgångsrik partner!*

Fy fan, ta mig långt bort härifrån, tänker hon samtidigt som illamåendet tar ett fast grepp om henne igen.

Utanför Pressbyrån sitter Expressens och Aftonbladets löpsedlar: *Affärsman mördad på slott.*

Miljardär mördad i vallgrav.

Vilken säljer bäst? Den andra?

En halvtimme senare sitter hon vid bardisken på krogen Hamlet. I ett avskilt hörn men ändå på höravstånd från de gamla smygalkoholisterna och skojarna som är ställets stampublik.

Två snabba tequila har gjort blicken angenämt dimmig, världens kanter bomullsmjuka och vänliga och det är som om hjärtat fått en ny mer förlåtande rytm.

Öl.

Värmande sprit.

Glada människor.

Malin ser sig omkring i baren. Människor som njuter av varandras sällskap.

Mamma och pappa. Ni fick bara ett barn, tänker Malin. Varför?

Pappa, du ville säkert ha fler. Men du, mamma, jag stod i vägen för dig, eller hur? Visst var det vad du trodde? Ville du bli mer än bara en allt märkvärdigare kontorist ute på Saab?

Jag har alltid längtat efter en bror. Fan ta dig, mamma.

Tove, längtar du efter en bror?

Fan ta mig.

»Får jag en till», säger Malin. »En dubbel. Och en stor stark att jaga ner den med.»

»Visst», säger bartendern. »Ikväll får du precis vad du vill ha, Malin.»

Vad vill jag ha? tänker Fredrik Fågelsjö när han kryper ihop på britsen i häktet, tar in mörkret omkring sig, för handen över den sönderristade väggen.

Har jag någonsin vetat det?

Han har just pratat med sin fru en andra gång, för bara en timme sedan.

Hon var inte arg den här gången heller, krävde ingen förklaring, istället sa hon bara: »Vi saknar dig här hemma. Kom hem snart.»

Barnen sov, hon ville väcka dem men inte han, låt dem sova, jag måste ju ändå bara ljuga för dem om var jag är.

Victoria, fem år gammal.

Leopold, tre.

Han kan känna värmen från deras kroppar nu när han drar filten om sig, för att stänga ute källarrummets kalla fukt.

Han längtar efter dem, efter Christina. Efter att få veta vad han vill. Han får ingen panik i det här rummet. Vet inte varför han inte svarade på polisens frågor, varför han höll tyst och ljög som far bett honom, som om det på något vis var honom givet. Men vulgär var han, den aggressive polisen. Och i biljakten tidigare fanns en känsla av att ändå försöka styra sitt liv, ett berusande flöde av adrenalin och rädsla.

Fredrik Fågelsjö andas.

Vem måste jag bevisa något inför, egentligen. Och far, du godkände bara med nöd och näppe Christina, hennes högutbildade föräldrar. Och gud ska veta vad du gjorde mot Katarina.

Fredrik Fågelsjö sluter ögonen.

Ser Christina ligga med barnen tätt intill sig i dubbelsängen i sovrummet på Villa Italia.

Det kommer inte att bli lätt, tänker Fredrik Fågelsjö, men i fortsättningen ska inget få komma emellan oss.

Vad säger bartendern till mig, tänker Malin, samtidigt som hon försöker hålla sig kvar på barstolen, vill inte falla och tappa flaskorna på de upplysta hyllorna längs väggen ur sikte.

Stimmigt bakom henne. Hon är nästan full, men hon har inte pratat med någon.

Så knackar någon henne i ryggen.

Hon vänder sig om. Men ingen finns där, i spegeln ovanför flaskorna syns bara hon själv.

»Jag tyckte någon knackade mig i ryggen», säger hon och bartendern flinar.

»Du känner i syne, Malin. Det var ingen där», och så känner hon knackningen igen, ser den tomma spegeln, men vänder sig ändå om, säger: »Ge fan i det där.»

I berusningen tycker hon sig uppfatta hur ett stim av röster samlar ihop sig till en enda, precis som ute i skogen vid Skogså.

»Jag gör vad jag vill», säger rösten.

»Hur hamnade jag där i vattnet, ta reda på det», fortsätter den sedan. »Vem hade jag gjort så illa?»

»Dra du åt helvete», viskar Malin. »Jag vill dricka ifred.»

»Saknar du Tove?» frågar rösten.

»Tove kan dö», skriker Malin, »hör du det, och det är mitt fel», och hon märker inte att människorna i baren tystnat, att de stirrar på henne, undrar varför hon slänger ur sig ord ut i tomma intet.

En ny knackning i ryggen.

Hon vänder sig om.

»Dags att gå hem nu, Malin?» frågar bartendern tätt intill hennes ansikte.

Hon skakar på huvudet.

»Det är lugnt. Ge mig en dubbel. Please.»

21.

Lördag den tjugofemte oktober

Malins huvud skakas om av ett milt slag.

Kroppen, om den nu finns där den ska vara, känns svullen och varje muskel, led, värker och vad var det som hände med skallen?

Drömmer jag?

Jag är väl fortfarande Malin, och de runda små planeterna någon meter ovanför mina ögon, varför ser de ut som knopparna på hallbyrån?

Sängen är hård under mig, ändå vill jag sova sova sova.

Vill inte vakna. Och varför är sängen så hård?

Lakanet river min kind, är blått och trasmattehårt och rundeln ännu högre upp ser ut som lampan i hallen. Det doftar trycksvärta, smärta. Ljuset som strömmar in från vänster gör ont i ögonen och vad är det för fel?

Somna om, Malin.

Skit i den här dagen.

Långsamt klarnar hennes blick och hon förstår att hon ligger på hallgolvet, alldeles innanför dörren. Måste ha somnat där igår, varit så full att hon inte ens tog sig in till sängen.

Men slaget i skallen?

En Svenska Dagbladet på golvet bredvid henne. Säkert akademikernas helgprenumeration, som de frikyrkliga jävlarna glömt adressändra när de flyttade. Eller så har budet lämnat fel.

Malin kravlar sig upp till sittande. Petar bort påsen med kläder som hon trots allt måste ha fått med sig hem från krogen.

It-miljonär mördad.

Tidningens typografi är stramt hållen.

Ålar sig mot köket, ser på Ikeaklockan. Halv åtta. Helgtjänstgöring.

Om jag stålsätter mig hinner jag till morgonmötet, tänker hon, men då får jag snabba på.

Hon reser sig, är nära att falla omkull, svimma, och det finns bara en lösning på problemet. Flaskan med tequila står på vardagsrumsgolvet där hon lämnade den i förrgår. Hon tar flaskan, dricker sju djupa klunkar och sekund för sekund kan hon känna värken och smärtan och illamåendet lämna kroppen.

En dusch. Tandborstning och munvatten och så är jag redo för morgonmötet.

Hon klär på sig jeans och en röd långärmad bomullströja hon köpte igår, de förbannade brallorna är svåra att knäppa, magen är svullen av alkoholen och den röda tröjan får henne att se ännu mer ut som en vattenstinn tomat i ansiktet än hon redan gör.

Hon ringer en taxi, de får ta en annan bil än tjänstebilen från igår, den står parkerad uppe vid Hamlet.

I taxin på väg mot polishuset läser hon i tidningen som de frikyrkliga nog längtar efter nu.

Om deras fall.

Om advokat Jerry Petersson, att han blivit mördad, kort om hans affärer med Goldman, hans tvivelaktiga rykte. Pengar, summor. Inget som de inte vet.

Taxin tutar. Regnet tätt om karossen.

Kroppen fungerar.

Hon slänger tidningen i taxins baksäte.

När de kommer till avtagsvägen in mot de gamla kasernbyggnaderna där polisen och andra myndigheter håller till ber hon chauffören stanna.

»Jag kan köra ända fram till polishuset», säger han. »För det är väl dit du ska? Jag känner igen dig från tidningen.»

»Jag kliver ur här.»

Än bryr jag mig visst lite om vad kollegorna tycker, tänker Malin när hon slår igen taxins dörr.

Utanför stationen står en skara reportrar i regnet. Daniel Högfeldt en av dem. Till och med i pissvädret lyckas han se alert ut.

Hon tar bakvägen in till stationen. Via tingsrättens lokaler. När hon går i korridoren förbi rättssalarnas ljusa trädörrar tycker hon sig höra flera gevärsknallar. Hon hör dem, men inser att ljuden bara finns inom henne, och hon orkar inte ens undra varför.

»Det här är Lovisa Segerberg», säger Sven Sjöman samtidigt som han lägger ena handen på den snygga, blonda, civilklädda, kanske trettio år gamla kvinnans axel. »Hon är från Eko i Stockholm. Hon ska hjälpa oss med alla Peterssons papper. Utbildad civilekonom. Och polis. Ska vi presentera oss?»

Zeke, Johan Jakobsson, Waldemar Ekenberg och Malin själv hälsar, och önskar Lovisa välkommen i spaningsgruppen.

»Slå dig ner», säger Sven och Lovisa sätter sig på en ledig stol bredvid Malin, ler ett förbindligt kvinna till kvinna-leende som Malin inte besvarar. Istället ser hon på hennes klädsel, hur den svarta stickade tröjan med rosett under brösten ser trendig ut, att hennes svarta ullbyxor är välpressade, att det är något omisskännligt stockholmskt över hela Lovisas uppenbarelse, och det får Malin att själv känna sig hopplöst ute och bedagad i sina jeans och sin billiga röda bomullströja.

»Vi börjar med att sammanfatta utredningsläget», säger Sven. »Dag två. Ni vet att vi har en misstänkt i häktet, Fredrik Fågelsjö, men vi tar det från början. Vad har vi fått fram mer angående mordet på Jerry Petersson?»

Klockan på mötesrumsväggen visar 08.15.

Formaliteterna och artigheterna tog fem minuter. Bra att Lovisa är här, tänker Malin. Vi själva kan väl knappt läsa ett vanligt enkelt bokslut.

Sven börjar med att ta på sig att göra ett tidsschema för Jerry Peterssons sista dygn i livet. Sedan fortsätter han:

»Tyvärr har inte undersökningen av brottsplatsen givit oss något konkret. Regnet såg till det. Inga blodspår i gruset. Dykare har sökt på botten i vallgraven men inte hittat någon kniv eller annat som kan vara mordvapnet. Vi har torrlagt vallgraven, men inte heller detta gav något. Vidare fick jag just Tekniskas undersökning av Peterssons bil. Noll. Vi kan dock utesluta rånmord, precis som vi trodde igår.

135

Inget verkar saknas på slottet, det finns inga tecken på att någon letat igenom byggnaden. Och Peterssons plånbok låg i innerfickan på Prada-regnrocken han hade på sig, med över tre tusen i kontanter. Vi undersöker som bäst Fredrik Fågelsjös Volvo.»

»Som är svart», fyller Zeke i.

Fiskarna, tänker Malin. Vad händer med dem? De har väl ingenstans att ta vägen när vallgraven är tömd. Jag är en av de fiskarna. Jag drunknar i luften, för det är väl det fiskarna gör?

»Prada?» frågar Waldemar.

»Karin skrev ner märket i sin rapport», säger Sven. »Så det är säkert tjusigt.»

Sedan vänder han sig till Malin, säger:

»Petersson hittades av arrendebönderna Göte Lindman och Ingmar Johansson, som kommit till slottet för att bistå Petersson i en rådjursjakt. Vad gav förhören med dem?»

Malin hämtar andan.

Kallar fram samtalen ur minnet.

Känner tequilasmaken dröja sig kvar i munnen, vill ha mer av den smaken, men istället ger hon en kort sammanfattning av förhören.

»Pekar något i deras riktning?» frågar Sven när hon avslutat.

»Nej», säger Malin. »Men vi får hålla det öppet. De är trots allt med stor sannolikhet beroende av arrendekontrakten för sin försörjning. Vi får försöka kolla så att uppgifterna om kontrakten stämmer. Någon av dem kan ha blivit rasande om hela dennes ekonomi hotades.»

Sven nickar.

»Se vad ni hittar i pappren.»

»De fann dörren öppen», säger Malin sedan. »Och larmet avstängt.»

Hon låter Zeke fortsätta:

»Vilket kan betyda att Petersson bara gått ut ur huset som hastigast av någon anledning, med intentionen att snabbt gå in igen.»

Waldemar frustar, säger:

»Så ni menar att det kan tyda på att Petersson kände mördaren. Att han bara gick ut för att hälsa? Att han kanske till och med väntade mördaren?»

»Allt är möjligt», säger Zeke. »Men vi kan inte dra några säkra slutsatser. Han kanske gick ut för att förbereda jakten och glömde eller struntade i att låsa? Eller så gillar han att ha dörren öppen. Tycker kanske det är spännande att se om något händer.»

»Vad vet vi om offret?» säger Sven.

Petersson.

Jerry.

Hans ansikte när han höjdes upp ur vallgraven, fiskarna i munnen, ett öga öppet, förvånat och Malin minns hans utseende nu, ser det på ett annat sätt i minnet, hur snygg han måste ha varit, formidabel säkert, i sitt rätta sammanhang som kanske var Riche eller Sturehof eller Prinsen vid lunchtid uppe i Stockholm: Ställena hon aldrig gick på när hon låg vid polisskolan, glassarna i glänsande kostymer hon såg de få gångerna hon förirrade sig ner på Biblioteksgatan och Strandvägen.

Kanske var Petersson ett svin, en sådan som tyckte att han var förmer än andra?

Kanske.

Men hur stort svin?

Hon tänker på våld. Hur hon sett människor dra på sig det genom sina handlingar. Hur hon ibland, motvilligt, tänkt att vissa människor förtjänat det våld de utsatts för, som en konsekvens av sina egna handlingar.

Men är det verkligen så? Att våldet kan vara förtjänat. Naturligtvis inte.

»Johan.»

Svens röst kallar henne tillbaka och hon lyssnar på Johans redogörelse för vad de vet om Jerry Petersson: Att han varit framgångsrik affärsadvokat i Stockholm, gjort sig en förmögenhet på it-bolag där han gått in som riskkapitalist tidigt, att han företrätt Jochen Goldman, storsvindlaren, att han köpt slottet Skogså av Axel Fågelsjö, att han är uppvuxen i Berga, ogift, inga barn, i alla fall inte registrerade som hans, bara en far som meddelats om dödsfallet under gårdagen. De hade inte lyckats få fatt i mycket om människan Jerry Petersson. Johan och Waldemar hade under gårdagseftermiddagen ringt runt till personer som förekom i pappren, bland annat Peterssons revisor i Stockholm, men alla beskrev honom bara som korrekt, briljant, och som en kvinna sa: »Jävligt snygg.»

»Vi har tusentals papper och dokument att gå igenom», avslutar Johan. »Kanske kan vi hitta tänkbara motiv till varför han mördats där. Hittills har vi fokuserat på Goldman bara för att börja någonstans.»

»Jag kan kolla upp it-affären och arrendekontrakten», säger Lovisa. »Bör vara snabbt gjort», och den unga kvinnan uttalar orden med en yrkesmässig självsäkerhet som Malin vet kommer att behövas om hon ska jobba tillsammans med Waldemar.

»Vi har hittat ett Spaniennummer som troligtvis går till Goldman», säger Johan. »På Teneriffa. Vi ringde en gång, men fick inget svar. Vi tänkte du skulle ringa nästa samtal, Malin.»

Waldemar fyller i:

»Det kändes naturligt att du tar det samtalet. Med dina kopplingar till ön», och först blir Malin arg, bara för att hennes föräldrar bor på Teneriffa behöver inte hon ringa samtalet till Jochen Goldman. Men så rinner ilskan av henne och hon tänker att Johan och Waldemar har rätt, visar hennes sätt att arbeta respekt, hennes intuition och känsla och tro på att saker och ting faktiskt hänger ihop på för oss människor ibland osynliga vis.

Det finns doftlösa doftspår.

Osynliga bilder.

Ljudlösa ljud.

Mamma, pappa. Teneriffa.

Goldman. Teneriffa.

Det hör inte ihop, men kan betyda något.

»Jag ringer efter mötet», säger Malin.

»Och arvet?» frågar Sven. »Vet vi något där?»

»Nej, inte än. Men det är fadern som ärver om inget testamente hittas», säger Johan.

Sedan redogör Zeke för vad de fått fram av samtalen med Axel och Katarina Fågelsjö. Att Katarina har alibi, att en överspänd läkare på US bekräftat att han varit tillsammans med henne. Att Axel Fågelsjö inte har alibi efter klockan tio.

Att båda hävdar att de rykten som florerar om att de sålt godset

138

på grund av pressade ekonomiska omständigheter inte är sanna, att de visserligen verkade ringakta en uppkomling som Petersson men att de inte hyst något större agg mot honom eller känt honom sedan tidigare, även om Katarina gick i gymnasiet samtidigt med honom.

»Och så Fredrik Fågelsjö», säger Malin. »Gårdagens mest dramatiska händelse.»

Zeke redogör för biljakten. Johan för förhöret. Att Fredrik Fågelsjö hävdar att han fick panik eftersom han druckit.

»Han sitter i häktet», säger Sven. »Vi har honom där en vecka för de andra brotten i samband med gripandet. Vi får förhöra honom igen. Pressa honom om mordet, även om han sitter för annat. Vi får försöka prata med honom utan advokaten närvarande. Jag tror inte att han berättar hela sanningen. Och jag vet ärligt talat inte om han ljuger om varför han flydde eller inte. Han verkar svag och stark på samma gång. Men det är mycket misstänkt att han försökte fly, eller hur? I nuläget är han vår huvudmisstänkte.»

»Vi får kolla Fågelsjös ekonomi», fortsätter Sven. »Gräva vidare i omständigheterna kring försäljningen av Skogså, om det nu var så att de hamnat på obestånd. Segerberg, kan du ta tag i det parallellt med det andra? Och så inleder vi en koll i arkiven om Fågelsjös, den om Petersson är redan igång.»

Lovisa ler.

Nickar.

»Jag kan gärna jobba tjugo timmar om dygnet tills vi löst det här. Jag har inget annat för mig i stan.»

Hon säger det utan ironi, på fullaste allvar och Malin känner igen sig i den unga polisens hängivenhet. Beundrar den, men vill varna henne, det här jobbet kan konsumera din själ om du tillåter det, det är tusen gånger lättare att fly in i andras olyckor än att ta tag i dina egna, det är tusen gånger lättare att frossa i mörkret än att se sitt eget ljus.

»Och familjens e-post?» frågar Johan. »Deras mobiltrafik? Ska vi begära fram den?»

»För tidigt för det», säger Sven. »För sådana åtgärder måste vi ha något mer konkret med koppling till mordet. Det räcker med att vi kollar Peterssons nu.»

»Och hans anhöriga?» frågar Sven sedan. »Finns det verkligen ingen mer än fadern?»

»Det verkar så», säger Johan. »Enligt folkbokföringen.»

»Flickvänner?» frågar Malin. »Han kan ju inte ha bott helt ensam där ute? Gamla flickvänner? Vänner? De flesta gärningsmän vid den här typen av brott finns i offrets närmsta krets. Älskarinnor?»

»Inte vad vi har hittat», säger Johan.

»Och ingen har hört av sig», säger Sven. »Och du vet själv hur svårt det är att få tag i någons livshistoria.»

»Kanske var han en sådan som köpte sitt knulla?» säger Waldemar, och Malin vill först be honom visa respekt, men något får henne att känna att Waldemar kanske har rätt, och då kommer ingen ur Jerry Peterssons historia att ge sig till känna. Säg den prostituerade som skulle göra det med vårt lands helt sjuka lagar inom området? Många av dem som köper sex är ju män som kan få nästan vilken kvinna de vill ha. Men ändå dras de till det kravlösa, enkla, kärleksbefriade.

»De vi snackade med kände honom bara som yrkesmänniska. Han verkar ha månat om det privata», säger Johan.

En enstöring, tänker Malin. En excentrisk enstöring på det största jävla slottet i Östergötland. Men ingen, ingen vill vara ensam. Eller?

»Han var ogift», säger Sven. »Kan han ha varit homosexuell?»

»Vi vet inte», svarar Malin. »Har vi hört Peterssons far?» frågar hon sedan. »Han kan veta något. Om Peterssons sexualitet, och mycket annat.»

»Nej», säger Sven. »Bara meddelat honom. Malin, du och Zeke tar det efter att ni försökt ringa Jochen Goldman.»

»Så tidigt?» säger Zeke. »Hans son dog igår.»

»Vi kan inte vänta.»

Malin nickar instämmande.

Tänker med avsmak på det kommande besöket. Är det något som är svårt att fördra en bakfull dag som denna är det lukten av blöjor och katetrar.

Åleryds sjukhem.

En slutstation. Kanske sitter han till och med på en avdelning för dementa?

»Och mera?»

Svens röst alert.

»Malin. Något?»

Han ser på henne med en blick som säger att han vet hur bakfull hon är, men att han inte tänker låta det gå ut över arbetet.

Hon skakar på huvudet.

»Vi talade med en Linnea Sjöstedt», säger Zeke sedan. »En gammal dam som bor i ett torp på Skogsås ägor. Hon hotade oss med gevär när vi knackade på.»

»Hon gjorde vad?» säger Sven och Malin kan se Waldemar flina.

»Ja, hon verkade rädd», säger Zeke. »Hon sa att man aldrig vet vad som kan finnas därute. Och det har hon ju rätt i.»

»Damen lugnade sig snabbt», säger Malin. »Hon hade sett ett mörkt fordon lämna gården någon gång på efternatten. Trodde hon. Hon visste inte om hon drömt eller inte.»

»Drömt?»

»Ja, hon har svårt att skilja på dröm och verklighet, sa hon.»

Sven skakar på huvudet.

»Vilket märke?»

»Det visste hon inte.»

»Vi får ta med det i utredningen. Vad kör Axel Fågelsjö?»

»En mörkblå Jaguar», svarar Malin.

En mörk bil.

Hon kan ha sett Axel Fågelsjö. Eller Johansson och Lindman när de kom, tänker Malin. Eller någon annan. Något av barnen? Kanske har Katarina Fågelsjö en annan bil? Någon ur Peterssons förflutna? Goldman?

»Några inkomna tips?»

Waldemar låter hoppfull.

Men Sven skakar på huvudet.

»Vi får arbeta vidare som vi gjort hittills. Hoppas på att allmänheten kommer med ledtrådar nu när det är ute i media och Karim vädjat om tips.»

»Corren slår upp det stort idag», säger Johan. »Riksmedia också. Mordet, biljakten, att vi har Fredrik Fågelsjö häktad.»

»Något vi inte känner till?» frågar Sven.

Johan skakar på huvudet.

»Det kommer säkert att dyka upp något tips ur hans affärsförflutna», säger Lovisa. »Om så bara anonymt. Om det nu finns något där.»

»Var han skum, så kan han ha haft kontakter med undre världen här i stan», säger Waldemar. »Ska jag inte ta och fråga runt lite bland mina kontakter?»

»Du vill bara slippa pappersarbetet», säger Sven och skrattar. Sedan blir han allvarlig igen. »Nu prioriterar du pappren, förstått?»

Waldemar nickar till svar.

»Malin», säger Sven sedan. »Ring Goldman. Hör vad han har att säga, om det nu är hans nummer.»

Malin sluter ögonen.

Fredrik Fågelsjö som flyr.

En kropp som slängs i en vallgrav. Av Fredrik? Kanske, kanske inte.

För att, på ett sätt, bli kvar i det svarta vattnet för alltid.

Tillsammans med tiotals, kanske hundratals andra och uråldriga själar, fjättrade i stenen och tiden, tänker Malin. Fast i sin egen olycka, öden omöjliga att undkomma eller förlikas med.

Ensamheten löper som en röd tråd genom människornas historia, tänker Malin, blir den ton som ligger till grund för våra berättelser.

22.

Teneriffa.

Som en dikt, ett utkast inom Malin.

Brända berg, slumrande vulkaner, en evigt skinande sol över ett gytter av hus. Vajande palmer, solstolar i rad längs skitiga stränder, pooler som kastar glittrande reflektioner på muterade leverfläckar, cancer som tränger sig igenom huden, vidare in i blodomloppet och på några månader är de över, drömmarna, de om evigt liv under solen.

Utfrätta bilder av föräldrarnas paradis.

Lägenheten hon vet att mamma tycker är alldeles för liten, kanske är det därför hon och Tove alltid blivit nerbjudna med armbågen, för att mamma tycker att platsen hon skapat sig i solen är futtig?

Mamma kanske bara vill vara ifred. Ända sedan jag förstod det ordet har jag upplevt att du undviker mig, drar dig undan. Känner du skam för något mamma, och förnekar det? Vill du undvika mig, för att slippa se dig själv i spegeln? Det kanske man kan göra med sitt vuxna barn, men inte som du gjorde med mig redan när jag var fyra och på något vis förstod att det var vad som hände.

Och vad skulle vi säga varandra, mamma? tänker Malin samtidigt som hon sittande vid sitt skrivbord surfar runt bland artiklar om Jochen Goldman.

Han kallas på flera ställen för den värste svindlaren i Sveriges historia. Det är ännu inte klarlagt hur många hundra miljoner han kom över när de tömde bolaget Finera Finans på alla tillgångar. Och när det hela upptäcktes hade Jochen Goldman flytt landet och sin burgna uppväxt på Lidingö.

Han gäckade polisen, Interpol.

Jochen Goldman sedd på Punta del Este i Uruguay.

I Schweiz.

I Vietnam.

Jakarta. Surabaya.

Men alltid ett steg före polisen, som om de inte ville ha fatt honom, eller som om han hade egna källor inom kåren.

Jerry Petersson hade varit hans advokat. Hans mellanhand för kontakter med myndigheter och media här hemma. Goldman hade skrivit två böcker under sin tioåriga flykt. Böcker om hur han tömde företaget och där han hävdade att han varit i sin fulla rätt, och så en bok om livet på flykt, av recensionerna att döma ville Jochen Goldman framställa sig själv som en kapitalistisk James Bond.

Men långt ifrån så ädel, tänker Malin.

Innan Goldman gjorde sitt stora klipp hade han suttit inne i tre år för bedrägeri. I samband med det också dömd för olaga hot, misshandel och utpressning.

Bilderna av honom på flykt.

En skarp näsa i ett annars runt ansikte, bakåtslickat hår, spelande bruna ögon och blonda, långa lockar i nacken. Stora båtar, glänsande sportbilar av märket Königsegg.

Sedan, när hans påstådda brott i samband med tömningen av Finera Finans preskriberats, dök han upp på Teneriffa. Ett reportage på Dagens Industri på nätet visar en leende brunbränd Goldman vid en svartkaklad pool med utsikt över havet och bergen. I bakgrunden ett skinande vitt hus.

Mammas dröm.

Så ser den ut.

Vitrappad betong, glas, eller kanske en gård med pedantiskt skötta blommor och svällande stoppmöbler att sjunka ner i och glömma all förnekelse och bitterhet.

Sist kommer hon till en gammal krönika i Veckans Affärer.

Den är löst hållen, med antydningar om att Jochen Goldman själv ska ha gjort sig av med folk som stått i hans väg. Att människor som haft affärer med honom försvunnit spårlöst. Artikeln avslutas med att det är rykten, och att en myt som den om Jochen Goldman lever och växer genom rykten.

Malin tar fram lappen med numret som kanske går till Gold-man.

Nickar mot Zeke på andra sidan skrivbordet.

»Jag ringer skuggan nu.«

Waldemar Ekenberg trummar med fingrarna på skrivbordet i det trånga mötesrummet. Fingrar på sin mobil, tänder en cigarett utan att fråga nykomlingen Lovisa Segerberg om det är okej, men hon låter honom röka, fortsätter oberörd att läsa något kompendium hon hittat i en av de svarta mapparna.

»Rastlös?« frågar Johan Jakobsson från sin plats.

»Ingen fara«, säger Waldemar. »Men jag börjar få slut på röka.«

»De har väl det borta i lunchrestaurangen hos tingsrätten?«

»Den är stängd på lördagar. Och så såg jag att de hade rabatt på limpor nere på Lucullus. Kan jag ta en kvart och sticka dit?«

Johan ler.

Skakar på huvudet.

»Är det så smart nu? Vi behövs ju här alla tre, Waldemar. Vad fan, kom igen.«

»Du vet att jag blir tokig utan röka.«

»Du får väl tigga av någon.«

»Fan, vilken dålig luft det är här inne.«

»Kan kanske bero på att du röker«, säger Lovisa från sin plats.

»Stick«, säger Johan. »Men ta det lugnt, Waldemar. Jävligt lugnt.«

»Jag ska bara köpa röka«, säger Waldemar och flinar.

Det är upptaget första gången Malin slår det spanska numret, men på andra försöket svarar efter fyra signaler en nasal, aningen hes röst.

»Jochen, vem talar jag med?«

En röst från Teneriffa. Klar himmel, sol, en bris. Inget jävla regn.

»Mitt namn är Malin Fors, jag är kriminalinspektör vid Linkö-pingspolisen. Jag undrar om du har tid att svara på några frågor.«

Det blir tyst.

För några ögonblick tror Malin att Jochen Goldman ska lägga på, men sedan harklar han sig, skrockar roat:

»Jag sköter alla mina myndighetskontakter via min advokat. Kan han kontakta dig?»

Katten på råttan.

Råttan på repet.

Du saknar spelet, tänker Malin. Eller hur?

»Det gäller just det, en advokat Jerry Petersson, han som representerade ...»

»Jag vet vad som hänt Jerry», säger Jochen Goldman. »Jag läser tidningarna även här nere, *Malin*.»

Och du har dina kontakter, tänker Malin.

»Och du vet varför jag vill ställa några frågor?»

»Jag är idel öra.»

»Befann du dig på Teneriffa natten mellan torsdag och fredag?»

Jochen Goldman skrattar till, och Malin vet att frågan är banal, men hon måste ställa den och det är lika bra att få det gjort med en gång.

»Jag var här. Tio personer kan bekräfta det. Ni tror väl inte att jag haft med mordet att göra?»

»Vi tror ingenting i det här läget.»

»Eller skulle vi ha haft några meningsskiljaktigheter, jag och Jerry, så att jag skickat en torped för att hämnas? Du får förstå om jag blir lite full i skratt.»

»Vi har inte insinuerat något sådant. Men det är intressant att du säger det.»

Ny tystnad.

Smickra honom, tänker Malin. Smickra honom så kanske han sänker garden.

»Det verkar vara ett jäkla fint hus du har där nere.»

Ny tystnad. Som om Jochen Goldman ser ut över sina ägor, poolen och havet. Hon undrar om smickret får honom att känna sig hotad.

»Jag klagar inte. Du kanske vill komma hit? Simma några längder i poolen. Jag har hört att du gillar att simma.»

»Så du vet vem jag är?»

»Du nämndes i Svenska Dagbladets artikel om mordet. Någon googlade. Och alla gillar väl att simma? Du passar säkert i baddräkt.»

Hans röst. Malin känner hur den äter sig in i henne. Nästa fråga:
»Så du hade inget otalt med Jerry Petersson?»

»Nej. Du ska ha klart för dig att han under många år var den ende som hjälpte mig, tog mitt parti. Visst, han fick bra betalt för det, men jag kände att jag kunde lita på honom, att han stod på min sida. Jag ser honom, jag menar, såg honom som en av mina bästa vänner.»

»När slutade du se honom som en av dina bästa vänner? Nu eller tidigare?»

»Vad tror du, Malin. Nu. Nu.»

»Då får jag beklaga sorgen», säger Malin. »Kommer du upp på begravningen?»

»När ska den vara?»

»Inget datum är satt än.»

»Han var min vän», säger Jochen Goldman. »Men jag har annat att ägna mig åt än att sörja. Jag tror inte på att se bakåt.»

»Vet du någon annan som kan ha haft anledning att vilja göra Jerry Petersson illa? Något du känner till som vi borde veta?»

»Jag sköter mitt», säger Jochen Goldman. Sedan säger han: »Var det något mer?»

»Nej», svarar Malin och det blir tyst i luren och lysrören börjar blinka ovanför hennes huvud, liksom flimra fram morsekod ur det förflutna.

En av dina bästa vänner, Jochen?

Vad vet du om vänskap och förtroenden?

Ingenting.

Men vad vet jag själv?

Inte mycket ska medges, men en sak vet jag, visste redan första gången vi träffades:

Jag skulle inte vilja vara den som står i vägen om du upplever att du blivit sviken.

Jag drogs till dig från första stund. Jag fick företräda dig i ett misshandelsmål när en av delägarna på firman fått en hjärtinfarkt, och jag upptäckte att jag tyckte om att vistas i din närhet, sola mig i glansen från din judiska chutzpah, din fräckhet. Det var som om du gav alla som kom i din väg fingret oavsett vilka de var.

147

Men vänner, Jochen?

Kom igen.

Du är kanske den enda människa som jag träffat på senare år som skrämt mig.

Ingen av oss var, eller är i ditt fall, den sort som fäster minsta vikt vid vänskap. Sådant är för fjollor och fruntimmer, eller hur?

Din hänsynslöshet. Dina kontakter.

Vi var lika smarta. Men kanske överlistade du mig till slut? Eller var det jag som överlistade dig? En sorts vänskap kanske vi hade, en sådan där två människor äter varandras själar, smyger sig på den andre och speglar sig i dennes tillkortakommanden och framgångar, gör dem till sina. Det var den kanske mest sällsynta formen av vänskap, den jämlika och därför så bräckliga: Varför hålla fast vid något när det egentligen inte finns något att förlora?

Två män.

Våra vägar korsades, vi var dömda att mötas, och gemensamt hade vi det faktum att vi inte tänkte låta något eller någon stå i vägen för det vi ville ha. Men din dumhet och ditt mod var större än mitt, Jochen, och min pengapåse bulligare än din, men vad spelade det för roll: Jag avundades ändå dig din hårdhet, den som ibland gjorde mig rädd.

Jochen, jag ser din solbrända kropp i den kromglänsande solstolen vid det svarta klorerade vattnet.

Jag ser Malin Fors vid skrivbordet.

Hon har lagt huvudet i händerna, undrar hur hon ska ta sig igenom dagen. Så tänker hon på mig. Hur jag låg med huvudet neråt i vallgraven, död, jag har accepterat det nu, och synen av mig där eller när jag höjs upp genom luften med kroppen perforerad av ursinnigt våld ger henne ingen ro, men den ger henne något att tänka på och därför är den oemotståndlig för henne.

Våldet ger henne motstånd. Hon hoppas att det kan berätta något om vem hon är.

Hon behöver mig. Hon anar det.

Eller så har hon redan förstått det allt för väl. Precis som jag vet vad pojken anade när den lågt stående höstsolens strålar träffade hans ögon.

23.

Linköping, våren 1974 och framåt

Ljuset pulserar i ögonen på pojken som äger Ånestadsskolans gård.

Veckan innan har pensionsåldern i socialdemokraternas Sverige sänkts till sextiofem år, och för några månader sedan flög rymdsonden Mariner 10 förbi Merkurius och skickade bilder till jorden av den ensamma planeten.

Här och nu, på skolgården, i solens skarpslipade strålar, vajar björkars frodiga lövverk och pojken springer efter bollen, fångar den med sin ena fot, snurrar runt och sedan sparkar han till den vita läderluntan med tårna och bollen skjuter fart mot planket där Jesper står redo att mota bort den, men något går fel. Bollen träffar näsan och blodet som skjuter ut ur näsborrarna sekunderna senare har en djupare, livligare röd färg än teglet på de låga skolbyggnadernas fasader.

Lärarinnan Eva såg vad som hände och hon rusar skrikande fram till pojken, tar tag i hans arm, ruskar om honom redan innan hon tröstar den gråtande Jesper. Verkar snarare vilja banna än trösta, skriker rakt in i pojkens öra: »Jag såg det där, Jerry, jag såg det där, du gjorde det med flit» och han blir ivägdragen, vet att han inte gjort någon illa med vilje, men kanske borde han göra det, tänker han samtidigt som dörren till klassrummet går igen och han förväntas vänta på något, men vad?

Jesper.

Läkarunge från villorna i Wimanshäll. Pappan tydligen en sådan där doktor som skär i människor.

Han vet det redan, pojken, att de behandlar ungarna från villorna annorlunda än honom och de andra från hyreshusen i Berga.

Det sker i de små sakerna de tror undgår en nioåring: vem som får sjunga solo på skolavslutningen, vem som tros göra illa avsiktligt, vem som får mer uppmärksamhet och beröm på lektionerna.

Så sjunger en flicka i en gymnastiksal, två pojkar spelar tvärflöjt, och det är ingen av dem som han känner igen från sina egna kvarter, och alla utom han är klädda i vitt och alla utom han har sina föräldrar på plats.

Men han känner sig inte ensam, känner ingen skam, han har förstått att skammen, även om han inte förstår själva ordet, är meningslös. Att han inte är som mamma, eller pappa.

Eller är han ändå det? När han står i andra raden på handbollsstrafflinjen och förväntas sjunga sånger andra bestämt för människor han inte bryr sig om, är han inte som mamma och pappa då? Vill inte alla att han ska vara som sina föräldrar då?

Kanske siktade han ändå på näsan?

Tyckte om att se blodet spruta ur Dumjespers näsa som om en gräsklippares knivar klippt av den?

Där, i gymnastiksalen, vet han egentligen ingenting om världen, mer än att han ska göra den till sin.

Hela sommaren driver han omkring ensam på gården. Han gör så under många somrar.

Mamma har givit upp för länge sedan.

Har blivit allergisk mot kortisonet de pumpat i henne mot ledvärken, stelnar mer och mer i en gnyende, tärande smärta som långsamt filar ner den kvinna hon varit till själva summan av stum ilska. Farmor har fått slaganfall, torpet är sålt, pappa tog avgångsvederlaget från Saab och drack slut på det under hösten. De hade ingen nytta av hans kunskaper när produktionen sakta ställdes om till Viggen, och visst kunde han få städa, jobba i kantinen, men vore det ändå inte bättre att han tog pengen, såg framåt i sitt liv?

Pappa trivs med parkarbetarna. På gräsklipparen, den gröna med behagligt fjädrande säte. Gubbarna i parkarbetarlaget dömer honom inte, dömer inte de sina.

Och pojken längtar till sommarlovens slut, när fotbollsträningen börjar igen. På gräset görs ingen skillnad. På gräset bestämmer han. På gräset kan han trycka till lite extra, och vad gör det då att pojken från Sturefors faller så illa att han bryter armen.

Det finns vänner. Som Rasmus som är son till en försäljningschef på Cloetta. De är inflyttade från Stockholm, och en kväll är pojken hemma hos Rasmus när Rasmus pappa har affärsbekanta på middag, och pappan ber Rasmus visa gästerna att han kan göra fyrtio armhävningar på raken och någon i sällskapet föreslår en tävling. Och snart ligger de där på parketten i vardagsrummet, Rasmus och han, och häver sig upp och ner bredvid varandra och han fortsätter och fortsätter långt efter det att Rasmus ligger platt på golvet och deras åskådare skriker: »Det räcker, det räcker, point taken, young man.»

Rasmus pappa säger: »Rasmus, han är svag i skolan. Men Jerry sägs ha huvudet på skaft.» Sedan skickar han Rasmus i säng och pojken på dörren, och pojken är elva år gammal och står i den kalla höstkvällen utanför en försäljningschefs hyrda villa i Wimanshäll och tittar upp på en vibrerande stjärnhimmel.

Han går hemåt. Hyreshusens fönster är som stängda ögonlock, deras kroppar svarta siluetter mot den mörka skyn.

Mamma sover i sängen.

Pappa sover på den gröna soffan.

Bredvid honom en pizzakartong och en halv flaska Explorer vodka. Det stinker av smuts i lägenheten.

Men skiten är inte min, tänker pojken, samtidigt som han kryper ner bredvid mamma i sängen, känner värmen från hennes sovande kropp.

24.

Klockan kvart över elva parkerar Waldemar Ekenberg bilen framför den nergångna verkstadsbyggnaden långt inne i hjärtat av industri-området Tornby.

Äntligen lite uppehåll i regnet, men de lågt drivande molnen ver-kar nästan slicka det slitna taket i korrugerad plåt där stora flagor av rödbrun plastfärg rör sig i vinden.

Byggnaden har ingen skylt över de två stora svarta garageport-arna, men Waldemar vet vad som döljer sig där inne: en bilverkstad där inga bilar någonsin repareras. Det hela är en front för att tvätta pengar från allsköns kriminella aktiviteter. Men mannen bakom det hela, Brutus Karlsson, är en smart jävel som de aldrig lyckats sätta dit för mer än en enstaka misshandel.

Waldemar kliver ur bilen.

Går lugnt mot verkstaden och bankar sedan på ena porten, hör steg som närmar sig.

Bra att använda en sådan som Brutus, få honom att ge informa-tion. Några gånger har han faktiskt visat Waldemar åt rätt håll, när de haft en utredning som gällt en konkurrent. Brutus Karlssons tjuv-heder sträcker sig bara till dem som tillhör den egna sidan.

»Öppna», skriker Waldemar. »Öppna!»

Brutus känner igen min röst, tänker han och så hörs ett mekaniskt ljud och porten åker upp mot taket.

»Du», säger Brutus Karlsson. »Vad fan vill du?»

Mannen framför honom, klädd i jeans och skinnjacka, är liten, men kraftigt byggd över axlarna och Waldemar vet mycket väl att det finns våld i den kroppen. Det går rykten om att Brutus Karlsson ligger bakom flera fall av svår misshandel i den undre världen. Bland annat ska han ha krossat ryggraden på en polack.

Brutus Karlssons ansikte är brett, och över näsryggen löper ett ärr som passar illa ihop med hans blonda lockar.

»Kan jag komma in.»

En fråga, men inte en fråga.

Bakom Brutus Karlsson i det skitiga garaget står tre män med slaviskt utseende. De är alla klädda i träningsoveraller från Adidas och verkar på intet sätt kunna tillföra det här samhället något gott.

Waldemar kliver på.

Garageporten stängs bakom honom.

I verkstadens mitt står ett bord omgivet av sex stolar. Några verktyg ligger på en bänk, men det finns ingen doft av vare sig olja eller bensin, bara av fukt.

Waldemar tänker att det är lika bra att gå rakt på sak.

»Jerry Petersson», säger han. »Vad säger det namnet dig?»

Brutus Karlsson ser på honom.

»Och vem i helvete ska det vara?»

»Du vet vem det är», säger Waldemar och tar ett steg närmare honom.

De tre slaverna drar sig tätare inpå, deras blickar förmörkas och Waldemar kan se en av dem knyta nävarna.

»Du kommer hit med din jävla höga snutsvansföring och tränger dig på, ställer frågor om någon jävla Conny», säger Brutus Karlsson.

»Jerry Petersson.»

»Jag vet vem han är. Tror du inte jag läser tidningen?»

»Och?»

»Och vadå?»

Waldemar tar ett snabbt kliv framåt, kopplar ett fast grepp om Brutus Karlssons käkar med ena handens fingrar.

»Sluta spela så jävla hård, din skit. Vet du om Jerry Petersson hade några affärer på er sida?»

Slaverna tvekar, väntar på en signal från Brutus Karlsson, och med sin fria hand drar Waldemar sin pistol ur axelhölstret innanför kavajen.

»Sesä, sesä», säger Brutus Karlsson med sluddrande röst. »Jag kan försäkra dig om en sak. Petersson hade inget med vår sida att göra här i länet. Hade en sådan snubbe haft det, hade jag vetat det. Släpp nu, för helvete.»

Och Waldemar släpper greppet, tar ett steg bakåt och stoppar undan pistolen, och i detsamma som han knäpper hölstret inser han sitt misstag. En av slaverna flyger på honom och Waldemar känner en knytnäve träffa honom rakt över ögat, och han faller ner på verkstadens kalla gråmålade betonggolv. De tre slaverna håller honom nere, deras andedräkter luktar fränt av vitlök och allt han kan se är deras orakade kinder.

Brutus Karlssons ärrade ansikte ovanför Waldemar.

»Vem fan tror du att du är? Komma hit så här. Tyka dig. Vet dina kollegor ens om att du är här?»

Och Waldemar känner rädslan hugga tag i magen, ingen vet var han är, vad som helst kan hända nu.

»De vet vart jag skulle. Är jag inte tillbaka inom en timme kommer de hit.»

Brutus Karlsson gör en knyck med huvudet, och Waldemar är fri från slavernas grepp.

»Res dig», säger Brutus Karlsson.

Sekunderna senare står Waldemar mitt emot honom, slaverna i en ring runt dem.

En arm flyger ut, och Waldemar duckar instinktivt, men slaget träffar honom på ena kinden. Så ett slag till, över vänsterögat nu.

»Hur fan vågar du misshandla en polis», skriker Waldemar.

»Du», säger Brutus Karlsson. »Jag har nog med skit på dig för att sätta dit dig. Jag kan skaka fram tio gubbar som du misshandlat i tjänsten.»

Två snabba örfilar.

En brännande smärta och Waldemar spottar, känner att han måste ut därifrån, ta en cigg.

»Gå nu, ditt svin», säger Brutus Karlsson och bakom sig hör Waldemar porten rassla, tänker att fan i helvete, är det inte snart dags att gå i pension?

Malin och Zeke har hämtat bilen vid Hamlet, och nu väntar de utanför rummet medan undersköterskorna på Åleryds sjukhem byter Åke Peterssons blöja.

Zeke frågade inget om bilen och Malin var glad för det, det sista hon ville ha var en moralföreläsning.

Inifrån rummet hörs stönanden men inget gnäll, inga ilskna ord. Korridorens väggar är målade i vitt, med rosa blommor duttade i schablonmönster. En klocka med vit urtavla och svarta visare sticker ut från väggen. Klockan visar 14.20 och Malin känner pizzan hon nyss åt på Conya åka runt i hennes oroliga mage. Men fettet dövar ändå bakfyllan och hon kan inte känna sig grisigare än hon redan gör. Måste träna, tänker hon. Svettas bort all skit.

Tack och lov har Zeke inte sagt något om det hon berättade för honom igår, att hon lämnat Janne igen.

Doften här.

Ammoniak och rengöringsmedel, billiga parfymer och avföring, och den lukt som långsamt döende åldringar släpper ifrån sig.

En man i en fåtöljrullstol stirrar ut på regnet genom ett fönster längst bort i korridoren. Det var uppehåll nyss, men bara ett kort tag. Hur mycket kan det regna egentligen?

Så öppnas dörren. En ung blond sköterska visar in dem. I den uppfällda sängen sitter en mager man med skarpskuret ansikte, och Malin tänker att han är lik sin son, sin döde son, och hur skulle det vara om Tove dog, om hon dött där i lägenheten i Finspång för mer än ett år sedan?

Då vore allt slut.

Men i mannens urvattnade grå alkoholistögon finns ingen sorg, bara ensamhet. Han har ena handen knuten i slaganfallskramp, den högra, så han kanske ännu kan prata, men om han är stum, har svårt att skilja på dröm och verklighet? Vad gör de då med samtalet?

Det ena av hans ögon, det på den lama sidan, verkar blint, fixerat i sin håla, en trasig fast kamera, bara förmögen till det svarta.

»Kom in», säger Åke Petersson samtidigt som en andra sköterska lämnar rummet. Hans ena mungipa drar neråt när han pratar, men det verkar inte påverka hans tal.

»Ni kan sätta er där.»

Vid väggen står en sliten grön soffa, bruna gardiner är fördragna för fönstren, stänger årstiden ute.

Den är obekväm, och Malin ser på de inramade fotona på bordet bredvid Åke Petersson, kvinnan, hur hon är ung och vacker, sedan äldre med livströtta ögon.

»Eva. Reumatismen tog henne. Hon dog av en allergisk reaktion mot kortisonet när hon var fyrtiofem. Tog det hon hade hemma, hoppades väl att hennes allergi mot medicinen släppt.»

Jerry.

Din mamma. Så dog hon alltså. Hur gammal kan du ha varit då? Tio? Femton?

»Det var då jag slutade supa», säger Åke Petersson, och det är som om han vill berätta hela sitt livs historia för dem, lättad att någon äntligen tycks vilja lyssna. »Skärpte mig. Slutade i parken, vidareutbildade mig i data. Jobbade med att mata in fakta.»

»Vi beklagar sorgen», säger Zeke.

»Vi ville vänta», säger Malin. »Men ...»

»Han var min son», säger Åke Petersson. »Men vi hade inte haft någon kontakt på över tjugofem år.»

»Ni bråkade?» frågar Malin.

»Nej, inte ens det. Han ville bara inte ha med mig att göra. Jag förstod aldrig varför. Jag hade ju ändå slutat supa när han var sexton.»

Gjorde du honom illa, tänker Malin. Var det därför?

»Jag var kanske inte den bästa farsan i världen. Men jag slog aldrig pojken. Inget sådant. Jag tror bara att han ville bort från allt det jag stod för. Jag tror han kände så redan som barn. Han var bättre än jag, helt enkelt.»

»Hur var han som barn?» frågar Malin.

»Omöjlig att hålla styr på. Gjorde vilda saker, slogs, men var styv i skolan. Vi bodde i en hyreslägenhet i Berga, och han gick bland läkarungarna i Ånestadsskolan. Men han var bättre än dem.»

»Hur var han mot dig? Du mot honom?»

Orden flödar uppriktigt ur Åke Petersson.

»Jag jobbade mycket när han var barn. Jävligt mycket. Det var under de åren flygindustrierna hade som mest.»

Den gamle mannen vrider sig i sängen, sträcker sig efter ett glas från bordet bredvid och dricker den genomskinliga vätskan med hjälp av ett sugrör.

»Vet du om han hade några ovänner?»

Zekes röst är mjuk, hoppfull.

»Jag kände inte till mer om hans liv än det som gick att läsa i tidningarna.»

»Vet du varför han köpte Skogså? Varför han ville hem till stan?»

»Nej. Jag ringde honom då, men han la på varje gång han hörde att det var jag.»

»Något som kan ha hänt när ni ännu hade kontakt?»

Den gamle mannen verkar tänka efter, hans pupiller drar sig samman, innan han säger:

»Nej. Visst var han en speciell person, en sådan som tog plats, men något märkvärdigt hände aldrig. Jag visste egentligen väldigt lite om hans liv redan då. När han gick i gymnasiet. Innan han flyttade till Lund. Han berättade aldrig något för mig.»

»Helt säkert?» frågar Malin. »Försök att minnas.»

Den gamle mannen sluter ögonen, förblir tyst.

»Kan han ha varit homosexuell?»

Åke Petersson förblir samlad när han svarar:

»Det kan jag inte tänka mig. Han hade flicktycke som jag minns det. I gymnasiet ringde flera flickor hem till lägenheten på kvällarna.»

»Hur var Jerry i gymnasiet, mer konkret?»

»Det vet inte jag. Han hade egentligen vänt sig bort då.»

»Så Jerry flyttade till Lund?»

»Ja. Men då hade han brutit helt.»

»Och hur var det innan?»

Men Åke Petersson svarar inte på hennes fråga, istället säger han:

»Jag sörjde Jerry för länge sedan. Jag visste att han aldrig skulle komma hem till mig, så jag tog ut sorgen i förskott och nu när han är borta är allt som finns bekräftade känslor. Märkligt, eller hur? Min son är död, mördad, och det enda jag gör är att återbesöka känslor jag redan haft.»

Malin känner hur hennes marinerade hjärna inte kan hålla tankarna i styr, hur de vandrar iväg till Teneriffa, till mamma och pappa på balkongen i solen, den balkong hon bara sett på bilder.

Och bilder, svartvita, kommer fram ur hennes minne, hur hon är liten och går runt i rummet och frågar efter mamma, men mamma är inte där, och hon kommer inte heller hem, och hon frågar pappa vart mamma tagit vägen, men pappa svarar inte, eller gör han det?

Märkligt, tänker Malin. Jag har alltid kommit ihåg mamma, hur hon alltid fanns där, men ändå inte. Men var hon inte ens där?

Tove.

Jag är inte där. Och hon blir akut illamående, men lyckas hålla tillbaka kräkreflexen.

Så tvingar hon sig själv tillbaka till nuet, ser på rummets kortvägg. En hylla fylld med böcker. Skönlitterära titlar av kända svåra författare: Sådana som Tove slukar och som hon själv inte orkar med.

»Jag började läsa sent i livet», säger Åke Petersson. »När jag behövde något att tro på.»

Pappa!

Pappa, pappa, pappa!

Vad skulle jag med dig till? Att höja handen mot?

Du vet varför mamma tog kortisonet, att kroppens smärta till slut blev själens smärta.

Du tog dig upp ur den gröna soffan för din egen skull, inte för min, och vad tog du dig upp till: att sitta och programmera den enklaste kod, det enda din sönderdruckna hjärna klarade.

Jag ser dig i sängen, din krampande slagförlamade kroppshalva är som en fysisk gestaltning av den stumhet som alltid kännetecknat din sida av vår släkt, de karga odriftiga männen.

Du närmade dig mig, pappa. Men jag tog inte emot dina samtal. Vad skulle vi säga till varandra?

Skulle vi ha suttit i Berga om jularna och ätit prinskorv? Köttbullar, Janssons frestelse, sillinläggningar till förbannelse?

Du slutade närma dig mig.

Vissa dörrar måste stängas för att andra ska kunna öppnas. Så är

det nu en gång för alla. Men samtidigt: Finns det något mer spän-
nande än en låst dörr?

Jag hade hoppats att du skulle höra av dig när jag flyttade tillbaka
till stan. När jag köpte slottet. Jag kunde ha låtit få dig ditkörd, jag
kunde ha visat dig mitt hem.

Någon annan kunde också ha kommit.

Det finns något vemodigt över dig nu, när du instruerar skö-
terskan att vinkla upp gardinen så att du kan se ut på regnet. Du
talar vänligt till henne, med en undergivenhet du har lärt dig att
behärska till perfektion.

Du ser ut i rummet.

Ditt ena öga blint efter slaganfallet.

Du blinkar.

Som om du ser något du aldrig kunnat se förut.

Är det mig du ser, pappa?

25.

Telefonen i handen som skakar. Vardagsrummet i lägenheten mörkt, som om mörkret skulle kunna dämpa nervositeten.

Jag är rädd, nervös för att ringa min egen dotter. På två dagar har jag blivit rädd för att prata med henne. Är det så?

Den tredje signalen bryts. Sprakningar. Fragment av en röst.

»Tove? Är det du?»

»Mamma!»

»Jag hör dig dåligt, linjen är dålig av någon anledning.»

»Men jag hör dig.»

»Vänta, jag ska bara gå till vardagsrumsfönstret, du vet ju att det är bättre mottagning där.»

»Gör det, mamma, gå till fönstret.»

»Så, hör du mig bättre nu?»

»Jag hör dig bättre.»

»Kommer du hit ikväll?»

»Det är redan kväll, mamma. Jag är ute hos pappa.»

»Så du kommer inte?»

»Det är lite sent.»

»Vi får ta det imorgon.»

»Imorgon har jag bestämt med Filippa. Vi ska på bio. Kanske kan jag sova i stan efteråt?»

»Jag tror att jag är hemma. Men du har säkert läst i tidningen om han som hittades ute vid Skogså. Ja, du vet, jag kanske måste jobba. Men du kan väl klara dig själv här i så fall? Kanske måste jag ut till huset och hämta kläder och lite prylar.»

»Vi får höras imorgon, mamma.»

Så lägger Tove på, och Malin ser ut genom vardagsrummets fönster, på regnet som verkar piska gud ut ur kyrkan utanför.

Tove.

Det är som om det finns en avgrund mellan det jag borde göra och faktiskt gör. Hon vill ringa Tove igen, bara för att höra hennes röst, försöka förklara varför hon är som hon är, gör som hon gör, men vet inte ens själv varför.

Och Tove ville avsluta samtalet snabbt, tog inte upp kroken Malin la ut om att hon kanske kunde hämta kläder imorgon.

Varför?

Tror Tove att jag ska komma tillbaka?

Kan det vara så?

Orkar hon inte med mig? Drar hon sig undan för att skydda sig själv?

I det forsande vattnet i rännstenen utanför flyter svullna kroppar förbi. Glänsande, täckta av silvriga droppar, och med tänder som lyser vita i mörkret.

Var kommer alla råttor ifrån, tänker Malin. Från den underjordiska grotta där vi försöker dölja alla våra mänskliga tillkortakommanden?

Så tänker hon på sitt samtal med Tove, hur människor kan undvika att prata om det som betyder något med varandra, trots att deras gemensamma värld går under. Hur mor och dotter kan göra det. Hur hon själv aldrig ens pratat så med sin egen mor.

Resten av dagen hade varit resultatlös för henne och Zeke. Det hade varit en ny presskonferens där Karim inte givit gamarna ett skit.

Men Lovisa Segerberg, Johan Jakobsson och Waldemar Ekenberg hade haft en bra dag i sitt unkna strategirum.

På något för Malin mirakulöst vis hade Lovisa fått fatt i fakta som visade hur familjen Fågelsjö hamnat på obestånd, varför de tvingats att sälja Skogså till Jerry Petersson.

De trängdes i det fönsterlösa rummet belamrat med papper och pärmar. Hela utredningsgruppen, inklusive Sven Sjöman och Karim Akbar.

Klockan närmade sig fyra och Waldemar hade under dagen ådragit sig skador i ansiktet ingen av dem ville fråga om. Ena ögat var igensvullet och djupblått, och kinden gick i toner av blålila.

»Jag gick in i en förbannad lyktstolpe när jag skulle köpa cigaretter», sa Waldemar, men alla i rummet visste att sanningen var en helt annan och Malin tänkte att äntligen fick du kanske smaka lite av din egen beska medicin.

Waldemar såg betydligt mer sliten ut än vanligt när han deklarerade: »Bara två dagar in i utredningen och jag är redan trött på det här förbannade Pappershades.»

De hade alla skrattat åt uttrycket.

Pappershades.

Dödsriket för papper, polishelvetet på jorden.

Malin hade redogjort för samtalet med Goldman, att han närmast verkat road över att hon ringde, sedan hade de berättat om Peterssons far.

Så ett plötsligt allvar när Lovisa tog till orda.

»Jag har fått fram uppgifter om transaktioner som Fredrik Fågelsjö gjort på Östgötabanken under förrförra året. Tydligen tog han stora positioner i optioner, ställde ut mycket, och det mesta gick emot honom.»

»Och?» frågade Zeke, och Malin var glad att han ställde frågan.

»Han förlorade mycket, mycket pengar. Långt mer än han satsade. Men dagen efter försäljningen av Skogså reglerades skulderna.»

»Så du menar att Skogså såldes för att täcka upp?» frågade Karim.

Lovisa nickade.

»Troligtvis, ja.»

»Då kan inte gamle Axel Fågelsjö ha varit glad på sonen», sa Malin.

»Knappast», sa Lovisa. »Jag kan inte hitta något fullständigt belägg för det, men kanske hade han fått något slags fullmakt att göra affärer med familjens pengar.»

»Han jobbar ju på banken», sa Sven. »Han hade alla möjligheter att göra egna affärer.»

»Strider inte det mot god banksed?» frågade Waldemar.

»Bara om du själv är mäklare», svarade Lovisa.

»Han är rådgivare», sa Zeke. »Det stod i årsredovisningen.»

»Nu vet vi att det inte bara var rykten att Fågelsjös hamnat på obestånd», sa Sven. »Det stärker misstankarna mot Fredrik Fågelsjö. Vi vet med säkerhet nu att han kan ha varit arg, eller rent av rasande för att familjen förlorade Skogså och kanske tog han ut den ilskan på Petersson. Vi vet också att han själv med största sannolikhet var anledningen till att de förlorade egendomen. Vi förhör honom naturligtvis om det här redan imorgon bitti. Men det är väl knappast någon idé att fråga de andra i familjen mer om det här? De har nog undanhållit sanningen för att skydda familjenamnet och skulle bara sluta leden, så vi får vänta tills vi har något mer konkret. Och jag vet, vi har alla känslan av att de döljer en massa, men just nu får vi helt enkelt försöka hitta deras innersta sanningar på andra sätt än via dem själva. Hittar vi något konkret så kan eventuella förhör bli så mycket mer verkningsfulla. Och kanske kan Fredrik Fågelsjö avslöja något. Han kan ju börja bli mör där nere i cellen.»

Och Malin tänkte på Fredrik Fågelsjö, kanske låg han hopkurad på cellens brits, ensam, på det vis bara en mördare kan vara ensam.

Men hon hade svårt att tro det.

Så Svens ord:

»Har ni fått fram något annat?»

»Nej», svarade Waldemar och Lovisa och Johan instämde.

»Vi jobbar vidare på arrendena och it-affären», sa Lovisa. »Och andra möjliga affärsrelationer och arvet. Det verkar inte finnas något testamente.»

»Bra jobbat ändå», sa Karim, och Malin tänkte att kraften verkade ha flytt från honom i samband med skilsmässan, och hon visste att han delade hennes saknad, att han längtade efter sin fru och son, att han försökte hitta en öppning i vardagen, en springa att ta sig igenom.

Malin har satt sig i vardagsrumssoffan.

Håller emot, precis som Åke Petersson måste ha gjort. Det bästa vore att hälla ut resten av innehållet i tequilaflaskan i vasken ute i köket, men hon kan inte förmå sig att göra det.

Vet aldrig när drycken kan komma till pass. Kanske nu?

Jag borde ha bett Tove ta en taxi. Vilken annan morsa som helst hade gjort vad som helst för att få träffa sin dotter.

Men inte jag.

Jag lät samtalet flyta ut i intet, framhärdade inte.

Hur lät Tove? Besviken, ensam? Neutral? Avståndstagande? Hon ville faktiskt inte komma hit.

Har jag givit efter för rädslan nu, tänker Malin. Insett att jag inte kommer att kunna rädda dig för evigt, Tove?

Du kan dö, älskade dotter.

Jag lärde mig det förra hösten.

Och därför vågar jag inte älska dig, ta hand om dig, för jag är så in i helvete rädd för den smärtan, bara tanken på den får mig att vilja utplåna mitt eget medvetande.

Vad är det för fel på mig, som inte ens klarar av den mest genetiskt betingade av kärlekar. Tove, jag förstår om du hatar mig.

Jag borde ha bett att få prata med Janne. Hört om jag kan komma ut efter grejorna.

Men av alla de ägodelar hon har i huset ute i Malmslätt saknar hon bara pappren om fallet med Maria Murvall. Hon skulle vilja ha dem hos sig nu, sprida ut allt på golvet och försöka sätta verkligheten i system, bygga ett mönster, en struktur som förklarar alla mysterier, som får all sublimitet att framstå som något självklart, en lösning på en gåta som förklarar henne själv för henne själv.

Men lika bra att pappren är ute i Malmslätt.

För det är naturligtvis ett hopplöst företag.

Jerry Petersson.

Jerry.

En hyresrätt i Berga, kanske inte större än min lägenhet, eller ännu mindre. Han slog dig? Eller hur? På fyllan. Eller skrämde han dig bara? Jag slog Janne. Samma sak? Nej. Det är annorlunda att slå ett barn, eller hur? Och din mamma, var hon nerdrogad av värktabletter? Tog hon kortisonet för att få slut på allt? Du såg det hända, ingen stillsam dramatik som den jag hade hemma i villan i Sturefors när mamma och pappa levde i all sin stumhet, alla ord som borde ha sagts men förblev outsagda, hur mamma undvek mig utan att jag ens förstod det, hur jag bara längtade efter hennes famn, men den var aldrig öppen. Det går att slå utan att göra det.

Vi kom till Stockholm båda två, Jerry, men dina drivkrafter måste ha varit starkare, mer välriktade än mina, för mina har ingen riktning alls, eller hur? Du slog, jag slår på en sandsäck i gymmet. Dricker. Men egentligen är det ingen större skillnad.

Du bröt med din pappa. Min egen brytning med min pappa var lång och smärtsam, med mamma var den där från början på mitt vuxna liv.

Eller tidigare? Hade mamma brutit från början?

Malin vill sluta tänka, så hon sätter på tv:n. Rapports sändning lider mot sitt slut, och hon vet inte om de haft hennes fall uppe för kommentar, men säkert har de rapporterat något om det. I sammanfattningen visar de bilder från en domstolsbyggnad någonstans i USA, hur en abortmotståndare skjuter en läkare som utfört aborter på sin klinik.

Hon slår av tv:n.

Tidig kväll.

Hela kroppen kliar av oro och hon lägger sig i sängen, men den enda färg hon kan se när hon sluter ögonen är tequilans mörkt bruna ton, oändligt lockande.

Så hon öppnar ögonen.

Fredrik Fågelsjö.

Hans rädda ansikte. Hans kropp under täcket på britsen i häktescellen. Blev du bara rädd? Eller var det verkligen du som gav efter för raseriet och tog livet av Jerry Petersson?

Om nu dina dåliga affärer kostade familjen slottet, så måste din far förakta, ja kanske hata dig. Kanske din syster Katarina känner samma känslor, men hon är ändå din syster. Malin känner magen dra sig samman, i en mjuk men ändå ledsam längtan efter det syskon hon aldrig haft.

Och Jerry Petersson. Som dyker upp mitt i familjeskandalen och sedan hittas död i en vallgrav som sägs vara hemvist för ryska oroliga andar. Jochen Goldman.

Människor som sägs ha försvunnit. Blivit mördade.

Hänsynslöshet och tillkortakommanden.

Malin sluter ögonen igen.

Väntar på sömnen, känner medvetandet driva iväg in i sig självt och världen utanför är snart bara en elektrisk punkt bland många för hennes minnen att navigera efter.

Vinden utanför fönstret försvinner sakta, blir till ett sprakande och hon hör någon viska, undrar: Vem är det som vill mig något?

Är det rösten från skogen, från baren på Hamlet?

Gestalterna finns inte där, vill inte visa sig och i gränslandet mellan sömn och vakenhet förnimmer Malin att han, eller de, eller vem det nu är, är rädd för sitt eget öde, rädd för att umgås med sin egen smärta.

Så ser hon en gräsklippare i den begynnande drömmen, hur den rör sig över gräset, och hon ser det ur knivarnas perspektiv.

Inte en handjagare som hennes pappa hade, utan en röd Stiga som jagar ett par små skitiga fötter över daggvått gräs. Hon ser knivarna slicka pojkens hälsenor, hör en röst skrika: »Nu äter de upp dina fötter, nu slits dina vidriga små fötter i stycken.»

Drömmens bilder är svartvita, men maskinen, knivarna är röda och dånet från motorn och bensinångorna dövar hennes tankar.

Så stannar pojken upp. Låter gräsklipparens knivar gå över fötterna.

Malin vill se pojkens ansikte, men han förblir vänd bort från henne.

Så springer han, på blodiga benstumpar nu, tar sats och svävar ut ur hennes bild.

26.

Söndag den tjugosjätte oktober

Malin Fors har drömt en dröm om en människa som är ett misstag, inte en oönskad människa, men ett misstag. Hon minns inte människan, hon minns inte ens drömmen, men dess berättelse finns i henne som ett varsamt jordskalv när hon står framför disken med nybakat bröd på Filbyterkonditoriet som börjat ha söndagsöppet för att möta konkurrensen från kaféerna ute i köpcentrumet Tornby.

Tomt i kylskåpet. Hungrig när hon vaknade. Hygienartiklar, kläder, där tog konsumtionsorken slut.

Zeke på väg dit, för en snabb frukost före morgonmötet på stationen. Söndag som en vanlig måndag när de har en så här stor utredning, lördagsjobb igår, sabbatsjobb idag.

Två dagar sedan de hittade liket, ingen ledighet att tänka på medan utredningen fortfarande är nystartad.

Egentligen borde hon ha varit ledig. Hittat på något med Tove. Gått till simhallen eller vad som helst. Kanske till och med hämtat de jävla grejorna, pratat med Janne, de kunde ha ätit lunch tillsammans, en söndagsstek med gräddsås.

Det kunde ha fungerat.

Eller hur?

Hela det livet känns som ett hån. Och hon önskar att Janne kunde ringa och skälla på henne, men inte ens det gör han. Ska jag ringa och skälla på honom för att han inte ens ringer och är förbannad? Eller åtminstone förebrår mig för att jag skiter i Tove? Men han fattar väl att jag måste jobba idag, media skriver ju överallt om vårt fall.

Hon sätter sig på övervåningen, med sina tre ostfrallor och stora kopp kaffe, ser ut på det öde torget, där ett genomskinligt, men stilla

167

regn får alla affärernas skyltar att blekna, och bara några få duvor orkar ta sig an dagen, pickar som de alltid verkar göra.

Hon har ätit upp en av mackorna när hon ser Zekes rakade skalle dyka upp borta vid trappan och han ler när han ser henne, ropar åt hennes håll:

»Du ser bra jävla mycket piggare ut idag. Och den där tröjan klär dig.»

»Håll käften», säger hon och Zeke ler:

»Du vet att jag bara bryr mig om hur du mår. Och tröjan är snygg.»

Malin rättar till den ljusblå tröjan hon bär för dagen, ett av inköpen på H&M. Och kanske menar Zeke allvar, hon måste ha sett ut som en sugga i den röda tröjan igår.

Han kom tomhänt och hon tänker fråga om han inte ska ha något, men just i det ögonblicket ringer hennes telefon. Svens nummer på displayen. Hans röst angelägen:

»Malin, det ringde en kille och sa att han var Peterssons advokat. Att han ville träffa någon i spaningsgruppen. Verkade som att han hade något att berätta.»

Zekes ansikte blir vaksamt mitt emot henne.

»Så advokaten har en advokat?» säger Malin.

»Hade, Malin. Det har de alla.»

»Och var finns han?»

»En Max Persson, kontor på Hamngatan tolv, nära Trädgårdstorget.»

»Så han är där en söndagsmorgon?»

»Det är han.»

»Och förhöret med Fredrik Fågelsjö?»

»Jag tar det själv. Utan hans advokat. Som ett artigt samtal i cellen.»

»Okej, vi snackar med advokaten. Vi är på Filbyterfiket och käkar frukost. Vi kan strunta i morgonmötet.»

»Ja, inte mycket nytt har ju hänt sedan igår», säger Sven.

»Något mer som dykt upp över huvudtaget?» frågar Malin.

»Inget», säger Sven. »Inga tips.»

»Vi får se vilka hemligheter advokaten kan avslöja», säger Malin.

»Vi får hoppas.»

»Det är våra hemligheter som gör oss till människor», säger Malin. »Är det inte så du brukar säga, Sven?»

Sven skrattar innan han lägger på.

Max Perssons kontor ligger på översta våningen i ett gulteglat femtiotalshus. Längs med rummet går en terrass där ett par övergivna trästolar för en ojämn kamp mot regnet och blåsten, och Malin kan nästan se lacken lösas upp i höstvädret.

Malin och Zeke har satt sig i var sin röd fåtölj. Max Persson svankar i en kontorsstol, på andra sidan ett gigantiskt skrivbord med glasskiva.

En rosa kinamatta på golvet.

Konst i grälla färger på väggarna, siluetter målade med vad som måste vara färgspruta. Mannen bakom skrivbordet är i samma ålder som Jerry Petersson var vid sitt frånfälle. Han är klädd i en grå, blänkande kostym, vars billighet förstärks av en rosa slips mot en ljusblå skjorta.

Max Persson tycker uppenbarligen bra om sig själv, tänker Malin.

En advokatpajas.

Men rätt snygg.

Tydliga markerade drag, breda kindben.

»Vi har förstått att du var Jerry Peterssons advokat», säger Zeke.

»Nej, det stämmer inte riktigt. Sant är däremot att jag hjälpte Jerry med övertagandet av Skogså, med att dra upp kontrakten. De blir ganska omfattande för en så stor och speciell egendom.»

»Så du var inte hans advokat?»

»Absolut inte», säger Max Persson.

Och Malin förstår plötsligt att Max Persson vill berätta något konfidentiellt för dem, att han inte på något sätt vill att Jerry Petersson ska framstå som en före detta klient så att han kan bli anklagad för att bryta mot sin tystnadsplikt som advokat.

»Jerry», säger Malin. »Var ni vänner?»

»Nja, inte vänner direkt. Vi pluggade ihop nere i Lund, och så hamnade jag här i Linköping, som ju var hans hemstad.»

»Så ni går way back?» undrar Zeke.

Max Persson nickar.

»Och nu, nu har du något att berätta för oss?» frågar Malin.

Max Persson nickar igen.

Sedan börjar han prata.

»Som sagt, jag hjälpte Jerry med köpet av Skogså. Jag träffade Axel Fågelsjö och hans vuxna barn i samband med att jag var med på en besiktning av fastigheterna, och jag måste säga att de framstod som mycket bittra över försäljningen. Inte så att de sa något konkret, men jag fick hela tiden känslan av att de inte ville sälja. Fråga mig inte varför.»

»Hörde du något om pengaproblem?» frågar Malin. »Nämnde Fågelsjös det?»

»Nej, men jag fick som sagt intrycket att de var tvungna att sälja, snarare än att de ville. Och det intrycket förstärktes av det som hände i förra veckan.»

Max Persson, uppenbarligen förtjust i vardagens dramaturgi, låter fortsättningen hänga på sina läppar.

»Och?» undrar Malin.

»Och så i början av förra veckan blev jag approcherad av Axel Fågelsjö. Han ville köpa tillbaka slottet och marken. Han var beredd att betala tjugo miljoner mer än vad de sålt det för. Han var fast besluten. Jag tog budet till Jerry, men han bara skakade på huvudet, skrattade gott och sa åt mig att tacka nej till gubbens förfrågan.

Lögner.

Ett familjegods som man egentligen inte vill sälja. En flykt från polisen. Optionsaffärer. »Det var inte dags.» Inte en chans. Det handlade inte om någon livsstil som hade blivit daterad.

Tankarna far genom Malins huvud och hon tänker på Axel Fågelsjö, på hans kraftfulla gestalt och hans magnifika våning.

Kanske skulle de koncentrera sig mer på Axel än på Fredrik? Vem vet vad den gamle mannen är kapabel till?

»Hur tog Fågelsjö Peterssons svar?»

»Han blev rasande i telefon. Fullkomligt rasande. Jag trodde nästan han skulle få slag. Det lät som om han kastade saker omkring sig.»

Malin ser på Zeke, som nickar tillbaka mot henne.

»Vet du något mer om Jerry Petersson som du tror att vi behöver veta?»

»Vi hade inte mycket kontakt», säger Max Persson. »Inte ens sedan han flyttat till stan. Jerry var en ensamvarg. Det var han redan nere i Lund. Fullkomligt briljant, behövde inte läsa ens en femtedel så mycket som vi andra, och ändå var han etta. Han behövde inte andra människor på det sätt som vi vanliga gör. Han letade liksom aldrig efter någon att älska, han letade efter sådana som han kunde ha nytta av. Sådana som mig.»

»Vi har haft svårt att hitta vänner och bekanta», säger Malin.

»Ni kommer inte att hitta några», säger Max Persson. »Vänskap var inte Jerry Peterssons grej.»

De står i porten till huset där Max Persson har sitt kontor. Slagregn ute nu, dropparna trummar mot marken som invaderande gräshoppor som vill förstöra allt i sin väg.

Inte en människa ute.

Staden lamslagen av årstiden.

»En frustrerad greve Axel Fågelsjö», säger Zeke.

»Han älskar de där markerna», säger Malin.

»Och han ville ha tillbaka dem, men det fick han inte.»

»Jerry Petersson vägrade sälja.»

»Som om han ägde mannens själ», fyller Zeke i.

»Och Fredrik Fågelsjö som spelat bort slottet», säger Malin. »Kanske ville han ställa allt till rätta. Om nu bara Petersson var ute ur leken kunde ju familjen kanske köpa tillbaka slottet. Men var kom de nya pengarna ifrån? De som låg till grund för Axel Fågelsjös bud på Skogså? Jag ringer Sven, kanske har han inte hunnit förhöra Fredrik Fågelsjö ännu.»

Dörren till häktescellen glider upp.

Fredrik Fågelsjö sitter på sängen med en kopp kaffe i handen och läser Svenska Dagbladet.

»Kan jag komma in en stund?» frågar Sven Sjöman. Och han ser på Fredrik Fågelsjö, hur hans axlar verkar tryckas neråt av en osynlig kraft och hur huden under ögonen blivit narig under tiden i cellen, och hur ögonen verkar be om alkohol, på samma vis som Malins gör ibland. Jag ska ge dig det vi vet i små portioner, tänker Sven.

»Ehrenstierna är inte här.»

»Jag ska bara fråga några få saker», säger Sven. »Går det bra?»

»Det går bra.»

Fredrik Fågelsjö verkar trött, som om han givit upp någonting, tänker Sven, eller som om han är på väg att ge upp något.

Han sätter sig bredvid honom på den madrasserade britsen, känner doften av urin från den blanka toaletten i rostfritt stål.

»Många här på stationen har också problem med alkoholen», säger Sven. »Det finns inget skamligt med det.»

»Jag har inga problem», svarar Fredrik Fågelsjö.

»Nej, men det är ingen här som ser ner på dig om så är fallet.»

»Så bra att veta.»

»Vi känner till dina optionsaffärer», säger Sven sedan.

Fredrik Fågelsjö svarar inte.

Sven ser sig om i cellen, på dess ödslighet.

»Du har barn, småbarn. Och en fru. Saknar du dem?»

»Ja. Det gör jag. Men ni har ju givit mig besöksförbud.»

»Inte vi. Åklagaren. Har ni det bra i familjen?»

»Vi har det bra.»

»Underbart. Jag och min fru har varit gifta i trettiofem år, och varje dag njuter vi av varandras sällskap.»

»Jag blev rädd. Fick panik», säger Fredrik Fågelsjö. »Jag ville inte sitta en sommar på Skänninge. Missa en hel sommar i barnens liv. Kan du förstå det?»

Sven nickar, flyttar sig närmare Fredrik Fågelsjö.

»Och din far. Han måste ha blivit galen över dina affärer?»

»Han har alltid varit lite galen», säger Fredrik Fågelsjö och ler. »Han blev arg.»

»Och ni sa alla att det var dags att sälja till oss.»

»Kommer man från en släkt som vår gör man allt för att skydda familjenamnet.»

»Så det var kanske det du gjorde», säger Sven. »Åkte ut till Skogså den där morgonen för att hämnas på Jerry Petersson som tog slottet ifrån er? Var det så? Jag lovar att det känns bättre om du berättar.»

»Jag tänker inte ens förneka det där», säger Fredrik Fågelsjö. Sedan rättar han till tidningen i knät med en överdriven rörelse. »Om du ursäktar.»

»Och så förra veckan försökte ni köpa tillbaka slottet.»

Fredrik Fågelsjö höjer blicken från tidningen, ser förvånad ut.

Så ni vet det? verkar han tänka.

Sven nickar.

»Vi vet. Var fick ni pengar ifrån? Vad jag förstod så hade du spelat bort familjeförmögenheten och mer därtill?»

»Vi hade fått pengar», säger Fredrik Fågelsjö. »Men det är inte min sak att berätta hur.»

»Om du inte vill», säger Sven. »Och så skrattade bara Petersson åt din far. Ville du visa dig stark inför din far, Fredrik? Ville du bara ställa allt till rätta, jag kan tänka mig att det måste vara jobbigt att ha en sådan man till far, och nu ville du ställa allt till rätta, och åkte ut på morgonen och dödade Jerry Petersson. Eller hur? Och du blev rasande, eller hur? Det känns bättre om du ...»

Fredrik Fågelsjö hoppar upp från britsen. Kastar tidningen i väggen, skriker:

»Jag har inte gjort någonting! Jag har inte gjort någonting.»

27.

Hyresrätter.

Stångåstadens skylt på anslagstavlan i entrén.

Malin la inte märke till det kommunala bostadsbolagets skylt första gången de var här, tog för givet att en man som Axel Fågelsjö ägde sin lägenhet.

Vilka kontakter måste man inte ha för att få en hyresvåning på Drottninggatan med utsikt över Trädgårdsföreningen? Men ändå, jag är ett hyreshjon, Axel Fågelsjö är ett hyreshjon.

Hissen i huset är trasig så Malin och Zeke får gå trapporna upp till lägenheten på fjärde våningen.

Malin är andfådd.

Illamående, men är man illamående så ofta som jag, tänker hon, så blir illamåendet ett naturligt tillstånd. Hon vet varför kroppen säger ifrån nu, alkoholen fungerar som vilken annan drog som helst, när kroppen vill ha mer säger den ifrån, protesterar högljutt mot att njutningsbensinen slutat flöda. Avhållsamheten igår kväll tar kroppen som en förolämpning.

Flyktdricka.

Andetag, djupa, andfådda andetag och stenen i trappstegen blir otydlig för hennes ögon och hon sluter tankarna om familjen Fågelsjö istället.

De tvingades sälja.

Det var inte dags.

Hålla fasaden.

Och de ville köpa tillbaka slottet.

Men för vilka pengar? Sven ringde nyss. Hade inte fått det ur

Fredrik Fågelsjö, som hade förlorat ofantliga summor. Och Petersson hade bara skrattat åt Axel Fågelsjös förslag.

Och hur göra då?

Låta sonen i familjen slå ihjäl Petersson för att kunna köpa tillbaka slottet och marken av dödsboet, till vilket pris som helst. Eller slå ihjäl honom själv i raseri?

Malin ser på Zeke, ser att han är fundersam när de stånkar uppåt i sina regnstänkta jackor, vet att han tänker samma sak som hon, dummare är han inte och genom fönstren i trapphuset ser de regnet hamra ner, stora och små droppar blandas för att snart slås sönder mot asfalten.

Men är far och son Fågelsjö mördare? Malin känner osäkerheten gripa tag i magen, en osäkerhet som gränsar till tvivel.

De står utanför dörren till Axel Fågelsjös våning.

Zeke nickar mot henne, säger: »Vi får se vad han har att säga.»

Malin ringer på, och på andra sidan den brunmålade ytterdörren i massivt trä kan de höra klockan ljuda, sedan steg och de anar hur ett öga sätts mot titthålet innan stegen försvinner bort igen.

Malin ringer igen.

Två, tre gånger. Fem minuter, tio.

»Han tänker inte öppna», säger Zeke, och vänder sig om.

Axel Fågelsjö har satt sig i sin läderfåtölj, ser in i elden som sprakar i eldstaden, känner dess värme mot sina fötter.

Nu kommer de igen, polisen.

Det var väl dömt att bli så.

Känner de till omständigheterna kring affären nu? Fredriks klanterier? Kanske till och med återköpsförsöket? Säkert, tänker Axel Fågelsjö. Och så är de så enfaldiga att de lägger ihop ett och ett på det mest banala vis.

Men sanningen är banal ibland, ofta det mest banala som finns.

Som när Fredrik berättade för honom, han satt även då i den här stolen fast ute på slottet, och han hade velat slita huvudet av sin avkomma, han såg sin son ligga på rygg som en värdelös skalbagge på mattan och hulka och han hade inget annat val än att ta tag i saken själv.

Bettina, jag gjorde det som var tvunget, det jag lovat dig.

Jag stirrade på mig själv i spegeln, såg porträtten på väggarna, såg föraktet i förfädernas ögon, kärleken i dina. Jag räddade vår son. Men ändå känslan där i rummet, omöjlig att komma runt:

Du är inte min son. Kan inte vara.

De hade inte pratat med varandra på en månad. Sedan hade han ringt Fredrik, kallat honom till sig, och sonen hade gråtit vid hans fötter ännu en gång, hängt i dörrkarmarna som ett lealöst djur.

Förakt och skam.

Kärleken kan hysa de känslorna också. Men om inte vi tar hand om varandra, vilka ska då göra det?

Jag lovade din mor att älska dig, ta hand om dig, er, på hennes dödsbädd. Hörde du det? Tjuvlyssnade du utanför hennes sjukrum den sista natten? Det är det enda som gjort mig svag, Bettina, din sjukdom, ditt satans lidande, dina förhatliga plågor. Och jag litade på dig, Fredrik. Mot bättre vetande. Och nu har du varit så jävla dum och kört onykter och flytt från polisen. Riktat blickarna mot oss i onödan. Du skulle ha stannat bilen, tagit ditt löjliga straff. Det där kan vi ordna. Men sitt där i cellen och känn konsekvenserna av dina handlingar. Dina barn, mina barnbarn, jag känner inte igen mig i dem. Men det kanske beror på deras mor? Den kvinnan har aldrig tyckt om mig, trots att jag försökt.

Fredrik.

Kanske hade det varit bättre om du varit sinnessvag?

Poliserna, hon den starka intelligenta slitna kvinnan och han den uppenbart sege mannen, jag släppte inte in dem. Ska jag berätta mer för dem får de tvinga mig med alla sina till buds stående medel.

Fredrik och Katarina.

Ni gör som ni vill nu, eller hur? Visst gör de det, Bettina?

Så låt oss i stället se vad som händer. Även om Fredrik berättar allt, vad ska poliserna göra med den informationen? Även om de båda verkar vara av ett helt annat virke än du, älskade, hatade son.

Katarina.

Henne behöver jag inte oroa mig för. Hon gör som jag säger. Har alltid gjort. Hon är den accepterande sorten.

Axel Fågelsjö reser sig. Går bort till fönstret ut mot Trädgårdsföreningen. Står det någon där i regnet under de kala trädgrenarna?

Står det någon där och tittar upp på mig? Eller ljuger ögonen för mig?

Fredrik Fågelsjö har kallat Sven Sjöman till sig.

Har bett honom sätta sig på britsen i cellen igen, säger med rösten full av resignation:

»Du behöver inte tro mig, men jag har inget att göra med mordet på Jerry Petersson. Jag tror inte att någon i familjen har det. Men det här är historien som jag ser det.»

Fredrik Fågelsjö hämtar andan innan han fortsätter:

»När far blev deprimerad efter mammas död fick jag tillgång till familjeförmögenheten, för att sköta det dagliga. Det kunde ju passa eftersom jag jobbar på banken och kan ekonomi.»

Fredrik Fågelsjö blir tyst, som om han ångrar sig.

»Vad gör du på banken?» frågar Sven. »Du är rådgivare, eller hur?»

»Jag arbetar med företagsaffärer. Vi blir ofta anlitade när små företag på orten ska byta ägare. Då arbetar jag med finansieringen.»

»Trivs du med det?»

»Det var kanske inte vad jag drömde om», säger Fredrik. »Men det är ett hyfsat bankjobb för att vara i Linköping. Nåväl. Mammas död tog far hårt. Han gav mig en fullmakt att sköta ekonomin tills han mådde bättre.»

»Och då började du göra optionsaffärer?»

»Ja», säger Fredrik Fågelsjö och lutar sig tillbaka mot cellväggen och sedan börjar han berätta om hur slottet förföll, om faderns relativt dåliga affärer, om moderns död, om hur han själv börjat spekulera i optioner lite vid sidan av och hur affärerna skenade iväg när han fick tillgång till familjens förmögenhet, men att han bara ville väl.

Fredrik Fågelsjös röst blir svag och Sven tror att han ska börja gråta, men han lyckas hålla tillbaka tårarna om han nu varit nära dem.

»Så far tvingades låta rätt kretsar veta att Skogså var till salu, och då var det Petersson som dök upp. Han av alla människor. Det var bara mina och pappas kontakter på banken som gjorde att vi klarade oss undan konkurs innan affären var klar.»

»Hade banken inget ansvar?»

»Nej, jag gjorde affärerna med familjeförmögenheten som privatperson. Det tystades ner, helt enkelt. Och far sålde Skogså för att rädda mig undan konkurs. Han lovade mamma på hennes dödsbädd att ta hand om mig och Katarina till varje pris. Och det gjorde han.»

»Det måste ha varit hårt», säger Sven.

»Det var hårt för far», svarar Fredrik Fågelsjö och lutar sig framåt.

»För mig? Jag brydde mig bara om far. Kanske är det svårt att förstå, men så var det. Men far är Skogså.»

»Och sedan? Nu? Ni försökte ju köpa tillbaka Skogså?» frågar Sven.

»Ja.»

»Hur då? Med vilka pengar?»

»Vi fick ett arv. Vår danska sida av släkten. En äldre grevinna som varit en framgångsrik industrialist lämnade efter sig så att det räckte till en större summa även till oss.»

»Och då ville ni köpa tillbaka slottet?»

»Petersson skrattade bara åt fars erbjudande.»

»Konfronterade du själv Petersson?» frågar Sven och Fredrik Fågelsjö verkar tveka innan han svarar.

»Jag ska vara helt ärlig. Kvällen innan Petersson hittades mördad var jag där. Han släppte in mig och tackade bestämt nej till mitt erbjudande. Frågade om jag ville ha ett glas konjak i rummen där jag växt upp. Hans leende var så arrogant att jag gärna slagit ihjäl honom, men det gjorde jag inte.»

Fredrik Fågelsjö gör en paus, knäpper händerna i knät.

»Fast jag borde», säger han sedan.

»Så du tycker att du borde ha slagit ihjäl honom?» frågar Sven.

»Ja», svarar Fredrik Fågelsjö. »Det borde jag. Men när gör man egentligen det man borde?»

»Vilken bil körde du dit?»

»Min svarta Volvo. Den ni har i beslag.»

»Din fru sa att du var hemma när vi pratade med henne.»

»Hon ville skydda mig. Det är väl naturligt. Att man skyddar de sina?»

Det man borde?

Tvekan, tvekan. Det är en av många skillnader mellan mig och dig, Fredrik Fågelsjö. Jag tvekade aldrig.

Ni är inbilska människor.

Vad ska vi med sådana som er till? Ni försöker anamma vår världs seder och tror att era anor och plånboken kan lösa alla era problem, men ni förstår ändå inte den yttersta makten: Den att säga nej till pengar, hur stor summan än är.

Jag njöt av att skratta åt gubbens erbjudande. Av att erbjuda dig en konjak.

Hur behandlade ni mig? Hur behandlar ni varandra? Hur tror ni det är att ha fyrtio svidande öppna sår i själen?

Var det du som kom till mig på morgonen också, Fredrik? Rädd och svag som du är berättar du din historia. Var finns värdigheten i det, i den berättelsen?

Du mumlade.

Polisen nästan generad, men det märkte du inte.

Du ville visa din far att du dög till att förmera penningen. Att du framför datorn skulle göra det dina farfäder gjorde på de gamla slagfälten.

Och du, Malin, vad är det du borde göra?

28.

Borde ringa Tove.

Jag är hennes mamma, tänker Malin.

Kanske kan hon komma ikväll.

Redan långt efter lunch när Zeke och Malin går in genom svängdörrarna till polishuset.

Söndagstomt i det öppna kontorslandskapet, regnet som en evig mur utanför fönstren.

Borde, borde, borde ringa Tove, men jag har haft mobilen avslagen i timmar nu. Längtar ner i gymmet.

Varför klarar jag av att släppa dig ur sikte nu, Tove? De tio första månaderna efter katastrofen i Finspång gick det inte. Jag var som en igel på dig, så måste du ha upplevt det. För att skydda dig, eller för att döva min egen rädsla? Min känsla av skuld?

Malin sätter sig vid skrivbordet, slår på datorn och Zeke gör detsamma. Det dröjer inte länge förrän Sven Sjöman kommer fram till deras skrivbord. Berättar det Fredrik Fågelsjö just berättat.

»Kan han ha gjort det?» frågar Malin.

»Vem vet? Kanske uppstod det bråk? Han råkade döda Petersson av misstag?» säger Sven.

Malin ser på Sven, på tvivlet som börjat gro i hans ögon. Kanske är ändå inte Fredrik Fågelsjö deras man? Hon vet att Sven säkert tänkt tanken. Lika väl vet hon att han kommer att fortsätta att se Fredrik Fågelsjö som huvudmisstänkt tills motsatsen bevisats.

»Om Fredrik Fågelsjö mördade Petersson när han var där i torsdags kväll, stämmer inte tidschemat», säger Malin. »Enligt Karin hade kroppen bara legat i vattnet ett par timmar, högst fyra. Och han hade varit död i max fem, eller ungefär sedan klockan fyra på natten. Tekniska har ju heller inte hittat några blodrester i Fredrik Fågelsjös bil, vilket de borde ha gjort i så fall, förövaren måste ha blivit rejält nerblodad. Att några av gruskornen i däcken är av samma sorts grus som ute på Skogsås slottsbacke förklaras ju av att han enligt egen utsago varit där kvällen innan, men binder honom inte vid mordet. Om han inte ljuger om tiden, förstås.»

»Tror du att Fredrik Fågelsjö åkte tillbaka på morgonen?» frågar Zeke.

»Jag vet inte, men det är ju hans fru som givit honom alibi och vi kan aldrig tvinga henne att tala mot sin man. Hon kan ju vilja skydda sin familj», säger Malin.

»Jag fick känslan av att Fredrik Fågelsjö talar sanning», säger Sven. »Men man kan aldrig veta. Han kan ha åkt tillbaka. Den mörka bilen gumman Sjöstedt såg kan ha varit hans, även om hon inte verkade riktigt orienterad i tid och rum.»

»Vem vet egentligen vad Fredrik Fågelsjö kan ha gjort», säger Zeke.

»För att blidka sin far», säger Sven. »Han verkar vara en riktig patriark. Fredrik Fågelsjö verkar nästan glömma bort att hans egen familj existerar när man pratar om hans far.»

»Husrannsakan?» frågar Zeke. »För att föra oss närmare klarhet?»

Sven skakar på huvudet.

»Vi har helt enkelt inte möjlighet att göra husrannsakan hos Fredrik Fågelsjö vad gäller mordet nu. Han sitter häktad för annat och Ehrenstierna skulle sätta stopp för det direkt. Skulle vi verkligen göra en husrannsakan i samband med de andra brotten skulle vi inte kunna använda något av det vi hittar i ett eventuellt mordåtal.»

»Och Katarina Fågelsjö?» säger Zeke.

»Vi kan höra henne nu», svarar Malin. »Det känns som ett naturligt nästa steg.»

Hon hör sig själv säga orden, trots att hon helst av allt vill ner i gymmet, slå sönder den jävla sandsäcken.

»Har vi adressen?»

»Ja», säger Sven. »Den har vi.»

Malin slår på sin mobil.

Inga nya meddelanden.

Så slår hon Toves nummer, men svararen går på direkt.

Var är du, tänker Malin. Tove? Har något hänt? Och hon ser odjuret lutat över Tove, känner att det är hon själv som är odjuret.

Tove, var är du?

»Det var mamma här. Var är du? Du måste förstå att jag blir orolig. Ring mig när du hör det här.»

Tove låter sig omslutas av biosalongens mörker. Filippa sitter bredvid och båda gapar över hur snygg Brad Pitt är. Hon gillar fåniga filmer, där de pussas och kramas och är kära på ett snällt vis. När det gäller böcker är det en annan sak, hon gillar dem som alla andra tycker är jobbiga.

Hon försöker att inte tänka på mamma.

Vill inte tänka på att hon nog inte kommer tillbaka ut till dem, och på vad hon själv bestämt sig för att göra.

Hur ska jag berätta det för mamma? Hon kommer att bli ledsen, galen, kanske göra något riktigt dumt. Men som pappa sa, jag kan inte bo hos henne nu, när hon är som hon är, när hon inte kan klara av att låta bli att dricka.

Och det pappa ska göra idag. Måste han göra det redan?

Brad Pitt ler.

Hans tänder är vita.

Tove vill sjunka in i den där vitheten, svepa den om alla känslorna, låta bara det fina få finnas.

Waldemar Ekenberg stryker ena handen över sina allt mer svullna blåmärken, lägger den andra på Lovisa Segerbergs axel, klämmer åt rejält, samtidigt som han säger:

»Jag lovar att du har mjukare ställen än det där på kroppen, Segerberg. Eller hur?»

Lovisa vill ställa sig upp, skrika åt den här uppenbarligen svårt socialt handikappade landsortspolisen att han ska ge fan i sexistiska kommentarer, men hon kan sorten allt för väl: machopoliser, i alla åldrar, som bara inte kan avhålla sig från att fälla de mest bisarra, förolämpande kommentarer till och om kvinnliga poliser.

En gång hade hon tagit upp en liknande händelse med sin chef, men hon hade bara skakat på huvudet, sagt:

»Om någon som är så snygg som du väljer att bli polis, då får hon vara beredd på att höra ett och annat. Försök att se det som komplimanger.»

Lovisa har svårt att se handen som klämmer om hennes axel som en komplimang, och utan att säga något glider hon ur greppet och lägger pappren hon håller mellan sina händer på skrivbordet.

Hon, Waldemar och Johan Jakobsson har huserat i Pappershades hela dagen. Gått igenom en bråkdel av materialet.

Men så mycket kan de säga säkert: Arrendekontrakten var i sin ordning, och it-affären verkade ha gått helt korrekt till, Petersson verkade ha fått sin del av pengarna, varken mer eller mindre. Han hade bara investerat, inte agerat advokat, så det förelåg inget jäv. Inget testamente hade de hittat, och under dagen hade Johan ringt ytterligare tjugo resultatslösa samtal till allt från andra affärsjurister som förekom i pappren till de snickare, elektriker och andra hantverkare som arbetat åt Jerry Petersson ute på Skogså. Ingen hade haft något av intresse att säga om honom. Han verkade ha skött alla sina förehavanden oklanderligt.

Klockan på den gulmålade vävtapetserade väggen visar 14.25.

Lovisa ser på Johan, den trevlige och lågmälde polisen av de två hon är satt att jobba med. Kompetent och oförarglig.

Kompetent är Waldemar också, uppenbarligen, och på lunchen i kafeterian på SKL märkte hon hur kollegorna behandlade honom med den respekt poliser brukar reservera för dem som verkligen får saker att hända.

»Klockan börjar dra sig», säger Waldemar samtidigt som han sätter sig på sin plats vid bordet, framför en skärm där innehållet på en av Jerry Peterssons hårddiskar finns arrangerat i prydliga mappar.

»Jag kan inte tänka klart», säger Johan. »Så jävla mycket papper.»

»Det enda som jag kan se», säger Lovisa, »som kan ha en direkt koppling till vårt fall är bolaget Jerry Petersson hade med Jochen Goldman. Där hade de intäkter för böcker och arvoden för inter-

183

vjuer med Goldman. Det bolaget gick märkligt dåligt. Kanske finns det mer pengar någonstans, eller så var inte intresset eller kapitaliserbarheten på Goldmans kändisskap högre.»

»Kapitaliserbarhet», säger Waldemar. »Kvinna. Du pratar som en hel bög.»

»Vi får nämna det på nästa möte», säger Johan.

»Uppsamlingsmötet i morgon bitti», säger Waldemar och Lovisa tänker att en man inte kan passa sämre för pappersarbete än han.

Katarina Fågelsjö, klädd i mörka jeans och en rosa tenniströja, sitter tillbakalutad i en soffa som Malin vet kommer från Svenskt Tenn och kostar en förmögenhet. Tyget i soffan är ritat av Josef Frank, förnumstiga svarta ormar rotar bland löv i starka höstfärger mot ljusblå bakgrund.

En förmögenhet, tänker hon. I vart fall med mina mått mätt, och sedan känner hon hur illa hon själv passar in i rummet, blir medveten om hur billiga H&M-jeansen ser ut, hennes ulltröja, hur vulgära hennes tubsockor är, hur ovårdad hela hon är jämfört med Katarina Fågelsjö och så vill Malin krypa ihop längs en vägg, inte ta plats, men det duger inte så hon vet att hon får dölja sin osäkerhet bakom sturskhet.

Ett spensligt träbord framför dem, tre kaffekoppar som varken Malin, Zeke eller Katarina Fågelsjö rört. Hela rummet doftar av citronparfymerat rengöringsmedel och någon dyr, känd parfym som Malin inte kan placera. Målningar på väggarna. Klassiska men med samma aura av kvalitet som Jerry Peterssons konst. Många porträtt av kvinnor vid fönster i skirt ljus, kvinnor som alla ser ut att vänta på något. Särskilt en målning av en kvinna i en blå klänning vid ett fönster ut mot hav i dimma fångar Malin. Hon läser signaturen: Anna Ancher.

Genom de stora vardagsrumsfönstren ser Malin och Zeke Stångån flyta sakta, hur regndropparna bildar små, hastigt försvinnande kratrar när de slår ner på vattenytan. På andra sidan ån klättrar storvuxna villor upp mot Tannerforsvägen, men det anses mycket finare att bo på den här sidan ån, mot centrum.

Så vitt Malin kan förstå lever Katarina Fågelsjö ensam i den stora trettiotalsfunkisvillan vid Stångån, och hon är vänligare stämd nu än ute på driving rangen.

»Fråga på», säger hon med ett leende. »Jag ska svara så gott jag kan.»

»Visste du att din far försökt köpa tillbaka Skogså av Jerry Petersson?» frågar Zeke.

»Jag visste det. Och jag tyckte inte om det.»

»Varför inte?»

»Det var ett avslutat kapitel för mig. Vi har ändå allt vi behöver. Men jag kunde naturligtvis inte hindra hans försök. Jerry. Jerry Petersson var rättmätig ägare till slottet. Inte mer med det.»

»Och din bror?» frågar Malin och ser på Katarina Fågelsjö, hur hon verkar kämpa med något, och om Malin ställer öppna frågor kanske hon börjar prata, avslöjar någon hemlighet som leder dem vidare.

»Han ville nog köpa tillbaka.»

»Var du arg på honom för affärerna?»

»Så ni känner till dem?»

Katarina Fågelsjö spelar förvånad.

»Det var naturligtvis ett misstag av far att ge min bror tillgång till familjekapitalet. Han har aldrig varit en särskilt lysande begåvning. Men om jag var arg? Nej. Känner ni till det danska arvet?»

Malin nickar.

»Tro nu inte att vi röjt Petersson ur vägen bara för att han var det enda som stod mellan oss och Skogså igen.»

Malin ser på Zeke, hans blick har vandrat ut genom fönstren, och hon undrar vad han tänker på: Karin Johannison? Kanske, kanske inte. Du har en fru, Zeke, men vem i helvete är jag att klandra någon? Vi delar hemligheter, Zeke.

»Du kunde ha berättat det här för oss på golfbanan», säger Malin.

»På *driving rangen*», rättar Katarina Fågelsjö och rycker på axlarna.

»Varför tror du att din bror flydde från oss?»

»Han körde berusad. Han skulle inte ens klara en månad i fängelse. Han är den livrädda sorten. Som jag sa.»

»Bor du ensam här?» frågar Malin.

»Ja. Jag har levt ensam sedan min skilsmässa.»

»Inga barn?»

»Nej. Tack och lov, höll jag på att säga.»

»Älskaren? Läkaren. Brukar han bo här?»

»Vad har ni med det att göra?»

»Förlåt», säger Malin. »Ingenting. Vi har ingenting med det att göra.»

»Ingen kärlek där», säger Katarina Fågelsjö. »Bara riktigt skönt sex. Några gånger till. Sådant som en kvinna behöver ibland. Du vet hur det är, eller hur?»

Ett sms från Tove.

»Hörde du ringt. Var på bio.»

Just det.

På bio skulle hon.

Vad ska jag svara?

Hon svarar: »Topp! Då vet jag.»

Inget: Kommer du ikväll?

Zeke vid ratten. På väg mot hennes lägenhet för att släppa av henne där.

Orkar bara vara ensam ikväll. Om ens det.

Kjolar.

Tröjor.

Sandaletter.

Hennes löpskor.

Ett fotoalbum.

Malins liv i en stor hög på hallgolvet när hon kom hem till sin lägenhet.

Väskor och lådor med hennes kläder, skor och böcker och prylar. I noggrann ordning och när Malin förstod vad som fanns framför henne i lägenheten ville hon gråta, och hon satte sig på hallgolvet men hur hon än försökte pressa fram tårar kom det inga.

Mina saker, den jag är. Nej, inte den jag är, men som ett kvitto på den meningslösa människa jag blivit.

Janne hade varit där med hennes prylar från huset på dagen, gått in med hennes extranyckel och sedan kastat in den genom brevlådan. Hon hade velat hämta grejorna själv, velat att de skulle vara hemma när hon kom, att de, han och Tove, skulle be henne att sitta ner vid ett dukat bord och bjuda henne på någon varm gryta som kunde ta udden av all kyla och råhet, av törst och förvirring.

Nu istället denna hög med liv. I denna jävla sketna lilla instängda råa fuktiga ensamma lägenhet.

Hade Janne hjälp av Tove? Har de vänt sig emot mig gemensamt?

Men vad kan jag vänta mig? Jag slog honom. Inför Tove. Hur fan kan jag göra så? Är jag ett skit bättre än pappan och brodern i vårt hedersmordfall?

Gud, vad jag saknar er. Jag saknar er så mycket att allt går över gränsen och ni utplånas och ersätts av något annat.

Men varför är inte Tove här? Tove, var är du? Dina grejor? Du kunde väl inte ta allt på en gång. Eller hur?

Malin sitter med ryggen mot ytterdörren.

Har en flaska tequila i sin hand, men hon dricker inte. Istället har hon letat fram pärmarna med fakta om fallet med Maria Murvall ur en av de väskor Janne kommit med.

Hon läser.

Ser Maria Murvall sittandes på golvet likt henne själv i ett annat rum. Ensam, utestängd, avskärmad, bedövad till intighetens gräns, kanske rädd bortom det vi andra kallar för rädsla.

Malin vrider och vänder på alla fakta i fallet så som hon gjort hundratals gånger förr.

Vad hände i skogen, Maria?

Vad gjorde du där?

Vem kan göra någon så illa som han eller hon eller det gjorde dig, var kommer den illviljan från? Var kommer de levande vassa grenarna som åt sig in i ditt kön ifrån? De elektriska spindlarna? Kackerlackorna med slipade käftar som åt sig upp längs dina ben.

Det onda är som en störtflod, tänker Malin. Som tonvis med lera som härjar nerför ett berg i en oförlåtlig höststorm. En flod av död och våld som utplånar allt levande i sin väg och lämnar ett öde land efter sig, där askan ligger i drivor på marken och vi, de överlevande äter av varandra för att klara oss.

Vrede åkallad. Frisläppt.

Malin reser sig, lämnar pärmarna och sakerna i hallen. Går in i Toves rum, ser den obäddade sängen, önskar att Tove ska ligga där igen och hon börjar gråta när hon inser att den sängen, på flera vis, är tom för alltid, att hon kanske aldrig mer kommer att lyfta Tove från tv-soffan och bära henne till sängen, att det barn Tove var har dragit sig undan och ersatts av den unga vuxna människan som mäter allt i sin omgivning, som värderar och försöker komma så långt bort från den givna smärtan som möjligt. Människan som inte sover någon oskyldig sömn.

I Malins dröm blir fukten och mörkret och kylan ett och samma. De samlar ihop sig till ett svart ljus och i det ljusets mittpunkt finns en hemlighet, eller kanske flera hemligheter.

Jag älskade, säger en röst. Leta i kärleken. Jag slog, säger samma röst. Leta i slagen, säger en tredje röst i drömmen. Ormungar sönderhackade av gräsklipparknivar rör sig för hennes ögon, krälar upp ur kloakerna på gator hon kan namnet på.

Så tystnar rösterna, de stympade ormungarna försvinner.

29.

Malin.

Huset hör samman med dig, tänker Janne där han står i sitt kök och läppjar på ett glas kall mjölk och äter skivor med prickigkorv. Därute är natten sin egen härskare, full av alla de demoner han mött i sitt liv.

Malin, tänker Janne. Det är ensamt här ute i skogen utan dig, men de här gamla träväggarna kan inte hålla oss båda. Sängen med min mors virkade lapptäcke är inte bred nog.

Huset luktar fukt och vakande mögel, sporer som sänds ut i natten som tysta malariamyggor.

Stumheten.

Som ett ljudlöst djur, sådan är den, vår kärlek. Sådan är du Malin, och jag orkar inte längre.

Du har alltid anklagat mig för att fly, och visst har jag gjort det, flytt in i omtanken om andra, de som behövt mig i Rwanda och Bosnien och nu senast i gränstrakterna kring Etiopien och Sudan. Jag åkte i vintras.

De kallade på mig igen i förra veckan, Räddningsverket, men jag sa nej tack, jag har gjort mitt, jag ska stanna kvar och möta mitt liv som det ser ut här och nu.

Det är du som inte orkar eller kan det, Malin, och så länge du väljer att inte söka dig inåt dig själv kan inte jag hjälpa dig. Tove kan inte hjälpa dig. Ingen kan hjälpa dig.

Men det är över nu, Malin. Det spelar ingen roll att du slog mig. Inte att du gjorde det inför Tove. Hon överlever. Hon är starkare än vi. Smartare. Det handlar inte om det.

Jag finns kvar här i mitt hus, och du är välkommen hit, men inte tillbaka. Det är dags för oss att kapa kättingen till den här kärleken och det stilla, mjuka begäret som vi tumlat runt, runt i så länge.

Vad som finns bortom den kärleken?

Jag vet inte, Malin. Och det gör mig full av förtröstan och rädsla. Tove.

Det blev förvirrande för Tove, till slut.

Du vill att jag ska ringa dig, eller hur? Om så bara för att banna dig. Du skulle aldrig själv komma på tanken att ringa mig. Det är du för stolt för, men jag tror inte du inser det. Men vi är bortom telefonsamtal nu. Jag lovar att vaka över dig så gott det går, men nu när du verkar ha bestämt dig för att följa spåret rätt ner i mörkret är det inte så mycket jag kan göra, eller hur?

Din chef, han Sven, ringde mig idag. Jag berättade för honom att vi flyttat isär igen, bekräftade att jag var orolig för dig precis som han själv, och han sa att han kanske inte hade förstått hur mycket du druckit tidigare under året, att han kanske tänkte låta dig göra en kort resa för att du skulle kunna rensa tankarna. Det är en bra idé, sa jag till honom. För jag kan inte nå dig, sa jag. Du blir bara förbannad om jag försöker. Och han förstod det, och jag sa till honom att vårt förhållande är slut, att det var lättare att vara tydlig med honom än med dig, att jag nog inte skulle klara av att säga just så till dig, rakt i ditt ansikte. Att jag nog ändå borde hålla mig borta.

Och vet du vad han sa, Malin?

Han sa: »Jag lovar dig att hålla koll på henne. Lita på mig», sa han, och han är en sådan man gärna anförtror det man håller mest av.

Att du höjde handen mot mig, det kan jag leva med. Smärtan och sorgen över det. Men inte Toves vilsna blick. Hon behöver fasthet nu, Malin, visshet om att den här världen är god och vill oss människor väl, för även om hon klarar sig så är det vår skyldighet att bespara henne ondskan, att ge henne en tro på det goda. Det är vad det handlar om.

Nu kan jag höra dig fnysa.

Men så är det. Man behöver inte själv tro, för att förmedla en tro.

Hur många nätter har jag inte legat vaken och svettig i en våt säng efter drömmar om människors våld mot varandra? Tusentals sådana nätter är mina, Malin, men jag har ännu inte tappat tron.

Men jag vet när det är dags att gå vidare.

Jag vet när nattens mörker hotar att bli allt som finns.

Det var därför jag kom med dina saker idag, Malin. Var säker på att du inte skulle vara hemma. Ensam släpade jag lådorna uppför trapporna, tog av mig jackan och la den ovanpå dina saker för att de inte skulle bli blöta i regnet på väg från bilen.

För att du skulle förstå det jag aldrig skulle kunna säga.

Pappa! Pappa!

Tove vet att hon skriker i drömmen. Drömmer den här drömmen allt som oftast och på chatten har de andra försökt få henne att inte vara rädd för drömmen, utan välkomna den som ett tillfälle att lära sig leva med det som hände förra sommaren.

Den maskklädda gestalten ovanför henne.

Hon själv orörlig.

Pappas och mammas röster nära, men kanske ändå alldeles för långt borta, hur kvinnan närmade sig henne med mörker och våld och en önskan om att allt skulle ta slut så att allt kunde få börja.

Tillsammans med de andra hade hon försökt förstå kvinnan som ville döda henne. Försökt förstå varifrån hennes ilska och ondska kom, och när Tove kände att hon förstod hade rädslan försvunnit och hon lärde sig bejaka drömmen.

Pappa! Pappa!

Och han kommer, räddar henne där längst in i mörkret tillsammans med mamma. Ljus strömmar in i rummet och skulle hennes skrik nå läpparna i den här drömmen skulle han rusa de tio meterna från sin säng till hennes. Han skulle väcka mig, rädda mig från rädslan.

Mamma.

Du finns med i drömmen.

Du avvaktar.

Det ser ut som om du har ont.

Hur kan jag hjälpa dig? Jag ser din plåga, jag kanske till och med

förstår den. Är det därför du tror att du har förlorat mig? Är det
därför du vänder dig bort?

För att du har blivit din egen smärta.

Din egen rädsla.

Karim Akbar har klivit ur sin säng, vädrar ut i det tomma mörka
rummet och känner bara sin egen doft. Huset saknar andra dofter
numera. Känns torftigt i sin förnuftiga tidiga åttiotalsarkitektur,
som ett vin som mognat dåligt, och de dåliga sidorna har tagit över.
Kantighet, råhet.

Han har tänkt sälja huset. Fixa en lägenhet nere i stan, men inte
orkat.

Hans fru borta.

Hans son borta.

I Malmö. Hos hennes nye man, den hon träffade på en landstings-
kurs för kuratorer i Växjö.

Karim hade trott att han skulle slå ihjäl henne när hon berättade,
men hon var klok, hade tagit honom med sig till en lunchrestaurang,
och redan då, när hon bad honom äta lunch med henne, visste han
vad som skulle komma.

Det var två år sedan hans fru träffat honom, helyllesvensken, med
samma jobb som hon själv.

Karims egen karriär står och väger.

Idag fick han ett samtal från en headhunter i Göteborg.

Migrationsverket i Norrköping, näst högsta hönset skulle han bli,
men han tvekar.

Vill jag stå som ansvarig för att skicka människor tillbaka till hel-
veten på jorden? De vill ha mig som galjonsfigur. En invandrarnuna
att trycka upp i ansiktet på journalisterna. Göra dem osäkra.

Men något nytt måste ta sin början.

Fallet de jobbar med nu.

Jerry Petersson. Fågelsjö. Goldman.

Alla dessa privilegierade människor som inte kan dra jämt, leva
sida vid sida i sitt smaklösa välstånd. Men kanske, tänker Karim,
kommer våldet någon annanstans ifrån. Arrendebönderna? Vem vet
vilket agg de kan ha hyst mot husbonden. Skillnader i välstånd utlö-

ser alltid våld förr eller senare. Det visar historien.

Någon som står upptagen i testamentet om vi nu hittar något? Allt är möjligt.

Skammen.

Den har med allt att göra.

Enligt många i hans kultur hade hans fru begått den yttersta synden och han borde ha låtit få henne dödad.

Och instinkten sa honom det.

Först.

Det kan han erkänna för sig själv. Men finns det något mer avskyvärt än den där fadern och brodern de hade i sitt senaste hedersmordfall, som dödade sin egen dotter och syster?

Jag är inte så primitiv, tänker Karim.

Han tog ett steg tillbaka, gav upp där på restaurangen, lät henne gå, ta pojken med sig, diskuterade aldrig något och gav henne vad hon ville ha för sin del av huset. Han inbillade sig att det var det han ville, vara storsint och givmild mitt i sveket.

Karim går fram till fönstret och ser att regnet har gjort ett uppehåll. Men för hur länge?

Han ropar ut i huset.

Sin frus namn. Sin sons.

Sin före detta frus namn.

All kärlek är bättre än ensamheten, tänker han.

Lovisa Segerberg ligger vaken i sängen på rummet på Hotel Du Nord. Väggarna är så tunna att hon kan känna fukten och kylan ute försöka leta sig in i rummet och hon kan höra ett godståg stånka sig förbi järnvägsstationen bara ett par hundra meter bort.

Dunkelt. Men inte tillräckligt mörkt för att sova.

Linoleummatta, en tunn madrass från Ikea, bara dusch i det slitna badrummet. Men jag behöver inte mer, tänker Lovisa. Hon pratade med Patrik vid elva. Han var vaken fortfarande, satt uppe och jobbade, och han frågade om fallet hon jobbar med, men hon orkade inte berätta, sa bara att hon saknade honom och inte visste hur länge hon skulle bli kvar i Linköping.

Puss. Puss.

Hej då, älskling, och hon kan känna honom i rummet på samma vis som hon kände honom deras första natt tillsammans. Varm och närvarande och på riktigt. De ska gifta sig till sommaren. Ha ett långt underbart liv tillsammans. Inte strula till det som alla andra jävlar verkar göra. Som Malin Fors enligt snacket på stationen verkar ha gjort. Hon luktade alkohol idag, gammal fylla, men ingen verkade bry sig, eller ingen sa eller gjorde något i alla fall. Men vad vet jag om vad som försiggår bakom kulisserna?

Vilket gäng, tänker Lovisa. Waldemar. Token. Sexisten. Men inte farlig på riktigt. Och Sven Sjöman. Rotelchefen alla poliser önskar sig.

Hon ser upp i rummets grå tak. Tänker:

Patrik, var är din kropp nu, var är det som är du när vi inte är tillsammans?

Zeke har stigit upp ensam.

Ännu är det mörkt utanför hans villafönster och i trädgården liknar träden och buskarna utbrända, förhistoriska skelett.

Han läppjar på sitt kaffe.

Tänker på Malin.

Det senaste året har tärt på henne.

Han tänker att han måste hålla henne under uppsikt, att han kanske inte kan göra så mycket mer. Ge henne tuggummi, så de andra inte känner lukten. Hindra henne från att köra. Han kan se henne ensam i lägenheten med en flaska tequila.

Kanske borde jag prata med Sven, tänker Zeke, han har tänkt tanken förr, men ett sådant samtal skulle Malin se som ett stort svek. Hon skulle tycka att han gått bakom hennes rygg om hon fick reda på det och kanske skulle förtroendet dem emellan vara förstört för alltid.

Hon dricker åt helvete för mycket.

Hennes demoner nafsar henne i hälarna.

Det blöder från dina hälar, Malin, tänker Zeke och märker att regnet på nytt börjat falla.

Det var länge sedan han slutade röka. Men den här morgonen gör honom sugen på en cigarett.

Han sluter ögonen. Karin Johannisons kropp, hennes mjuka hårda varma kropp finns där. Vad fan håller vi på med egentligen? Och inne i sovrummet ligger Gunilla. Jag älskar henne, tänker Zeke. So much. Ändå kan jag ljuga henne rakt upp i ansiktet.

Jag får gå ut på toaletten och spy efteråt. Men jag kan göra det. Och jag gör det.

Waldemar Ekenberg står på altanen i sin trädgård och röker.

Regnet smattrar mot det veckade plasttaket och gryningen stiger sakta över Mjölby och himlen har nästan samma färg som blåmärket på hans kind.

Han berättade för sin fru vad som hänt. Som vanligt när han berättade om de hårda sidorna av jobbet blev hon inte orolig, sa bara: »Du lär dig aldrig.»

I sina tankar förbannar han allt pappersarbete. Är ännu förvånad över den mängd papper och dokument en enda människa kan producera i sitt korta liv. Lika trött är han på mängden pengar pappersskapandet kan producera.

Röken tät i lungorna.

Var finns rättvisan i att en pappersnisse som Petersson får bo i ett slott, när vanliga hederliga knegare nästan hamnar på gatan när fabrikerna och verkstäderna stänger? Hundratusentals jobb bort i den svenska industrin. Vad händer med de blås falska solidaritet då?

Var ska de ta vägen, arbetarna?

De svagskallade.

Han fimpar cigaretten i kaffeburken halvfylld med sand.

Tänker:

Och jag, vad skulle jag göra om jag inte vore snut? Jag skulle väl vara en väktare på Ica Maxi, anklagad för övervåld mot en uppkäftig kund?

»Walle, Walle!»

Kärringen ropar där inne. Bäst att se vad hon vill. Utan henne vore jag bara mitt löjliga jag.

Johan Jakobsson ligger utsträckt i sin säng, på var sin sida om honom ligger hans barn, hemkomna från svärmor och svärfar i Nässjö tidigt på kvällen.

Hans fru sover bredvid.

Välsignad frukt, tänker han och hör på sin frus andetag. Det är vad familjen är. Han tänker på henne, hur de sa förlåt till varandra, som de alltid gör.

De är bästa vänner, på gott och ont.

Vad är en riktig vän värd? tänker han sedan.

Lika mycket som en familj? Som en far?

Nej. Men nästan.

30.

Måndag den tjugosjunde oktober

Tidig morgon.

Världen gråblå som en nyfödd människa utanför det öppna kontorslandskapets fönster.

Sven Sjöman ser ut över de tomma stolarna och skrivborden, drar i sig dofterna av papper och kvardröjande svett. Ljuset från lysrören i taket blandas med det grå ljuset utifrån. Sven tänker på hur många utredare han sett komma och gå under sin karriär. Malin är en av de bästa, kanske den allra bästa. Hon förstår att lyssna till de tysta rösterna i en utredning, att sammanfatta kören av aningar och ord till en tydlig sanning.

Men det sliter på henne.

Samtalet med hennes man, eller exman, igår. Janne. En vettig karl. Han ringde igen och var orolig för hennes skull.

Det är jag också, tänker Sven. Men jag har äntligen en idé om vad jag kan göra utan att hon förstår att jag försöker hjälpa henne. Om hon misstänkte det skulle hon bli heligt förbannad. Kanske vägra att åka. Janne tyckte i varje fall att det var en strålande idé.

Allt verkar slita på Malin just nu. Allt ligger vid ytan och kan brännskadas av bara lite beröring.

Johan, Zeke, Börje, Waldemar.

Börje hemma hos sin fru, nästa ms-skov kommer med stor sannolikhet att innebära döden för henne.

Det sliter på Börje. Men allt verkar inte slita på Börje som på Malin. Han verkar ha förmågan att glädjas över det han har med sin fru, det han faktiskt har fått.

Waldemar. Han kommer att bli galen i det där rummet fullt av papper. Men jag ska nog få användning av hans tveksamma talanger. Jag är emot hans sätt bedriva polisverksamhet, hans våld, men jag är inte dummare än att jag kan se nyttan av det ibland. Det var därför jag inte la in veto när han kom hit från Mjölby. Och gud vet varifrån han har fått de senaste blåmärkena i ansiktet, men han klagar inte, arbetar man som Waldemar går man på nitar ibland.

Petersson. Vem vet vilka maskar som krälar under hans stenar? Ge människor vittring på pengar och de kan göra vad som helst.

Sven drar in magen, suckar, tänker på sin bror, egenföretagaren som skulle starta ännu en verksamhet, och hur han själv gick i borgen för lånet och blev tvungen att sälja sin villa i Karlstad för att kunna betala banken när företaget gjorde konkurs.

Några år senare blev brodern rik när han sålde sitt nästa företag. Sven bad om att han skulle betala tillbaka pengarna, och de stod på altanen till broderns hus och han svarade, med uttryckslöst ansikte: »Det där var affärer, brorsan, du tog en risk och förlorade. Nu ska vi inte blanda ihop äpplen och päron.»

Sven stannade kvar på middag, den kvällen.

Men har inte pratat med sin bror sedan dess.

Han slår upp Corren på skrivbordet. De spekulerar åt samma håll som de själva. Fågelsjös, Goldman. Affärer.

Pengar, broderskap.

Vem blev så arg, eller ledsen, eller besviken att Jerry Petersson hamnade i slottets vallgrav, ihjälslagen och sönderhuggen bland inmurade krigsfångar?

De andra ser lika trötta ut som jag, tänker Malin när hon ser på utredarna som samlats för veckans första möte i förundersökningen rörande mordet på Jerry Petersson.

Klockan är 08.30.

Johan Jakobsson har mörka påsar under kinderna. Waldemar Ekenberg är sönderrökt, Lovisa Segerberg verkar ha sovit dåligt på sitt hotell, men de har väl dåliga sängar på Du Nord nere vid järnvägsstationen. Sven Sjöman den ende som är pigg, Karim Akbar håglös vid bordets kortända, men hans kostym i skinande grå ull är lika välpressad som alltid och den rödlila slipsen har valts med säker hand.

En tystnad har lagt sig i rummet. Den tystnad som kan uppstå i ett rum fullt av utredare som letar i sina sinnen efter nästa steg framåt, efter att något som är dolt ska uppenbara sig för deras ögon.

De har gått igenom Fågelsjös lögner om deras ekonomi, att Fredrik Fågelsjö gjort dåliga affärer och tvingats sälja. Och att de sedan fått ett arv och velat köpa tillbaka gården men att Petersson vägrat, trots ett bra bud. Att Axel Fågelsjö inte öppnat dörren för Malin och Zeke men att Katarina pratat med dem, och att Fredrik Fågelsjö varit frispråkig i ett förhör och bland annat sagt att han givit sig ut till Petersson kvällen före mordet, men att inget ska ha hänt förutom att han ställt Petersson mot väggen och att även han krävt att få köpa tillbaka slottet.

»Om han var där kvällen före kan han inte ha dödat Petersson då, Karins rapport visar att han dog någon gång på sennatten och att slaget i huvudet dödade honom direkt», sa Sven. »Vad gäller kartläggningen av Peterssons sista dygn, verkar han inte ha träffat någon annan än Fredrik Fågelsjö. Han har inte ringt mer än ett samtal med mobilen, till vad som visade sig vara hans städerska. En filippinska med fullgott alibi och som inte varit där på en vecka.»

»Om det var Fredrik Fågelsjö som mördade honom», sa Malin, »så måste han ha åkt tillbaka på morgonen. Men då ger hans fru honom alibi. Men vi kan inte veta säkert, det är ju trots allt ett alibi mellan makar.»

»Och den filippinska städerskan?» frågar Waldemar. »Kan hon ha några skogstokiga släktingar?»

»Det var Aronsson som hörde henne», säger Sven. »Hon var skötsamheten själv. Och då skulle han väl ha varit rånad, eller hur?»

Sedan gick de igenom resten av utredningsläget, inte mycket nytt hade tillkommit.

»Vi har kollat Petersson mejl», sa Johan. »Och vi fick telefonlistor från Telia sent igår. Både på mobilen och den fasta telefonen. Men vi har inte hittat något anmärkningsvärt där heller, förutom två samtal från en telefonkiosk ute vid Ikea.»

»Är det så märkligt?» frågade Karim.

»Nej, men det är de enda samtal vi inte kan se vem de kommer ifrån, och man trodde ju att alla hade mobiler nuförtiden.»

»Vilken kiosk?»

»En ute på parkeringen», svarar Johan.

»Kan det finnas en övervakningskamera som täckt platsen vid tidpunkten?»

»Sorry. Jag har kollat. Det finns ingen kamera där. Och samtalen skedde för flera månader sedan, så att hitta vittnen är nog i princip kört.»

Karim bryter tystnaden efter genomgången:

»Några tips?»

»Det har varit märkligt tyst», säger Sven. »Jag trodde det skulle strömma in tips om Peterssons förehavanden, men kanske var han en sådan som bara lämnade nöjda kunder och människor efter sig.»

»Finns sådana?» frågar Zeke.

»Nej», säger Waldemar.

»Och inget mordvapen har påträffats», säger Sven.

»Hur går vi vidare?» frågar Karim.

»Gruppen i Hades gräver på, och undersöker särskilt varför det bolag Jochen Goldman och Petersson hade ihop gick dåligt», säger Sven. »Malin och Zeke försöker prata med Axel Fågelsjö. Ta in honom för förhör om han trilskas. Det är ju trots allt inte otroligt att familjen på något vis själva tagit livet av Petersson för att sedan kunna komma åt slottet från dödsboet.»

»Tror du att de kan ha lejt någon?» frågar Malin.

»Osannolikt», säger Sven. »Men tanken har slagit mig, även om inget av det som kommit fram pekar på något sådant.»

Malin nickar.

»Dödsboet är ju Peterssons far», säger hon sedan. »Om nu inget okänt barn eller någon utländsk fru dyker upp.»

»Folk har dödat för mindre än så», säger Waldemar och i hans röst hör Malin en längtan, men hon kan inte få fatt i den känsla som ryms längst in i Waldemars önskningar.

Lika bra det, tänker hon och ser på hans blåmärke, som blivit orange och gult som ett höstlöv i kanterna.

Sven lyfter luren på tredje signalen.

Okänt nummer på displayen, ändå har samtalet gått direkt till hans egen telefon utan att passera växeln.

Stökigt i kontorslandskapet nu. Morgonens lugn är borta och hela rummet stinker av kaffe.

Poliser klädda i uniform eller i civila kläder går jäktat fram och tillbaka, pratar i headset, ser upptagna ut, stressade.

»Sjöman.»

»Är det Sven Sjöman?»

»Ja.»

»Ja, hej. Det var Peter Svenungsson på Interpol uppe i Stockholm.»

»Hej.»

»Jag har sett på nätet om Jerry Petersson, att han blivit mördad.»

»Stämmer. Några jägare hittade honom i vallgraven till slottet där han bodde.»

»Jag har en grej som nog kan intressera er.»

»Prata på. Allt är välkommet.»

»Ni känner ju säkert till att Petersson var Jochen Goldmans advokat när denne höll sig undan. Vi var egentligen bara nära att få fatt i Goldman en gång, vi fick ett tips om var han skulle vara i Verbier i Schweiz, och jag tror till och med att kaffet var varmt i bryggaren när gendarmerna kom dit, men han hann undan ännu en gång.»

»Och?»

»Det var Petersson som gav oss tipset. Ringde in och sa var Goldman fanns.»

Sven känner hur hjärtat verkar hoppa över några slag.

»Det var som fan.»

»Han gav ingen förklaring och var medveten om att han bröt sin tystnadsplikt, men vi lovade att han skulle förbli anonym.»

»Tack», säger Sven. »Bra. När hände det?»

»Hösten för tre år sedan. Jag minns det väl. Det var strax innan Goldmans andra bok kom. Vill ni ha min åsikt: Jag tror ni ska kolla upp Jochen Goldman jävligt noga. Om det nu går att göra det med den hale jäveln. Han kan nog vänta på hämnd i åratal tills det rätta tillfället uppenbarar sig. Och vi vet ju vad det ryktas om att han är kapabel till.»

Sven sitter på kanten till Zekes skrivbord som står sammanfogat med Malins.

»Så du tror att Goldman kanske fick reda på att Petersson angav honom och ville hämnas?» säger Malin, tänker att Sven verkar vilja säga något mer, men att han håller det inne.

»Kan stämma», säger Zeke.

Sven nickar.

»Goldman är inte typen som stoiskt lämnar ett svek bakom sig. Tror ni det?»

Teneriffa, tänker Malin. Ser mamma och pappa på sin balkong. Pappfigurer, reklammänniskor i en katalog som säljer en lycklig ålderdom.

Sol, värme.

Inga moln, ingen kyla, inget mörker, regn eller hagel.

Bara ljus.

Bara ett strålande härligt bekymmersfritt liv i seger. Som de frikyrkliga jävlarna som hyrde hennes lägenhet skulle ha sagt.

31.

Sven har lämnat Malin och Zeke ensamma vid skrivbordet.

»Vi borde försöka få en pratstund med Goldman igen», säger Malin. »Konfrontera honom hårt. Se hur han reagerar.»

»Ring honom», säger Zeke.

Malin slår numret, tio signaler går fram utan svar.

Hon skakar på huvudet.

»Han kan ha skickat en torped», säger Zeke. »Vi får försöka ta reda på om någon av de kända torpederna varit i rörelse.»

»Boken», säger Malin. »Sa inte Segerberg på mötet att Goldmans första bok sålt dåligt. Sämre än väntat. Och om de hade ett bolag ihop borde de ju ha delat på intäkterna.»

»Så du tror att Petersson ville sätta dit Goldman för att skapa uppmärksamhet kring boken? Så att den skulle sälja mer?»

»Kanske. Sven sa ju att tipset till Interpol kom vid tidpunkten för den andra boken.»

»Men varför skulle han göra det? Han hade ju pengar som gräs då», säger Zeke.

»Mycket vill ha mer», säger Malin. »Och affärer är affärer. Du vet, principerna.»

»Som Fredrik Fågelsjö», säger Zeke. »Först gjorde han vinster, sedan ville han tjäna mer, och då förlorade han.»

»Girighet», säger Malin. »Det har tagit död på många.»

Böcker hit, och böcker dit.
Var det girighet som tog död på mig?
Ge dig aldrig in i bokbranschen om du vill tjäna pengar.

Vi tryckte den andra boken själva, gav ut den på eget förlag ef-tersom vi trodde att den skulle gå att sälja bättre än den första, och varför ge de pengarna till någon annan? Vi var lika blåögda inför boken, som föräldrar är inför sina barn.

Men de förbannade bokhandlarna ville knappt köpa in den, och jag låg ute med pengarna för tryckning av femtontusen böcker och det behövdes ett rejält medieskrik.

Så jag ringde den där polisen.

Tipsade dem.

Men Jochen hann undan. Säkert tipsad i sin tur, men jag var aldrig rädd för att han skulle få veta något. Polisen jag ringde var pålitlig. Och jag kunde alltid neka, hävda att någon av Jochens närmaste måste förrått honom, vi var trots allt alltid några personer som viss-te var han höll till.

Futtigt, javisst.

Men det skrevs om Jochen, om hur nära polisen varit och boken tog lite fart, det var bara femhundra böcker som fick gå i makulatur och vi gjorde i alla fall en mindre vinst.

I affärer hade jag bara en princip: bokslutets. Till nästan vilket pris som helst skulle affären bli god.

Affärer är affärer.

Om jag inte tjänade pengar på Jochen Goldman, vad skulle jag då ha honom till? Egentligen. Det finns inget flyktigare än vän-skap.

Men jag vet också vad hans ilska och självgodhet gör honom ka-pabel till, vilka dörrar som kan öppnas.

Den här gången släpper Axel Fågelsjö in dem, bjuder dem att sätta sig ner i salongen, medan han går ut i köket efter kaffe och bullar.

Panelerna glänser som nylackade på väggarna.

Har Axel Fågelsjö någonsin ens sett en plastlist på bild, tänker Malin när den väldige mannen kommer tillbaka med en full bricka i händerna.

»Jag förstod att ni skulle komma tillbaka», säger han och serverar kaffe och köpta kanelbullar. »Jag är ledsen om jag inte berättade hela sanningen.»

»Varför ljög du för oss om försäljningen av Skogså, att ni inte ville sälja?» frågar Zeke.

»Det är väl uppenbart. Det ser ju komprometterande ut för familjen, onekligen. För Fredrik.»

»Men att du ljuger», säger Malin, »gör ju saken ännu mer komprometterande.»

Axel Fågelsjös välvilja försvinner, Malin kan se hans ansikte sluta sig, som om luften försvinner ur de runda, skära kinderna.

»Och Fredrik», säger Malin. »Varför tror du att han flydde från oss? Vi ville ju bara prata med honom.»

»Han var rädd för att hamna i fängelse», säger Axel Fågelsjö. »Han fick panik. Varken mer eller mindre.»

»Så du tror inte att han var på Skogså på morgonen den där fredagen också? Vi vet att han ...»

Axel reser sig i hela sin väldiga gestalt, skriker, slungar orden mot dem med frenesi, och droppar med kaffe och smulor av vetebröd yr i luften.

»Vad i helvete har ni för rätt att komma här och rota. Ni har inga som helst bevis för någonting!»

Zekes stålögon. Han borrar blicken djupt in i Axel Fågelsjös ögon.

»Sätt dig nu, gamle man. Sitt down och ta det lilla lugna.»

Axel Fågelsjö går bort till fönstret ut mot gården och han låter armarna falla utmed kroppen.

»Jag bekräftar allt Fredrik sagt till er och att jag försökt köpa tillbaka Skogså. Men vi har inget med mordet att göra. Ni kan gå nu. Vill ni mig något mer får ni kalla mig till ett formellt förhör. Men jag kan lova att det är utsiktslöst.»

»Hur kändes det att få nej?» frågar Malin sedan.

Axel Fågelsjö förblir stilla vid fönstret.

»Var du arg på Fredrik?» fortsätter hon och kan se hur ett stilla raseri griper grevens kropp och hon tänker att det är inte du som ska vara arg, det är Jerry Petersson som ska vara arg, och så minns hon hur det var på gymnasiet. Det fanns sådana som Jerry Petersson även när hon gick på Katedralskolan, arbetarpojkar som var jävligt häftiga och begåvade och snygga och som rörde sig i de fina kretsarna utan att bli insläppta på riktigt, och hon minns att hon tyckte att de pojkarna var tragiska. Själv höll hon sig långt borta från det där, hon hade Janne, men dagdrömde ändå om att få tillhöra den innersta kretsen av riktigt tjusiga självutnämnt betydelsefulla studenter.

»Vad gjorde du egentligen den där sennatten?» frågar hon aggressivt. »Va? Åkte du ut till Skogså för att ta livet av Petersson? Eller för att övertala honom när Fredrik misslyckats? Och så gick allt fel? Och du råkade slå ihjäl honom?»

Orden sprutar ur Malin.

Hon vill piska gubben med sina frågor, skrämma sanningen ur honom, i helvete att jag backar för en sådan som du.

»Eller lejde ni någon att göra det?»

»Gå nu», säger Axel Fågelsjö lugnt. »Samma väg som ni kom. Jag är trött på den jävla Petersson.»

Men jag är inte trött på dig, tänker Malin.

I trappuppgången på väg ner möter de en reporter och fotograf som Malin vet kommer från Aftonbladet.

Lycka till med honom, viskar Malin efter gamarna. Tryck dit honom.

Sven Sjöman äter av den sallad hans fru skickade med honom i matlådan imorse.

Crabsticks och ruccola.

En artificiell fiskig doft i näsan som påminner om ammoniak. Han är ensam i fikarummet, blev hungrig redan klockan elva eftersom han steg upp så tidigt. De fula metallstolarna ser lika obekväma ut som de är, och på långväggen hänger en anskrämlig väv som föreställer Linköpings skyline en höstdag som denna. Oproportionerligt stora kråkor kraxar kring domkyrkans torn, och på Linköpings slotts tak sitter en fult utförd grå katt.

Sallad är kaninmat.

Ingen mat för en dag som denna. Idag är riktigt rotmosväder. Med glänsande svettig fläsklägg.

Han hade berättat för Karim om samtalet från Interpol, att Malin försökt ringa Goldman igen.

Sven tar en sista tugga av salladen.

Tänker: Vilket är bäst, ett kort lyckligt liv, eller ett långt miserabelt?

I det ögonblicket bestämmer han sig slutgiltigt för att en resa kan göra Malin gott, även om det är tveksamt om utredningsläget motiverar den, och att han ska be Karim tala om det för henne. Då kommer hon inte att bli misstänksam.

Waldemar Ekenberg går fram till Malin och Zeke när de sitter vid sina skrivbord och äter mackorna de köpte med sig från Statoilmacken på Djurgårdsgatan.

»Fick ni något ur Axel Fågelsjö?»

Malin skakar på huvudet.

»Något finns där», säger hon sedan. »Något.»

»Du tror det? Din kvinnliga intuition?» säger Waldemar.

Malin ger honom en trött blick.

»Jag äter gärna min macka ifred», och när hon säger de orden kommer Karim Akbar fram till hennes skrivbord.

Han lägger handen på hennes axel, nickar till Zeke och Waldemar, innan han säger:

»Malin, vad skulle du tycka om att åka till Teneriffa. Ta ett snack med Jochen Goldman?»

Malin sluter ögonen. Låter Karims förfrågan sjunka in.

Sol.

Värme.

Mamma, pappa, långt från Tove, Janne, allt det där.

»Vad säger du? Pressa honom. Han finns säkert i sitt hus», säger Karim.

»Jag åker», svarar Malin direkt. »Är det här Svens påhitt? För att han tycker att jag behöver komma bort? Det är det, eller hur?»

»Du är paranoid, Malin. Utredningen kräver att du åker. Och lite sol kan göra dig gott», säger Karim. »Och du har väl aldrig hälsat på dina föräldrar?»

Malin ser misstänksamt på Karim. Ger honom en blick som säger att ge fan i det du.

»Är Janne hemma?» fortsätter han och i hans röst finns en märk-

207

lig ton som om han klarade av en formalitet, och tonen gör Malin förbryllad.

Hon tror sig veta vart han vill komma.

»Tove kan bo ...» och så kommer hon på sig själv. Karim vet inget om deras separation, och han behöver inget veta. Eller vet han redan?

»Janne har koll på Tove», säger Malin sedan.

»Bra», säger Karim. »Jag ordnar en biljett tills imorgon. Var packad och klar. Och var försiktig. Du vet vad som sägs om honom.»

Malin ensam vid kaffebryggaren i fikarummet. Fingrar på mobilen. Vill ringa Tove men vet att hon är i skolan nu, har lektion, men hon måste träffa henne innan hon åker.

Vill ringa Janne. Men vad skulle hon säga? Måste i vart fall berätta att hon ska åka. Ringa Daniel Högfeldt för att få sig ett rejält eftermiddagsknull? Smita iväg ner på Hamlet och ta sig ett järn? Något av de två sista förslagen låter alldeles fantastiskt. Men hon måste jobba, och sedan packa.

Ska jag ringa mamma och pappa? Säga att jag kommer imorgon. Med deras beredskap för överraskningar skulle jag skapa panik där nere. Men jag måste ändå ringa. Måste träffa dem även om jag inte vill, har inte berättat något om att vi separerat, att Tove bor kvar ute hos Janne ännu, att hon inte flyttat in än, eller har Janne sagt det, om de ringt ut till huset, pappa brukar ringa dit ibland, men Janne skulle väl aldrig säga något?

Ska bli skönt att åka iväg från den här jävla hålan några dagar.

På ett sätt, tänker hon, kan man se på Jerry Petersson som den ultimata produkten av Linköping, där invånarna blir rotlösa i sin strävan efter pengar och fånig materiell status. Se på mamma, hon har aldrig lyckats skapa sig ett hem där hon känner sig hemma, jag tror inte det, tänker Malin och så tänker hon på Jannes hus, lägenheten och det gör ont och hon slår bort tanken, vägrar att erkänna för sig själv att hon på alldeles för många vis är som sin mamma. Istället tänker hon på att man kan se Jerry Petersson som en typisk klassförrädare, en som inte vet sin plats, som vill vara något han aldrig kan bli. En tjusig hund som aldrig kan vinna någon tävling eftersom han saknar stamtavla.

Jag hatar familjen Fågelsjö, tänker hon. Det de står för. Men jag kan inte förmå mig att hata dem som enskilda människor. Och hon ser Katarina Fågelsjö i soffan, hennes ögon, och undrar var sorgen i blicken kommer ifrån? Barnlöshet. Något annat?

Malin tar sin kaffekopp, luktar på den svarta vätskan innan hon går tillbaka till sitt skrivbord.

»Du tog inget till mig?» säger Zeke när han får se Malins kopp.

»Sorry», säger Malin och sätter sig medan Zeke lommar iväg bort mot fikarummet.

Malin njuter av det heta kaffet, känner vätskan plåga munnen, innan hon rycks tillbaka av Johan Jakobssons röst.

Han håller en bunt papper mot henne.

»Fick just det här från damerna i arkivet», säger han. »Det visar sig att Jerry Petersson som nittonåring var med om en bilolycka. På nyårsafton. Efter en fest. Han var passagerare, satt i framsätet. De två som satt i baksätet klarade sig mindre bra. En kille dog och en tjej fick svåra skallskador.»

Malin minns inte olyckan från medierna och måste ha varit för ung för att lägga märke till den när det hände.

»Och vet du vad som gör det hela intrikat», säger Johan.

Malin slår ut med händerna.

»Olyckan hände på Fågelsjös marker.»

Del 2.

Regn ur ett moln som aldrig kommer åter

Östergötland, oktober

Ägg kläcks.

Blinda ormungar tittar fram. Fler och fler och fler. De får mitt blod att koka.

Men jag börjar här: Vi låtsas att det finns en film.

En film om en människas liv där varje ögonblick är fångat ur en klargörande vinkel.

Min film är varken svart, vit eller i tusen färger. Den är matt röd och sepiafärgad, en långsam färd genom en bedövande ensamhet.

Jag ser tusentals människor på bilderna.

De flimrar förbi, men kommer aldrig igen. Ingenting och ingen dröjer sig kvar, det är den mest ensamma av ensamma filmer.

Det finns inget äckel i de människornas ansikten, bara, i bästa fall, ett ointresse. De flesta ser mig inte. Jag är människan som luft, som en försvinnande kontur i ett skiftande landskap. Jag hade en gång något att hålla fast vid, men jag lärde mig att vara fri. Eller gjorde jag någonsin det? Kanske har jag lurat mig själv bara för att orka.

Och nu? Med det som hänt? Han, jag vill inte säga hans namn, som flöt i det kalla mörka vattnet. Jag gör mig inga illusioner om förlåtelse eller förståelse.

Men vreden var skön. Det var som om ormungarna lämnade mig, rann ur min kropp och gjorde mig lugn och mäktig. Det spelade egentligen ingen roll åt vilket håll den riktades, och att säga att han inte förtjänade det är fel. Jag kan göra det igen, om det skulle behövas, bara för att få uppleva känslan av att något ont försvinner ur mig, att ormarna stillas och att jag, den jag kunde, borde, ha blivit finns där istället.

Det fanns i mig, våldet. Och det kommer från dig, far, du är mannen på bilderna, du jagar mig, slår mig, bryr dig inte om att de andra jagar mig, slår mig, gör mig till världens minsta människa och ingen, ingen bryr sig, ingen kommer till min räddning.

Förutom han. Han kommer.

Bilderna skiftar.

Jag har en vän. En riktig vän. Han räddar mig.

Jag arbetar ibland den här hösten, trots det som jagar mig.

Jag känner undergångens varma andedräkt mot min hals. Vad jag än gör, måste jag skydda mig själv, det är det enda sättet vi människor kan leva på.

De jagar mig nu, försöker ta reda på vem jag är. Men jag ska undkomma dem, det måste vara min tur nu. Jag ångrar ingenting, det är trots allt bara en ordning som är återställd. Jag har både rädslan hos den som jagar och blir jagad. Jag längtar på ett sätt efter att våldet ska ge mig känslan av lugn igen, även om jag vet att det är fel.

Jag är alla nyanser av ensamhet som finns i världen, all stilla ljudlös rädsla.

Far.

Du rusar runt med din kamera, cigaretten fast förankrad i din fria hand. Du höjer den bittra, rädda handen, med sina nikotingula naglar. Slår i en dansant rörelse på den kropp som ligger på marken. Den kroppen vill jag inte vara.

Men du finns inte, far. På ett sätt kan jag ställa även den oförrätten till rätta. Jag har väntat under träden, utanför ondskans hjärtas port. Det är kanske min tid nu, ändå.

Ni pojkar som hatar mig utan att jag förstår varför, utan att ni förstår varför. Ni finns inte.

Och sedan är du borta, du min räddare, min vän.

Precis som alla andra har du försvunnit.

32.

Tisdag den tjugoåttonde oktober

Viva Las Palmas. Viva Las Palmas.

ZZ Tops låt kommer till Malin när hon kliver nerför flygplanets trappa och vidare bort till den väntande bussen som ska föra henne och de andra passagerarna till ankomsthallen.

Solen är skarp och det tidiga eftermiddagsljuset skär in i ögonen, halsen känns torr och luften är het mot hennes allt för tjocka tröja. Det luktar värme här, sött och kokt, som om världen långsamt förångas.

Svetten börjar rinna direkt.

Säkert trettio grader varmt.

Som tur är bär hon en vit bomullskjol och sandaler, och strumpbyxorna tog hon av sig inne på flygplanstoaletten.

Palmer vajar vid gigantiska hangarer, bränt gräs brer ut sig mellan landningsbanorna och i soldiset kan Malin skymta ett taggigt vulkaniskt berg.

Viva Las Palmas. Vegas. Allt är ett stort jävla spel, kasta en tärning så får du se var du hamnar.

Men hon är inte ens i Las Palmas, utan på Tenerife Airport, och hon tänker att alla de här jävla öarna är en och samma.

Snart trängs skränande charterresenärer runt om henne i bussen, en utmattad mamma håller en sovande tvååring i famnen, ett grabbgäng rejält på fyllan skrålar en hejaramsa för IFK Norrköping.

Bussen startar och hela dess last av svettiga människor rycker till i dess innanmäte, försöker hålla sig på benen trots att det inte finns utrymme att ramla omkull.

Trötthet och stillad längtan som sipprar ut ur människors porer.

Hon ringde mamma och pappa igår och kunde höra paniken i pappas röst, påhejad av mammas närvaro. »Va? Kommer du imorgon? Tjänsteärende? Vad kan du ha för tjänsteärende hit? Så du bor på hotell? Bra, nej, men vi har ju inte hunnit förbereda, kom hit på middag när du har installerat dig. Komma och möta dig? Imorgon klockan två? Då har vi tee-tid på Abama. Du ska se den banan, Malin, den finaste på hela ön, omöjligt att komma till.»

Bussen stannar.

Malin kliver ur, rullar sin enda tunga väska bort mot utgången.

Ute.

Värmen är plötsligt skön och behaglig nu. Inte för varmt, och inte för kallt, och det är skönt att slippa det förbannade regnet och haglen som styrda av ilsken vind ger en lavetter snett in i värnlös ansiktshud.

»Taxi, madam?» »Limousine?»

Under en lång portal i vitmålad betong står taxichaufförer på rad.

De hänger utanför sina bilar med cigaretter i mungiporna och verkar vara måttligt intresserade av att köra henne in till Playa de las Américas, var nu i helvete det ligger.

Hon krånglar upp lappen ur kjolens framficka och hon blir ännu varmare av ansträngningen, läser namnet på sitt hotell.

Hon säger namnet till den taxichaufför som hon tror står först på tur för en körning, men han pekar bara neråt mot sina kollegor.

En kort, tjock och skallig man längre ner i taxikön höjer armarna och vinkar åt henne att komma.

»Taxi?»

Malin nickar, och mannen tar hennes väska och hivar ovarsamt in den i bagageutrymmet på sin vita Seat.

Hon kliver in i baksätet.

Ingen luftkonditionering.

Tröjan och kjolen klibbar fast i sätets svarta galon och hon märker att taxichauffören tittar frågande på henne i backspegeln.

»Where to?» säger han.

»Hotel Pelicano», säger Malin och taxichaufören rynkar bekymrat pannan, precis som om han just blivit orolig för att hon inte ska kunna betala för sig.

Tjugo minuter senare sitter Malin på en svankig säng i ett litet rum med små fönster i ett hörn, där en medeltida luftkonditionerings-anläggning stönar värre än tio ålderstigna kylskåp. Den grå färgen flagnar på väggarna, och den gula plastmattan är full av brännhål.

Rebecka, den nya tjejen i polishusets reception, bokade hotellet och hon måste ha fått en extremt tajt budget av Karim.

En horbar på vardera sidan av hotellet, säkert två kilometer ner till Playa de las Américas strand, som de åkte förbi på vägen hit, ingen lobby att tala om, utan bara en sliten disk där en lika sliten fyrtiofemårig man med stripigt hår checkade in henne med konstate-randet: »Room already paid for.»

Malin reser sig från sängen.

Längtar efter att få simma. Men hotellet har inte tillstymmelse till pool.

Hon går ut i badrummet som trots allt är välstädat, men inget kan rå på lukten av kloak. En duschkabin, inget badkar och hon vill duscha innan hon ska gå till den lokala polisen. De vet att hon kom-mer, har erbjudit sig att bistå.

Malin ser sitt ansikte i spegeln.

Frammanar Toves ansikte och tänker att hon är mer lik Janne egentligen. Hon ringde Tove igår, hade först tänkt åka till skolan, vänta utanför efter sista lektionen, ta henne med hem, laga mat, prata, stoppa om henne, göra allt det hon borde göra, men hon hade ringt istället, var rädd att hon inte skulle klara av att åka om hon träffade Tove, om hon fick hålla henne i sina armar.

Hon berättade att hon skulle resa bort i tjänsten, men bara ett par dagar, och Tove snärtade tillbaka:

»Nu gör du som pappa, mamma, reser iväg när allt hettar till.»

»Snälla, Tove», hörde hon sig själv säga, och det fanns något be-friande i att vädja till sin femtonåriga dotter, och Tove hade tystnat, och till slut sagt:

»Förlåt, mamma. Åk. Jag förstår om det kan vara skönt att komma iväg.»

»Det är jobb.»

»Vart ska du?»

Malin hade inte tänkt berätta. Ville inte.

»Teneriffa», sa hon.

»Men det är ju där mormor och morfar bor. Jag vill följa med.»

»Det går inte, Tove. Jag ska jobba. Och du har skola.»

För ett och ett halvt år sedan hade Tove insisterat, kanske skrikit i luren, men nu förblev hon tyst.

»Hjälpte du pappa med väskorna och mina grejor?» frågade Malin sedan.

»Nej. Han ville inte det.»

Och sedan, efter en ny tystnad:

»Ska du träffa mormor och morfar?»

»Jag vet inte. Eller vi har bestämt att jag ska dit imorgon.»

»Du måste träffa dem, mamma.»

»Jag ska hälsa från dig.»

»Ge morfar en kram från mig och säg att jag saknar honom. Ge mormor en kram också.»

Sedan ringde hon Jannes mobil, hoppades svararen skulle gå igång, och det gjorde den, och hon lämnade ett meddelande om resan. Han ringde inte tillbaka, så hon utgick från att han inte brydde sig.

Malin går tillbaka ut i rummet, tar av sig naken och tänker att även om luftkonditioneringen låter på tok för högt så fungerar den. Sedan går hon in i duschen och vrider på, förvånas över att vatten-trycket är riktigt högt och låter vattnet skölja ner över ansiktet och kroppen.

Hon drack inget på planet.

Tur att det inte finns någon minibar på rummet.

Sedan finns Tove där igen i tankarna, och Malin undrar varför hon inte bara dykt upp i lägenheten eller på stationen, varför hon inte insisterat på att de skulle träffas eller ens föreslagit det, och hon känner musklerna kring bröstkorgen dra sig samman, inser att Tove känner samma ambivalens som hon själv. Du förstår att du mår bra av avståndet, eller hur, Tove?

Hon låtsas att hon kramar Tove. Duschens varma droppar är Toves ljumma kropp.

Jag är din mamma och jag älskar dig.

Det är över en kilometers promenad till polisstationen, men Malin väljer att gå, klädd i en tunn vit klänning, med vita tygskor på fötterna.

På sin vandring går hon förbi stora villor i haciendastil bakom höga murar i vitrappat tegel och nybyggda radhus och förfallna hyreslängor där torkad tvätt hänger i fönstren. Hon passerar hotellkomplex där gigantiska pooler glittrar bakom glesa häckar av tropiska växter hon inte kan namnet på. Tusen pubar och barer och restauranger skriker ut sitt utbud: »Full English breakfast», »Svenska köttbollar», »Pizza», »German specialities».

Hon vill vända bort blicken.

Hoppas att Los Cristianos där föräldrarna bor är finare, har mer försonande drag än det turistgetto som las Américas är.

Polisstationen ligger i ett fyrkantigt vitt trevåningshus vid ett litet torg kantat av öde uteserveringar. Havet, flimrande blått i eftermiddagsljuset, syns i slutet av en gata som leder bort från torget.

»Var är alla människor?» tänker Malin. »På stranden?»

Hon trycker upp den tröga dörren till stationen och kliver in.

Inga stolar på det spräckliga stengolvet i entrén, bara en anslagstavla på en vägg där affischer visar ansikten på terrorister.

Bakom pansarglas sitter en yngre polis i uniform. Han röker, ger henne en avvisande blick, som om han bara allt för ofta får in hennes sort här.

Säkert tror han att jag är en dum turist, tänker Malin. Han måste tro att jag blivit rånad av ryssar. Eller tror han att jag är en hora? Kan han tro det?

Malin kliver fram till pansarrutan, håller upp sin polislegitimation.

Polisen höjer ögonbrynen i en latinskt överdriven gest.

»Ahh, Miss Fors, from Sweden. We were expecting you. Let me call for Mr Gomez who will assist you. He will be right out.»

33.

Waldemar Ekenberg smäller igen bildörren och Johan Jakobsson rusar efter honom genom regnet, in under taket över porten till det rödteglade hyreshuset i området Gottfridsberg. Området byggdes på fyrtiotalet, små lägenheter med många rum, perfekta bostäder för alla de familjer som flyttade in till staden för att ta jobb på Saab, NAF och LM Ericsson.

Finns det någon ände på regnet, tänker Johan, och sedan under några korta ögonblick förvandlas regnet till snö inom honom, till doftlös kyla och så tänker han att vi är bara i början av mörkret, november, december, januari, mars, svarta månader som sliter själen ur människornas kroppar, protesterande ungar på hallgolvet som vägrar ta på sig overaller, stövlar och få kliande mössor pressade över sina huvuden.

Det var en riktig skitmorgon imorse.

Ungarna fick raseriutbrott båda två, gud vet vad det var som gick snett, hans fru fortfarande sur för att han inte följde med till Nässjö.

Skönt att komma till jobbet.

Jävligt skönt.

Och nu ser han hur Waldemar slår koden till husets port, trycker upp dörren liksom i ilska över höstens jävlighet, och så står de bredvid varandra i den mögeldoftande trappuppgången och ser sig omkring, som om det fanns något annat att se än flagande grågrön färg och en namntavla och en trappa i gråspräcklig sten.

»Fy fan», säger Waldemar och Johan vet inte om hans kollega syftar på trapphuset eller vädret, men han gissar att Waldemar menar vädret och säger:

»Vi är nog bara i början av väderplågan.»

Jonas Karlsson.

Tre trappor.

»Högst upp», säger Waldemar och Johan tänker att det igenmurade ögat berättar allt man någonsin behöver veta om Waldemars brutalitet.

Efter en halv minut står de utanför en gråbrun ytterdörr och hör en ringklocka ljuda och sedan steg från någon som rör sig långsamt mot dörren.

Jonas Karlsson. Han som satt bakom ratten vid den där olyckan de hittade i arkiven. Jerry i bilen, på Fågelsjös marker som det var då. En yngling vid namn Andreas Ekström dog, en flicka vid namn Jasmin Sandsten blev skadad för livet.

Skönt att slippa undan pappren, tänker Waldemar.

Sven Sjöman imorse: »Rota i den där olyckan. Se om historien rört upp någon dy, det har hänt förr.»

Människors förflutna, tänker Johan. De är förankrade i det med kättingar, inmurade i sina minnen.

Jonas Karlsson.

Det som hände på nyårsafton för nästan trettio år sedan var av allt att döma en olycka, men hur mycket har du ångrat sedan den natten? Känner du dig skyldig till en ung människas död och en annans grava handikapp? Och i så fall, hur har ditt liv sett ut sedan dess?

Dörren öppnas.

En tunnhårig man med putande buk under en vinröd lammullströja ser trött på dem, hälsar inte utan gör bara en gest med högerhanden åt dem att komma in.

Påsiga kinder, men en skarp näsa, och Johan tänker att för trettio kilo och tjugo år sedan såg kanske Jonas Karlsson bra ut. En svag doft av alkohol i hans andedräkt.

»Ta av er skorna. Sedan kan ni sätta er i soffan», och Jonas Karlsson verkar gilla att kommendera dem, det finns en kraft i rösten som inte finns i hans hållning.

»Jag ska bara pissa så kommer jag», och Jonas Karlsson försvinner in på en toalett medan Waldemar och Johan tar plats i den vita soffan i vardagsrummet, känner hur de blå och vitrandiga tapeterna sluter sig om dem.

Snyggt och prydligt. Men få möbler och en stor platt-tv.

En typisk ungkarlslya, tänker Johan, och om rapporten stämmer måste Jonas Karlsson vara fyrtiotre år, men han ser betydligt äldre ut, sliten och trött. I ett hörn står ett spritskåp med dörrarna på glänt, ett askfat med några fimpar på bordet, men ingen påträngande röklukt.

»Tror du han dricker?» frågar Johan.

Innan Waldemar hinner svara hörs Jonas Karlssons röst:

»Jag dricker för mycket i perioder. Men det klarar jag.» Sedan tar han plats framför dem i en fåtölj placerad vid fönstret ut mot en innergård där några björkars svarta, till synes döda grenar vajar hetsigt i vinden och det för stunden tveksamma regnet. En bokhylla är full med dvd:er, VHS-kassetter och askar för super-åtta-film med oläsliga handskrivna etiketter.

»Bor du här själv?»

»Ja.»

»Ingen familj?» frågar Waldemar.

»Nej, tack och lov. Så ni vill prata om olyckan?»

»Ja», säger Waldemar. »Men först: Runkar du med vänstern eller högern?»

»Va?»

»Du hörde.»

»Jag är högerhänt om det är vad du vill veta.»

»Du vet väl vad som hänt Jerry Petersson?» frågar Waldemar.

»Jag läste om det i tidningen.»

»Vi söker brett nu», säger Johan. »Så vi kollar de flesta som haft med Jerry Petersson att göra på ett eller annat sätt.»

»Jag kände inte Petersson», säger Jonas Karlsson. »Inte då, inte senare.»

»Hur kom det då sig att ni var i samma bil den där nyårsaftonen?»

»Vi skulle tillbaka in till stan. Jag hade fått låna farsans bil och Jerry Petersson frågade om han kunde få skjuts in. Så som jag minns det. Och jag hade plats i bilen. Så varför inte? Han erbjöd mig hundra spänn och ville verkligen därifrån.»

Precis som i akten om olyckan. Jonas Karlsson säger samma saker idag som för tjugofyra år sedan.

»Festen hölls på familjen Fågelsjös marker, i något slags samlingshus?» frågar Johan.

»Ja, i ett församlingshem som de byggt som en gåva till kyrkan, tror jag.»

»Och Jerry Petersson ville bort från festen: varför, tror du?»

»Jag har ingen aning. Som sagt: jag kände honom inte särskilt väl. Det var kallt och sent. Han ville väl hem?»

»Kände du syskonen Fågelsjö, känner du dem?» frågar Waldemar.

Jonas Karlsson skakar på huvudet.

»Nej, du. De var riktiga stroppar. Jag gick i parallellklass med Fredrik Fågelsjö och det var han som ordnat nyårsfesten. Ibland bjöd han in mig och andra till sina fester när det behövdes utfyllnad.»

Johan nickar.

»Och Jerry Petersson, var han kompis med något av Fågelsjöbarnen?»

»Nej. Det tror jag inte. På ett vis var han väl mer som jag. En vanlig arbetarunge som fick komma med på nåder ibland.»

»Och ni var inte kompisar, du och Jerry?»

»Nej, har jag sagt.»

»Och de andra i bilen? Var de kompisar med Jerry?»

»Andreas Ekström var en del av Jerrys gäng. Jasmin Sandsten var nog kär i Jerry och ville med därför. De flesta tjejer var det, tror jag.»

»Så du tror att Jasmin Sandsten var kär i Jerry Petersson?» frågar Johan.

»Jag vet inte. Alla brudar var nerkåtade i honom. Han var en sådan.»

»Jerrys gäng?» frågar Waldemar sedan.

»Han hade många kompisar helt enkelt», säger Jonas Karlsson och torkar sig med ena handen över läppen. Konstigt, tänker Waldemar. Vi har inte hittat en enda människa som kallar sig Peterssons vän.

»Men han var inte vän med Fågelsjös?»

»Nej, inte vad jag vet. Det fanns en klick av rika ungar där ingen kom in, annat än som utfyllnad.»

»Kan du berätta om den där kvällen?»

Waldemar anstränger sig för att låta vänlig, inge förtroende och Johan förvånas över hur äkta det faktiskt låter.

Jonas Karlsson harklar sig, verkar ta sats, innan han börjar prata igen.

»Som sagt. Fredrik Fågelsjö hade ordnat fest på nyårsafton. Jag var bjuden, fick låna farsans bil för att ta mig dit, mot löfte om att jag inte drack. Efter tolvslaget så ville jag åka hem, sådana där sjöslag är inga höjdare om du inte är full själv.»

»Sannerligen inte», säger Waldemar.

»Och när jag skulle åka så kom Jerry Petersson med Jasmin Sandsten och Andreas Ekström och ville åka med. Andreas Ekström trängde in sig med den där tjejen i baksätet och Jerry tog plats i framsätet, och sedan gick det som det gick. Jag körde helt lagligt, ändå fick vi sladd i mörkret och snön och for ut på fältet och snurrade runt. Vi i fram hade bälte, inte de där bak och de for runt som i en centrifug innan de kastades ut genom bakluckan. Andreas dog av sina skallskador, Jasmin ... ja, hon är inte människa än.»

»De andra hade druckit», säger Waldemar.

»Det var nyårsafton.»

»Var det något särskilt som hände på festen?»

Jonas Karlsson skakar på huvudet.

»Tänker du ofta på olyckan?»

Johan säger orden långsamt och han kan se hur Jonas Karlssons ansikte blir spänt och hur hans pupiller vidgas.

»Nej. Jag har lagt det där bakom mig. Det var en olycka. Jag friades från allt ansvar och jag kände att ingen klandrade mig. Men visst, ibland tänker jag på Andreas och Jasmin.»

»Var du kompis med Andreas eller Jasmin?»

»Bara ytligt. Vi var på samma fester ibland. Pratade mellan lektionerna.»

»Har du haft någon kontakt med Petersson genom åren», frågar Waldemar sedan.

»Nada. Inte ett dugg. Har inte pratat med honom en enda gång.

Men det gick ju bra för honom. Onekligen.»

Waldemar stryker sig över knäna, gnider rastlöst fingrarna mot varandra.

»Är det okej om jag tänder en cigarett?»

Jonas Karlsson nickar.

»Om du bjuder mig på en.»

»Får jag fråga vad du jobbar med?»

»Jag är sjuksköterska. Jobbar natt uppe på röntgen.»

»Aldrig gift dig? Inga barn?»

»Nej du, det där är inte min grej.»

Och rummet fylls av kväljande rök och Johan tvingar tillbaka några hostningar, innan han frågar:

»Hade du skuldkänslor?»

Jonas Karlsson ser först förvånad ut, sedan finner han sig, säger:

»Ibland.»

»Hur gick det för föräldrarna? Var de arga på dig?»

»Jag tror att alla accepterade att det var en olycka, att sådana händer. Jag vet inte. Andreas föräldrar tror jag lyckades gå vidare. Jag fick den känslan på hans begravning.»

»Var Jerry på begravningen?» frågar Johan.

»Nej.»

»Fredrik Fågelsjö?»

»Nej, skämtar du?»

»Och Jasmins föräldrar?»

»Hon blev grönsak», säger Jonas Karlsson. »Jag hörde att hennes pappa tog det hårt. De skildes visst.»

Johan blir tyst, ser ut genom fönstret, tänker på den där pappan som på ett sätt miste sin dotter den där nyårsaftonen, ser sin egen dotter springa genom radhuset i Linghem.

I en vit flygande klänning.

En dotter vars själ försvinner på ett snötäckt fält en natt. En dotter som inte slutar att andas, utan istället går decennier av lidande till mötes. Vilka krafter kan inte sådant väcka till liv?

Zeke Martinsson lägger ansiktet i händerna, försöker stänga ute polisstationens alla ljud. Sorlet och blippandet som fyller det öppna kontorslandskapet kan göra honom galen när han ska tänka.

Malin på Teneriffa.

Måste ha landat nu. Kommer hon att träffa sina föräldrar? Fan vet.

Zeke har just avslutat sina telefonsamtal med Axel och Katarina Fågelsjö angående olyckan. Sven Sjöman har tidigare förhört Fredrik Fågelsjö i närvaro av hans advokat. Alla medlemmarna i familjen Fågelsjö har sagt att de knappt minns den där nyårsaftonen då olyckan hände, att det är historia och att ingen av dem ens tänkte på att Jerry Petersson var den överlevande passageraren. Vare sig när han dök upp som spekulant på slottet eller när han blev mördad.

»Det var», som Axel Fågelsjö uttryckte saken på telefon, »människor långt utanför den mer nära, centrala kretsen som färdades i bilen. Barnen brukade bjuda dem ibland för att fylla salongerna, så att säga.»

Klart de minns. Klart de minns Jerry som passagerare.

Som Katarina Fågelsjö sa: »Jag minns inte den där festen alls. Har inget minne alls av den, det är helt blankt.»

Vad är det som inte går ihop, tänker Zeke. Känner att det har betydelse. Men hur?

För mycket.

För lite.

Skogså.

Alltid detta slott, dessa ägor.

En bil sladdar av vägen en nyårsafton och två unga människor råkar illa ut. En av dem som satt i bilen och överlevde hittas många år senare död i en vallgrav på ägorna som nu är hans.

»Det är helt blankt.»

Lögn, tänker Zeke. Inget får människor att minnas som döden.

34.

Jonas Karlsson, nyårsafton 1984

Jag kryper över snön mot henne, jag tror att hon är död, hon rör sig inte och jag ska återuppväcka henne, det ska jag, jag ska blåsa ner luft i hennes lungor och ge henne livet åter. Blodet rinner ur hennes öron och hela världen, nyårsnattens alla eftergifter ringer inom mig och jag hör ingenting, men jag ser, och bilens strålkastare blinkar, pumpar fram sitt döda ljus som får Jerry att röra sig som i slowmotion, han rusar runt i svartvita skrikande bilder och kylan finns här och en tystnad, en svart tystnad som jag vet kommer att följa mig resten av livet.

Jasmin, var det så du hette?

Andreas? Var är han? Jerry står bredvid mig där jag kryper, han skriker något men jag kan inte uppfatta vad. Jag vill lyssna på honom, visa att jag är värdig att vara hans vän, vill inget hellre än att vara hans vän.

Jag håller ditt huvud i mina armar, Jasmin, och snön runt dig är färgad grå av grått blod, och varför har inte natten några ljud eller färger? Inte ens blodet orkar vara rött.

Och vad skriker Jerry? Vad är det han skriker.

Han vill något. Och jag minns nu, hur orden sköt genom bilen, kör långsammare, sakta in och sedan for världen runt runt runt, bröts itu i tusen olika ljud och skriken tog slut och jag hängde upp och ner i tystnaden och såg på ratten, på Jerry som fibblade med ett band, och sedan föll jag och började krypa.

Jag tyckte mig se någon stå över Andreas kropp.

En varelse med rädslans färglösa färg.

Och Jasmin i mina armar. Hon andas. Hur vet jag det? Jerry står

227

bredvid mig och skriker: Hon andas, hon andas och långsamt och bomullsaktigt och kallt kommer hans ord till mig, han skriker, ser på mig med sina obevekliga blå ögon, han vill mig något, han vill verkligen något.

På ett vis som jag själv aldrig kommer att vilja något mer.

Jag kan sväva tillbaka till det fältet nu. Det ligger stilla och blekt i regnet och diset, i den råa kylan som gör sorkarna förvirrade.

Jag tänker inte berätta för någon om den kvällen och natten. Om kärleken och beslutsamheten och döden och den vita snön och de fina rännilarna med blod ur en flickas döva öron, blodet som strömmade ut under henne som en mjuk huvudkudde av finaste sammet.

Jag var arg.

Besviken, men fast besluten att driva det här livet som var mitt framåt. Jag skulle bli den mest vårdslösa av vårdslösa människor.

Jag svävar högre nu.

Ser Skogså från ovan. Jag ser Linnea Sjöstedts lilla hus, hon sitter där inne och väntar på döden som inte kommer att besöka henne på länge än.

Snön singlar genom luften i små perfekta flingor, knappt större än dammkorn.

Jag använde, använder mina blå ögon.

Jag står på ett fält, några få kvadratmeter av den oändligt vidsträckta värld som är min, av den fulla rymd som nu är min.

En pojke upphör att vara pojke, samtidigt som snön och regnet lägger sig att vila på marken.

Vem var jag där jag stod på en trappa utanför en skolbyggnad några månader tidigare och kände sensommarvärmens matta solstrålar smeka min kind?

35.

Linköping 1984 och framåt

Pojken, som han ännu är, står på trappan till Katedralskolan i sensommarsolen, varm som minnet av hans mammas kalla hand.

Pojken röker inte som många av de andra eleverna i Linköpings mest förnäma gymnasieskola. Men han står ändå där på trappan, håller hov, ser de sina runt om sig, lär sig för varje dag hur han ska manipulera dem för att få dem dit han vill, tänker att det finns inget fel i det, för de andra vet inte vad de vill.

Så kommer pojkarna och flickorna från de stora gårdarna, godsen och slotten runt om i Östergötland, och det spelar ingen roll vad han säger eller gör, eller hur mycket de andra ser upp till honom, de där människorna behandlar honom som luft. De kan prata med honom och om honom, men det finns alltid något roat, avståndstagande i det de säger och gör, att de låter honom finnas men ändå inte.

Han önskar sig själv kraften att ge fan i dem, att inte vilja ha deras gunst, men han kan inte hålla sig, han försöker vara rolig på trappan, på lektionerna, i matsalen men det tar honom ingenstans.

Det finns slutna sällskap på skolan.

För slotts- och godsgossar, för läkarungar med stamtavla, men inte för Bergaungar med en död reumatisk morsa och en meningslös far som går på komvux av alla jävla saker.

Han, som är vackrast och smartast av alla borde vara självskriven i Naturvetenskapliga sällskapet eller i Vitterhet och Hävd, tillhåll för poetfjantar men ändå fyllt av status och bekräftelse.

Fan ta er.

Och festerna. De som de håller och dit de ofta bjuder alla utom honom. Hans briljans hotar dem, skrämmer dem.

Men Jerry ser bara en stängd dörr.

En dörr som ska öppnas.

Till vilket pris som helst. Och om pojkarna, med alla sina fjantiga namn och bostäder och bilar, är löjliga, så är det något annat med flickorna. Slotts- och godsflickorna med sina finlemmade kroppar och tunna blonda hår som ramar in smala ansikten med ännu smalare läppar.

Det finns något vackert och oemotståndligt i hur de rör sig, och de rör sig alla mot pojken, som nästan alla flickor gör, men när de andra bevekas av hans blå ögon viker de fina undan i sista stund. De fina vet vem pojken är, var han kommer ifrån, att han är en sevärdhet, ett nöje snarare än en människa att på allvar beakta.

Men det finns en flicka, den vackraste av de fina, som ser den han är bortom det han är; som ser den formidable pojke han är, den man han kommer att bli, och vilket liv han kommer att kunna erbjuda.

Hon vågar.

Och en kväll, efter en årlig klasskamp med tillhörande fest, har de letat sig ner till Stångån som slingrar sig genom Linköping, och de ligger tillsammans i ett övergivet pumphus, på en madrass och hon är naken under honom och hennes kropp är vit och han fyller henne med sin varma hårda köttiga själ och de vet båda att de aldrig kommer att kunna komma förbi det här ögonblicket, känslan som finns i den instinktiva kärleken, hur deras omedvetna kan släppa alla tvivel på sig självt och endast vila i svetten, smärtan, explosionen och en rymd fri från rädsla.

Sedan en nyårsnatt.

Vit snö som faller från en svart himmel på ett blodfärgat fält.

En pojke som skriker orden som gör honom till man.

36.

Havet flimrar i nyanser av blått Malin aldrig sett förut och solen verkar den här dagen ha tagit till sin uppgift att utplåna gränserna mellan elementen. Malin känner klänningen suga sig fast i ryggslutet och hur den varma vinden sluter sig om kroppen i en mjuk kravlös omfamning.

Hon ser prakten omkring sig.

Poolterrassen är byggd på en klippa kanske hundra meter ovanför en öde strand med svart sand.

Poolen.

Klädd med svart mosaik och Malin känner att det skulle vara skönt med ett dopp, ser på mannen i vattnet, som simmar längd på längd utan att bry sig om att besökare har anlänt.

Terrassen måste vara minst fyrahundra kvadratmeter stor och Malin och inspektör Jorge Gomez, klädd i en beige skrynklig linnekostym, sitter under ett parasoll vid ett teakbord placerat nära terrassens kant. På andra sidan poolen, framför det enorma kubformade vita huset vilar två bystiga blondiner på var sin solstol, pillar på sina mobiler och rättar till sina överdimensionerade solglasögon, samtidigt som tre jeansklädda gorillor kikar ut från ett vardagsrum där stora glasdörrar öppnats upp mot terrassen.

Ett modernt slott, tänker Malin. Ensligt beläget, men bara någon mil från stöket i Playa de las Américas.

En funkisdröm.

I vitt och stål med solen som värme. Det var väl något sådant här du drömde om, mamma?

Mannen i poolen fortsätter simma och små vågor sprider sig ut mot bassängens svarta kanter, skvalpar över och en av de bystiga reser sig, vinkar bort mot dem och Gomez vinkar tillbaka.

Han körde Malin hit ut, sa inte mycket, bara att de var medvetna om Jochen Goldmans tvivelaktiga förflutna men att det fanns många värre skurkar på ön, sådana som verkligen var dömda för mord och inte bara hade ett skamfilat rykte, och att de naturligtvis lät honom vara ifred när det inte fanns någon arresteringsorder utfärdad på honom.

»Han tillhör inte dem som gör något väsen av sig», sa Gomez på knagglig engelska. »Det gör däremot ryssarna. Dem får vi hålla kort.»

»Tror du han släpper in oss?»

»Är han hemma så gör han nog det.»

Tio minuter senare stod de utanför grindarna med den svarta Seaten på tomgång när en manlig röst i högtalaren beordrade dem: »Kör upp till huset så möter någon er där.»

De togs emot av en ung kvinna klädd i dräkt och hon visade dem till bordet på terrassen och sa, innan hon försvann in i huset: »Mr Goldman will be with you shortly.»

Crawltag.

Vatten.

Goldman i poolen.

Den ena armen framför den andra. Och Malin ser musklerna på hans armar arbeta, känner hur hon vill i poolen, känna sin egen kropp kämpa med vattnet, tränga undan det behagliga, mjuka hinder det utgör.

Den muskulösa, men ändå feta kroppen full av dynamik när den solbrände Jochen Goldman häver sig upp ur poolen, tar emot en handduk från en av gorillorna och börjar leende och med blött blonderat hår gå mot dem.

Handduken om nacken. En kraftig klocka på ena handleden, bronsfärgat skinn och en tung guldlänk om halsen. Tänderna blekta, onaturligt vita för att tillhöra en fyrtiofemåring som med största säkerhet inte levt det lugnaste av liv. En mördare? En sådan som gör sig av med folk? Omöjligt att veta.

Malin känner ingen rädsla inför honom. Hon känner något annat.

Jochen Goldman stannar tio meter ifrån dem, putar med sin svällande mage, torkar vattnet ur håret med högerhanden innan han sätter handduken om midjan.

Han sträcker ena handen mot Malin.

Hon tar den och handslaget är lika fast som hans leende känns opålitligt och Malin ser att han måste ha plastikopererat sig flera gånger under åren på flykt, han har bara några få rynkor runt ögonen, renare drag och en mer spetsig näsa än på de gamla bilderna i pressen. Jochen Goldman sätter sig i solen på en stol bredvid dem och en gorilla kommer fram med ett par solglasögon med infattade diamanter i skalmarna och Malin ler, säger: »Snygga solglasögon», och sedan presenterar hon sig.

»Malin Fors, kriminalinspektör vid Linköpingspolisen. Vi pratades vid på telefon. Det här är min spanske kollega Jorge Gomez», och Gomez nickar mot Goldman som höjer huvudet lätt i en hälsning tillbaka.

»Du får gärna ta av dig solglasögonen. Så att jag kan se dina ögon när vi pratar med varandra.»

»De är från Tom Ford. Du har smak», säger Jochen Goldman och tar av sig solglasögonen. »Det var du som ringde om Jerry? Eller hur?»

Det vet du, tänker Malin, och Jochen Goldman ler roat.

»Och nu har du åkt ända hit för att prata med mig», och Malin inser att inget i världen kan få Jochen Goldman att berätta mer för henne än vad han redan bestämt sig för att göra, så hon går rakt på sak.

»Vi har anledning att tro att du visste om att Jerry Petersson en gång försökte avslöja dig när du befann dig på flykt.»

Ett nytt leende, och hans bruna ögon blixtrar i motljuset när han säger:

»Javisst, det visste jag. Jag fick reda på det via min källa inom Interpol. Det var precis att jag hann undan den gången.»

»Ville du hämnas?»

»Nej, jag klarade mig ju. Och varför skulle jag vilja göra det nu, flera år senare? Jag har aldrig litat fullt på Jerry. Han var inte typen som ingav en fullt förtroende och i en situation som min var det bäst att helgardera sig.»

»Men du sa ju att ni var vänner?»

»Det var vi. Han ingav trots allt mer förtroende än de flesta.»

Malin nickar.

Hon kan se vattendropparna sakta torka på Jochen Goldmans hud, där han sitter bakåtlutad med benen brett isär och skamlöst tar för sig av dagen som om den vore den sista.

»Han ville bara sälja böcker», säger han sedan. »Hans girighet var rörande. Han hade precis cashat in flera hundra miljoner på det där it-bolaget, ändå kunde han inte hålla sig från att försöka höja upplagesiffrorna på boken.»

Ute till havs har ett stort kryssningsfartyg uppenbarat sig vid horisonten.

Bystdrottningarna har försvunnit från terrassen.

Kvar finns bara gorillornas vakande ögon inifrån vardagsrummet.

»Du lever gott här.»

»Jag arbetar hårt. Men jag skulle gärna ha en kvinna här.»

»Du har ju flera stycken», säger Malin.

»Men ingen som du.»

Malin ler, känner Jochen Goldmans blick, och hon funderar på om hon ska lägga klänningen till rätta, den har åkt upp av vinden, men hon låter den ligga som den gör, brukar aldrig spela på sådant, men nu gör hon ett undantag. För sig själv, för att förvirra Jochen Goldman?

Jag bryr mig inte om vilket, tänker Malin och ser på sin hud.

Gomez fingrar på sin mobil, den piper till av ett sms.

»Så du påstår att du inte ens blev arg på Petersson?»

»Nej. Om man inte förväntar sig lojalitet blir man inte heller upprörd över svek. Eller hur?»

»Jag vet inte det», säger Malin och så ser hon Janne i hallen i huset första gången han skulle åka till Bosnien, kvällen före hans avfärd och hur hon förgäves försökte få honom att sluta packa den kamouflagefärgade ryggsäcken.

»Men så är det.»

»Fortsatte du att göra affärer med honom?»

»O, ja.»

»Trots att du inte litade på honom?»

»Han visste ju inte att jag visste. Och en sak ska du ha klart för dig, Malin, ibland var Jerry Petersson precis den kille man ville ha på sin sida.»

»Varför?»

»Han hade kvaliteter. En hänsynslöshet som gick att dra nytta av.»

»Vad menar du med hänsynslöshet?»

Jochen Goldman höjer ögonbrynen, visar att han inte tänker svara.

»Hur lärde ni känna varandra?» frågar Malin istället.

»En gång när jag råkat i trubbel. Min vanlige advokat på hans firma hade semester. Jag gillade honom direkt. Och när han öppnade eget, följde jag med som klient.»

»Vet du varför han öppnade eget?»

»Han skrämde de andra.»

»Skrämde?»

»Ja, han var mycket smartare än de själva, så de var tvungna att slänga ut honom.»

Malin ler. Jochen Goldman stryker sig över magen, vidgar näsborrarna på samma vis som Tony Soprano.

»Något du tror att jag behöver veta? Om era affärer? Om Jerry?»

»Nej. Något ska du väl ta reda på själv?»

Jochen Goldman ler igen.

»Så du bestämde dig inte för att hämnas i efterskott och skickade en torped?»

Jochen Goldman flinar mot Malin som om hon själv är en ditskickad torped, men en välkommen, efterlängtad sådan.

Han sätter på sig solglasögonen och vrider huvudet så att de vassa strålarna från ädelstenarnas reflektioner träffar Malins ögon och hon tvingas kisa.

»Tråka inte ut mig, Malin. Du kan bättre än så. Och om jag nu gjort det så skulle jag inte berätta det för dig.»

Malin vänder ansiktet ut mot havet.

Tänker på Tove.

Undrar vad hon gör nu.

Tänker på mamma.

På pappa.

På att han nog ser fram emot att hon ska komma till dem ikväll.

»Ta en promenad med mig», säger Jochen Goldman. »Låt mig visa dig tomten.»

Hon går bakom Jochen Goldman i en brant trappa som slingrar sig neråt havet.

Han har alltjämt bara badbyxor på sig och hans bruna kropp glänser i solen medan han berättar om den spanske arkitekt som ritat huset, att han också byggt ett hus åt Pedro Almodóvar i bergen utanför Madrid.

Malin säger ingenting.

Låter Jochen Goldman prata, tänker att de är utom synhåll från gorillorna och att Gomez nog sitter kvar uppe på terrassen och snackar i sin mobil.

Jochen Goldman frågar om hon läst hans böcker, och hon svarar nej, kommer på sig själv med att hon borde ha gjort det.

»Du har inte missat något», säger han.

Han hoppar ner på den svarta sanden på stranden, rusar ner till vattenbrynet för att inte bränna sig på de heta kornen, och Malin sätter sig på det sista trappsteget, tar av sig sina vita tygskor och springer även hon till vattnet.

»Du kan klä av dig. Bada. Jag kan ordna fram en baddräkt. Du anar inte hur skönt det är att ligga i den här sanden och känna saltet kristallisera sig på kroppen.»

»Jag kan tänka mig det», säger Malin och mot sin vilja vill hon ligga där i sanden med Jochen Goldman bredvid sig, se på honom, den missriktade kraft som är han.

Jochen Goldman kastar en sten i vattnet. Låter den studsa hit och dit över vattenytan.

»Precis som den stenen», säger han, »kände jag mig i tio år.»

»Självförvållat», säger Malin. »Och du blev rikligt belönad.»

»Du är hård», säger Jochen Goldman.

»Realist», svarar Malin. »Nämnde Jerry Petersson någonsin något om en bilolycka han varit med om?» frågar hon sedan.

Det ljumma havet mellan tårna, en liten bubblande fräsande våg som rullar in på den svarta sanden.

»När han var i övre tonåren, det var några som dog.»

Jochen Goldman stannar upp.

Ser på henne och hon kan inte se hans ögon bakom solglasögonen, men hon känner att han nu tänker säga det de kom ner till stranden för att han skulle säga, det som hon omedvetet anat att han skulle säga om hon behandlade honom som en vanlig människa:

»Han skröt om det där en gång. I Punta del Este en nyårsafton. Att det var han som körde bilen, att han varit full men lyckats övertala någon annan, som var nykter, att säga att det var han som körde. Jerry var stolt som fan över det.»

37.

Du babblar, Jochen.

Det du sa till henne om olyckan? Jag har inget minne av något nyår i Punta del Este. Eller har jag det?

· Jag ser dig stå på din terrass vid ditt nybygge till slott och se ut över havet.

Visst ville jag ange dig.

Som i en cowboyfilm, John Wayne på flykt, som du, undan apacherna i ett bergsmassiv på gränsen mellan Texas och Mexiko.

Jag svävar ifrån dig nu, Jochen, lämnar dig i din rastlöshet, den har du ännu inte kunnat undfly.

Simma några längder till i din svarta skimrande vallgrav.

Du ska veta en sak, där jag är nu finns ingen rastlöshet, bara nyfikenhet och rädsla och tusen andra känslor som jag inte kan namnet på. Jag behöver inte hålla andra på avstånd, behöver ingen vallgrav.

Jag är äntligen fri från ångest och skam.

Men det är väl inte du, Malin?

Malin tar in hotellrummet.

Det är varmt nu, luftkonditioneringen slogs av automatiskt när hon gick och mögeldoften är påtagligare. Hon har klätt av sig naken och ligger på sängen och önskar att hon blivit inbokad på ett hotell med pool, skulle vilja känna kallt vatten omsluta kroppen.

Istället ser hon på de grågröna fuktfläckarna i taket och väntar på att Zeke ska svara i mobilen.

Klockan är fyra, han borde svara nu.

Och där är Zekes hesa röst i örat.

»Malin. Vad gör du? Hur mår du?»

»Jag ligger i det sunkigaste hotellrum jag någonsin bott i.»

»Hur är vädret?»

»Sol. Varmt.»

»Träffade du Goldman?»

»Ja.»

»Och?»

Från en av horbarerna hörs plötsligt några upprörda skrik och sedan börjar discomusik pumpa på hög volym.

»Ett disco?»

»En horbar», säger Malin.

»Exotiskt», säger Zeke.

»Jag skulle bara säga att Goldman påstår att det var Jerry Petersson som körde bilen på nyårsnatten och inte den där Jonas Karlsson. Enligt Goldman ska tydligen Jerry Petersson ha varit full och övertalat Jonas Karlsson att säga att det var han som körde för att klara sig undan.»

Det blir tyst i luren.

»Det var som fan», säger Zeke sedan. »Tror du honom? Eller leker han med oss?»

»Omöjligt att säga. Men vi får väl trycka till med det som medel. Pressa Jonas Karlsson.»

Nya skrik från hororna.

»Har ni hört honom ännu?»

»Ja. Jakobsson och Ekenberg gjorde det. Men nu får de väl göra det igen.»

»Familjen Fågelsjö?»

»De hävdar att de knappt minns olyckan.»

»De minns», säger Malin. »Var så säker.»

Zeke är tyst ett slag och Malin tänker på när Gomez erbjöd sig att bjuda på en öl nyss, och hur hon tackade nej trots att hennes kropp skrek efter en kall öl eller ännu hellre något starkare.

Men hon höll emot.

Så fortsätter Zeke:

»Waldemar och Johan får höra Jonas Karlsson igen med de nya

uppgifterna. Och så får vi höra de anhöriga till dem i bilen. Det finns ju en möjlighet där. Jonas Karlsson kan ha pressat Petersson på pengar. Någon av de anhöriga kan ha fått reda på sanningen, och då kan ju vad som helst ha väckts till liv. Fyrtio jävla knivhugg.»

»Hör Fågelsjös», säger Malin.

»Ska bli», säger Zeke. »Vem vet var i helvete den här skiten tar oss. Har du ringt hem, till Tove?»

Lägg dig inte i, tänker Malin. Har inte velat ringa för Tove har haft lektioner, eller hur?

»Skit i det du», säger Malin. Hör hur sur hon låter. »Förlåt», säger hon sedan.

»Det är lugnt, Malin», säger Zeke. »Men du måste förstå att det här fallet inte är viktigare än din dotter.»

Håll käften, Zeke.

»Det knackar på dörren här», säger Malin. »Säkert städerskan. Jag måste sluta.»

Zeke lägger på.

Ingen knackning har hörts, hon ville bara få slut på samtalet.

Jerry, tänker Malin. Jerry. Om det var du som körde den där natten, så la du in händelsen i ett litet svart kassaskåp och slängde bort nyckeln, eller hur? Tog bara fram den när du skulle tuppfäktas med Jochen.

Jag tar aldrig fram mina hemligheter, tänker Malin, för jag vet inte vilka de är. Och du Jochen, du vill inte veta vilken som är din verkliga hemlighet, eller hur? Du vill tro att allt går att styra, att världen går att få dit man vill.

Hon sluter ögonen.

Känner oron härska i kroppen.

Jag är trött på att känna mig så sorgsen, tänker hon. Arg och rädd. Varför är min blick densamma som Katarina Fågelsjös?

Mamma och pappa snart.

Golfklubbor som svingas mot en blå himmel. Den värsta icke-sysselsättningen av alla.

Det här fallet, tänker Malin. Det tar mig tillbaka till min allra innersta årsring.

Malin har somnat. Ligger värnlös med armarna över huvudet som om hon vore ett barn som instinktivt vet att mamma aldrig försvinner.

Hon drömmer om en kostymklädd man som sitter i en futuristiskt designad skrivbordsstol bakom ett mahognyfärgat skrivbord i ett rum med stora fönster ut mot en livlig gata. Mannen är klädd i en grå kostym och han är ansiktslös.

Han pratar till henne. Hon vill få stopp på det, men vet inte hur.

»Du ligger stilla på sängen», säger han. »I ditt slitna rum och önskar innerst inne att du kunde ligga så hela kvällen och natten, men du vet att du måste vakna, att du måste ut, och snart ska du kliva in i duschen, försöka skaka av dig alla känslor innan du beger dig rätt in i dem.

Du har kommit hit ner, till den här sönderbyggda ön för att ta reda på min hemlighet, hur jag fick alla de där knivhålen i min kropp.

Och det är jag tacksam för», säger mannen.

»Men mer än min hemlighet intresserar du dig för din egen.

Tror du att du får reda på den hemma hos dina föräldrar ikväll? Hoppas inte på för mycket, Malin. Är det inte bättre att du åker hem? Slutar supa och tar hand om din dotter? Men inte ens det klarar du av. Så svag är du.

Men enklare att du koncentrerar dig på mig.

Här hos mig kan du ana sanningarna och slipper ta itu med dig själv.

Ta en drink, Malin.

Drick, Malin.

Då mår du bättre.»

Och så försvinner mannen och rummet. Bara rösten blir kvar.

Malin hör rösten inom sig, den viskar:

»Drick, drick, drick.»

Och i sin sömn undrar hon var den rösten kommer från. Är den en stilla bön från hennes egen kropp om lugn, om att få bli fri från sorg, längtan och rädsla?

Hon vaknar och rösten försvinner, men känslan av den dröjer sig kvar i rummet.

Hon ställer sig i duschen.

En kvart senare sitter hon vid disken på en sliten bar och ser sitt ansikte i en kantstött spegel.

Glaset med tequila fyllt till hälften, imma på det kalla ölglaset.

Mamma.

Pappa.

Here I come. Men jag borde ha haft Tove med mig. Så att ni fått se henne. Det vackraste av allt vackert.

»Han är inte hemma nu heller», säger Waldemar Ekenberg när de för tredje gången på en dag ringer på dörren till Jonas Karlssons lägenhet.

»Och ingen jävla mobil har han.»

»Var kan han vara?» säger Johan Jakobsson.

»Ingen aning.»

Johan ser på dörren.

Massiv och stängd på ett sätt som om den ville bevara hemligheter. De var här för två timmar sedan, efter Malins samtal till Zeke, och Jonas Karlsson var inte hemma då heller. Han var inte heller på sitt jobb på sjukhuset.

På stationen har polisassistenterna letat efter föräldrarna till flickan och pojken som var med i bilkraschen. Båda paren hade skiljt sig, men bor kvar i stan.

Kväll nu. Vi kan inte besvära dem så sent, för något så vagt som detta, tänker Johan. Men imorgon måste vi.

Jag ser inte fram mot morgondagen, tänker han, samtidigt som han vänder på klacken och går nerför trappan, bort från Waldemar, bort från Jonas Karlssons lägenhet.

38.

Den motvilliga saknaden har en adress.

Calle Amerigo tre.

Hennes två snabba tequila och ölen har gjort sitt.

Malins händer vilar lugna på hennes bara ben. Hon bär en kort vit kjol och en rosa blus, ganska välstruken trots att den varit nerpackad i väskan.

Klockan på taxins instrumentbräda visar fem i halv åtta. Pappas ord i telefon:

»Kom halv åtta, då är vi garanterat tillbaka från rundan.»

Taxin letar sig bort från Playa de las Américas längs en väg som går utmed havet, den värsta hetsen och stöket försvinner och ersätts av ett bostadslugn, inga hastigt byggda hotell kantar längre vattnet, istället lika hastigt uppförda lägenhetshus där de inredda balkongernas noggranna pynt signalerar pensionär.

Mamma.

De letade länge efter en lägenhet vid stranden, men det var för dyrt.

I Los Cristianos svänger taxin av uppåt bergen, där allt mer högresta vitputsade hyreshus klättrar uppför ockrafärgade klippor.

Jag har inte träffat mina föräldrar på tre år.

Har jag saknat dem?

Ibland, kanske, när jag hört pappas röst i telefonen och han bett mig komma och hälsa på, eller när han tjatat om blommorna.

Mamma.

Har kanske pratat med dig tio gånger och då har vi frågat varandra om vädret.

Har jag saknat er i Toves liv? Du, pappa, har frågat om henne, visst. Men ni har inte brytt er på riktigt.

Det var därför jag kunde flytta till Stockholm själv med henne och gå Polisskolan, för jag kände att ni inte fanns där för vare sig mig eller henne på riktigt.

Har Tove saknat er?

Hon försökte ringa henne nyss, men det var något fel på linjen.

Det är klart som fan att Tove saknat sin mormor och morfar. Jannes mamma och pappa är döda sedan länge, inbitna nikotinister som de var.

Malin är lummig av tequilan. Känner hur hon kan vara uppriktig inför sig själv här i taxin.

Husen här. Förvaring av människor.

Vad finns på den här brända jävla vulkanön mer än värme och flykt från ansvar.

»Kom halv åtta.»

Malin sluter ögonen.

»Vi är hemma från golfbanan då.»

Hissen stannar på fjärde våningen och de avskavda metalldörrarna åker isär och Malin vill trycka igen dörren, fly från huset och ta en taxi tillbaka till flygplatsen och ta första bästa plan upp till mörkret och regnet och kylan.

Hon går mot den dörr i trapphuset som måste tillhöra föräldrarnas lägenhet.

Varmare där hemma än här. Den vita marmorliknande stenen på trapphusets väggar och golv verkar skapa en märklig kyla, en köld hon inte känt förut och hon är åtta år och står vid huset i Sturefors, det är kallt och regnar och hon har glömt nyckeln, och hon hör mamma inne i huset. Mamma vet att hon står ute på trappan och fryser och gråter och vill in, men hon öppnar inte, är arg för att Malin tappat nyckeln.

Malin står utanför dörrarna.

Dörren på Teneriffa.

Nu vänder jag.

Kanske är de inte hemma.

Men hon hör de välbekanta rösterna bakom dörren, hur de först pratar med varandra i vanlig samtalston och sedan hur de skriker åt varandra, hon ligger i sin säng i flickrummet och hör dem skrika i sovrummet i andra änden av huset och det är kalla höstnätter, vinternätter, vårnätter och sommarnätter och hon förstår inte vad de säger och hon är sju åtta nio år gammal och förstår inte orden, men vet att mamma och pappa skriker sådant som förändrar allt för alltid, sådant som ändrar riktning på livet, vare sig man inser det eller inte.

Och nu utanför den här dörren tystnar mammas och pappas ord i minnet. Fanns de ens, orden? Hon minns bara sig själv i mörkret. Hur allt var tyst och hon låg och väntade på att livet skulle ta sin början.

Rassel.

Malin hoppar baklänges.

Hinner inte se skuggan i säkerhetsögat och så står pappa där framför henne, solbränd och fryntlig och glad över att se henne. Hans ansikte är rundare och han ser ut att må bra, och han tar henne till sig, trycker henne i sin famn och håller henne länge där, utan att säga ett ord och till slut säger Malin:

»Pappa, jag får svårt att andas.»

Och han släpper henne. Stiger åt sidan. Säger: »Nu går vi in till mamma», och Malin går in i lägenheten, ser möblerna och mattorna som de tagit ner från Linköping, hur illa de matchar de nya möblerna i spansk haciendastil som de måste ha köpt här nere.

»Hur mår du?» frågar pappa när han följer henne ut i vardagsrummet.

»Bra», svarar hon och ute på en balkong med utsikt över Atlanten ser hon mamma med ryggen vänd mot henne, i ett märkligt motljus från gatlyktorna. Mamma sitter vid ett bord i en rosa tenniströja, hennes page alltjämt blond, och Malin undrar hur hennes ansikte ser ut.

Rynkigt? Piggt, argt, eller bara äldre?

Mamma vänder sig inte om och snart står Malin bredvid henne på balkongen, hör pappas röst som säger: »Hon är här nu!» och då får mamma syn på henne och Malin tänker att hennes ansikte ser ut som det alltid gjort, bara brunare, men med samma snipiga uttryck som inte försvinner trots leendet på hennes läppar.

Mamma står upp nu.

Luftpussar mig på kinderna.

»Har du druckit, älskling? Du luktar sprit. Och så ser du faktiskt plufsig ut.»

Och utan att invänta svar fortsätter hon:

»Vad kul att du är här, älskling. Jättekul. Det var på tiden. Vi har köpt den bästa paellan på ett ställe på vägen hem från Abama, du skulle se den banan! Vilken bana! Du, Henry, du hämtar ett glas vitt till din dotter är du snäll. Seså, sätt dig där», och så sitter Malin mitt emot sin mor på föräldrarnas balkong på Teneriffa och hon vet inte om hon ska se på mamma, in i lägenheten eller ut över havet.

»Vad gör du här *egentligen*?»

Mamma dricker frenetiskt och nervöst av sitt vin och Malin tar stora klunkar ur glaset pappa nyss ställde framför henne, och hon undrar om det är så här man hälsar på sina föräldrar, sitt enda barn när man inte har träffat varandra på tre år. Sedan tar Malin en till djup klunk av vinet och tänker att det finns inga regler för sådant, inga mänskliga standardbeteenden och hon önskar att pappa vore här, men istället hör hon honom rumstera runt i det som måste vara lägenhetens kök.

Mamma framför henne med sin fråga hängandes i luften.

»Ett fall jag jobbar med», svarar Malin. »Det ledde hit. Så jag åkte ner.»

Och vilken annan människa som helst hade fortsatt fråga nyfiket om fallet, undrat vad det handlade om, vad som var den konkreta anledningen till att en kriminalinspektör från Linköping flög fem och en halv timme ner till Teneriffa.

Men mamma börjar prata om golfbanan.

»Du förstår, den ligger i Abama, det lyxigaste hotellet på hela ön och det är svindyrt att spela där om man ens kan få tee-tid, men så lottade de ut slotter i Svenska klubben och vet du, vi vann. Du ska se första hålet, vi var där med Sven och Maggan …»

Malin låtsas lyssna.

Nickar.

Inom sig berättar hon för mamma om Tove, hur Tove mår, att hon börjar bli stor. Hon berättar om Janne, att de flyttat isär och att det gör henne förtvivlad och att hon ibland inte vet vad hon ska göra av sig själv, och »om man slår ut bollen där, kan den åka rätt ut i havet och då får du tre straffslag och då är ju rundan förstörd», och Malin berättar att hon själv känner att hon förstör allting, att hon vill dricka, att hon dricker för mycket, att hon super som ett svin, och att hon innerst inne erkänt för sig själv, men bara för sig själv, att hon är en jävla alkis men att hon aldrig någonsin i helvete kommer att erkänna det för någon annan, och hon nickar glatt när pappa häller upp mer vin till henne och tallrikar står plötsligt på bordet bredvid en köpepaella i en aluminiumform där tre stora havskräftor tronar överst på gulfärgat ris.

Mörkret har fallit.

Och Malin hör den tveksamma, avlägsna musiken från pubarna nere vid stranden och lyssnar när pappa säger:

»Varsågod att ta för dig, Malin.»

Och hon sträcker sig fram för hastigt och välter sitt vinglas.

Helvete.

»Ops», säger pappa. »Det fixar jag.»

»Samma klumpedunsa som alltid», säger mamma och Malin vill resa sig och gå därifrån, men förblir sittande.

Malin hör mamma tjattra med någon av sina väninnor på telefonen inne i vardagsrummet.

Pappa med stilla ansikte mitt emot henne, verkar nästan tycka att det är skönt att mamma lämnat bordet.

Paellan är uppäten.

God, tänker Malin, trots allt.

Mamma pratade om golf, om frisörer, om maten som blivit dyr, om att lägenheten kanske inte var så stor men att den minsann stigit i värde, om någon yogakurs hon börjat på, om allt det och mycket till och så ringde telefonen och hon gick för att svara. Nu frågar pappa:

»Hur är det med Tove?»

Vinet har tagit Malins huvud i besittning.

»Hon börjar bli stor.»

»Som du varit länge.»

Du ler mot mig, pappa.

»Och Janne?»

Han måste veta att vi flyttat isär.

»Det är okej. Det gick inte att få det att funka. Ingen idé att försöka då», och just som pappa ska kommentera det hon sagt dyker mamma upp i dörröppningen, säger: »Det var Harry och Evy. De kommer över. De ville så gärna träffa vår duktiga kriminalinspektörsdotter.»

Nej, tänker Malin. Nej.

Och pappa ser på henne, säger: »Vet du, Malin. Varför hjälper du mig inte att duka av det här, så kan vi ta en promenad ner till affären och köpa lite glass tills de kommer?»

»Gör ni det», säger mamma. »Mina fötter värker. Vi måste ha gått minst två mil idag. Hur många sextiosjuåringar orkar det?»

Malin tömmer sitt vinglas.

Dricker noggrant de sista dropparna, men mamma verkar inte lägga märke till hennes törst.

39.

Det stönar från drickakylen och den lilla Supermercadons luftkonditionering.

Ägaren hälsade på Malins pappa som vore han en kär gammal vän och pappa pratade länge med honom på närmast flytande spanska. Malin förstod inte ett dugg av deras konversation.

»Ramon», sa pappa. »Trevlig prick.»

Och nu säger han:

»Vad säger du? Vanilj eller choklad? Du gillar choklad, eller hur?»

»Jag skulle gilla en öl på baren här bredvid.»

Han tar ett paket chokladglass ur kylen innan han vänder sig mot henne, hans ljusblå skjorta har små gula fläckar på bröstet av paellaris och Malin ser nu att hans hår blivit mycket tunnare sedan de sågs sist.

»Vi kan gå dit om du vill, Malin», och minuten senare sitter de inne på baren, i en trettiogradig kvardröjande värme under en vispande takfläkt, och Malin torkar kondensdroppar från glaset och tänker att känslan är samma här som hemma på Hamlet eller Pull & Bear. Barens väggar är täckta av blått kakel med ett mönster med vita fiskar fångade i nät.

Pappa tar en djup klunk av sin öl och säger:

»Mamma är sig lik.»

»Jag märker det.»

»Men på något sätt blir det lättare här nere.»

»Hur då?»

»Det blir mindre på låtsas.»

Malin tar en klunk och nickar för att visa att hon förstår vad han menar, sedan tar hon ett djupt andetag.

»Du har haft det tufft», säger han.

»Ja.»

»Något du vill prata om, tjejen?»

Vill jag det?

Vad skulle vi säga varandra, pappa? Och fiskarna på kaklet, hälften av dem har slutna ögon, som om de befann sig i en mörk vallgrav, och hon vill berätta om sina drömmar, om pojken i dem, berätta och få reda på vem han är, vad som döljs i mörkret i de drömmarna.

»Jag har drömt om en pojke», säger hon till slut.

»Pojke?»

»Ja.»

»En liten pojke?»

»Ja.»

Pappa tystnar, dricker.

»Var mamma borta när jag var liten?» frågar Malin sedan.

»Glassen smälter. Ska vi gå tillbaka», säger han.

»Pappa.»

»Vissa saker håller man bäst för sig själv, Malin. Vissa saker blir som de blir och man måste acceptera det. Du är själv bra på att inte släppa någon in på livet. Det har du alltid varit.»

»Vad ska det där betyda?»

»Ingenting», säger han. »Ingenting.»

Malin tömmer ölen i fyra stora klunkar innan hon reser sig efter att först ha lagt en femeuro-sedel på disken.

Hon och pappa står bredvid varandra på trottoaren. Bilar passerar och människors sorl blandar sig med okänd musik.

»Ni har en hemlighet, du och mamma, eller hur?» säger Malin. »Något ni inte berättar för mig, trots att ni borde.»

Pappa ser på henne och han öppnar munnen, rör tungan och läpparna men inga ord kommer ur hans mun.

»Berätta, pappa, jag vet att det finns något jag måste få veta.»

Och han ser ut som om han ska säga något, sedan ser han upp mot lägenhetens balkong och Malin kan ana mammas gestalt däruppe.

»Hemligheten. Det finns en hemlighet, eller hur?»

Och pappa säger:

»Vi måste upp med glassen innan den smälter, och våra bekanta är snart här.» Sedan vänder han sig om och går.

Malin står kvar på trottoaren.

»Jag är trött, pappa», säger hon och han stannar, vänder sig om mot henne igen.

»Jag följer inte med upp. Jag åker tillbaka till hotellet.»

»Du måste säga adjö till mamma.»

»Förklara för henne, du.»

Och de står mitt emot varandra, på fem meters avstånd, i kanske en minut ser de på varandra och Malin väntar på att han ska komma till henne, krama henne, trycka allt det som svider och bränner bort från verkligheten.

Han håller upp glassen.

»Jag förklarar för mamma.»

Sedan ser Malin hans skjortrygg. Ljusblå och svettig i det matta skenet från baren, affären, gatlyktorna, stjärnorna och en halv måne.

Vad gör du här?

Jochen, brukar du gå hit? Är det du som sitter där borta vid bardisken och visar din bronsfärgade hud?

Vad gör hon här?

De verkar undra det, männen som sitter vid bardisken runt podiet där de nakna flickorna dansar i ett blått fluorescerande ljus. Hon är på horbaren mitt emot hotellet. Kan krypa hem.

Lesbisk?

Jag skiter i vad ni tror, tänker Malin. Jag skiter i att varje shot tequila kostar trettio euro och att flickor försvinner med män bakom ett draperi.

Afrikanskor.

Balkanbrudar.

Ryskor.

Flera av dem har säkert hamnat här under hot och med våld. Hur många av dem kommer att sluta som Maria Murvall?

Men nu dansar de, deras oljade hud blänker och de snurrar håglöst runt stolparna, de ler med sina ansikten men ögonen förblir fria från känslor.

Malin sänker sin fjärde tequila och äntligen börjar rummet, flickorna, männen runt omkring henne mista sina konturer och sväva samman till en enda varm och lugn bild av verkligheten.

Här kan jag sitta, känner Malin.

Den här bardisken är min plats.

Hon lyfter fingret, vinkar till sig bartendern.

Han fyller på hennes glas och hon lägger pengar på disken. Hon vet att så länge hon betalar så får hon dricka, och skulle hon trilla av stolen så kommer de att bära ut henne på gatan, lägga henne avsides för att sova ruset av sig.

Men jag ska hålla mig fast i planeten, tänker hon.

Sedan sluter hon ögonen.

Toves ansikte. Vad gör hon nu? Är odjuret där vid hennes säng och vill strypa henne? Vill dränkta kloakråttor nafsa all hud från hennes sovande kropp? Jag kommer, Tove, jag ska ta hand om dig.

Jannes ansikte. Daniel Högfeldts. Mammas, pappas.

Bort med er. Vill ni mig ens väl?

Bort.

Maria Murvall. Stum och uttryckslös, men ändå tydlig. Som om hon valt att dra sig undan världen för att slippa se mörkret.

Jerry Petersson. Han försöker röra sig i vallgraven, klättra uppåt men de gröna andarna håller honom nere, fiskarna, men också maskar och krabbor och ålar och svarta aggressiva kräftor äter på hans kropp, faller ur hans mun och tomma ögonhålor.

Jochen Goldmans kropp. Kommer han och tar mig nu? Står jag i hans väg? Blir jag hajföda nu?

Inte mig emot.

Familjen Fågelsjös självmedvetenhet och bitterhet. En bil som snurrar runt runt som en enorm snöboll en kall och snöig nyårsnatt.

Mörka bilar.

Ögon som ser, men som ingenting varseblir. Världen försvinner och blir mjuk och formbar, enkel och möjlig att förstå, tycka om.

Drick, drick, drick, hörs rösten. Drick. Då mår du bättre, då blir allt bra.

Jag lyssnar gärna på den rösten, tänker Malin.

40.

Onsdag den tjugonionde oktober

Du skulle se dem nu, Malin.

Vad är det de heter, dina kollegor? Waldemar? Johan.

De står tillsammans i morgonkylan med Jonas Karlsson utanför huset där han bor, ber honom gå in, säger att de måste prata med honom, att han inte berättat sanningen om vad som hände den där olycksaliga nyårsaftonen.

Du ser, Malin, jag håller koll på vad ni gör.

Det har varit en mindre god morgon för dina kollegor. Åklagaren har beordrat att Fredrik Fågelsjö ska släppas ur häktet, han har fått en framställan av advokat Ehrenstierna som gjorde honom övertygad om att Fredrik Fågelsjö inte skulle begå fler brott, och finnas till ert förfogande. »Vi kan inte hålla en så framstående medlem av vårt lokala samhälle en hel vecka för relativt lindriga brott.»

Men ni poliser misstänker honom ändå.

Nyårsafton. När ska den snön sluta falla? När ska gräsklipparknivarna tystna?

Var det jag som körde?

Vad gjorde jag på Fredrik Fågelsjös nyårsfest? Jag vill inte minnas, men det var en av de där sakerna vi människor gör, Malin, när vi både vill ha något och inte, när vi vill visa vår suveränitet, men samtidigt måste släppa på den för att få något.

Jonas är rädd nu.

Jag känner det när jag placerar mig bara centimeter ifrån honom. Han vet att tiden kommit ikapp sig själv.

Jonas var på väg till jobbet när poliserna kom tillbaka. Berättar för dem att han var på travet i Mantorp hela dagen igår.

Kanske var det han som körde ändå?

Jochen kan spela och leka med vem som helst bara för skojs skull, utan leken är hans liv poänglöst.

Nu stängs porten till Jonas Karlssons hus.

Waldemars hand på hans axel när de försvinner in i byggnaden. Och jag är hos dig nu, Malin, bredvid ditt sovande huvud tiotusentrehundrasjuttionio meter upp i luften.

Hemligheter, Malin. Du älskade hemlisar som liten, och nu har du fått dem på hjärnan.

Jetplanet rör sig framåt genom atmosfären. Du sover en drömlös sömn och det är dig väl unt, du fick stanna taxin på väg ut till flygplatsen så att du kunde kasta dig ur, häva gårdagen ur magen.

Är du oförbätterlig, Malin?

Du ser så sliten ut där du sitter lutad mot den kalla konkava rutan, döv för motorernas susande. Jag skulle faktiskt vilja smeka din kind, Malin, och det är väl allt du vill.

Sjunka ner i människors värme.

Känna att det finns något bortom vallgravens kalla stenar.

Jonas Karlsson har satt sig på soffan i sitt vardagsrum. Johan Jakobsson sitter mitt emot i en fåtölj medan Waldemar Ekenberg vankar rastlöst av och an i rummet. Vardagsrumsbordet är belamrat med tomma ölflaskor och en ihoptryckt lådvinsbox och en sur stank av torkande alkohol biter sig fast i deras näsor. Men bortsett från stöket på bordet är Jonas Karlssons lägenhet ren.

Waldemars långa kropp rister, rösten är djup och färgad av hundra tusen cigaretter.

»Du har ljugit för oss», säger han och Johan tänker att hans röst ger honom rysningar: Snärten i slutet av orden trots östgötskan, trots rökhesheten.

Jonas Karlsson verkar redan ha kapitulerat, vara redo för stormen som kommer hans väg nu.

»Jag har inte …»

»Håll käften, ditt mähä», skriker Waldemar. »Klart som fan att du har ljugit. Det var Jerry Petersson som körde bilen den där nyårsaftonen. Inte du.»

»Jag …»

Och Johan vill säga åt Waldemar att ta det lugnt, att visa hänsyn, men han förblir tyst. Det är något med känslan i rummet som han mot sin vilja finner oemotståndligt.

»Om du berättar sanningen behöver det inte få några konsekvenser för dig», säger Johan. »Det var så länge sedan …»

»Det var inte jag som …»

Och Johan ser in i Jonas Karlssons rädda ögon, ser att han vet att hela bygden via media och rykten kommer att få reda på hans historia, viska den bakom hans rygg.

Så höjer Waldemar ena armen, spänner handflatan, låter den falla hårt över Jonas Karlssons mun och Jonas Karlsson skriker och blodet rinner ur en sprucken läpp.

Waldemar böjer sig ner mot honom.

»Vill du ha mer? Va?»

»Jag …»

Ett nytt slag viner genom luften, träffar Jonas Karlsson i bakhuvudet och han kastas framåt mot soffbordet.

»Va?»

»Det var inte jag som körde», skriker Jonas Karlsson. »Det var inte jag. Jerry, Jerry, Jerry.»

Malin har vaknat.

Hjärnan som innesluten av flygplanets sus, motorernas stilla malande och härjandet från barnfamiljen två rader fram. Bredvid henne sitter ett pensionärspar, brunbrända, uppenbarligen har de varit länge i solen och de skulle kunna vara hennes mamma och pappa. De log åt henne när hon vaknade, slog upp sina bakfulla rödsprängda ögon.

Burken med Heineken framför henne urdrucken till hälften. Har givit kroppen lugn, dämpat illamåendet.

En utflykt till värmen.

Men bara den fysiska. Jag längtar bort, tänker hon. Ser Jerry Petersson i vallgraven, hur kroppen gungar fram och tillbaka i vattnets regelbundna men ändå planlösa rörelser.

Du var uppenbarligen ett svin, tänker Malin. Ett riktigt svin. Så varför bryr jag mig, egentligen?

Och så hör hon en röst i djupet av sin dunkande skalle:

Vad skulle du annars bry dig om, Malin? Allt det du borde men inte orkar ta tag i?

»Nu berättar du för oss.»

Waldemar Ekenbergs röst är lugn men ändå befallande och i ordens kärna finns hotet om mer våld.

Waldemar har satt sig bredvid Jonas Karlsson i soffan, givit honom en rulle med toalettpapper som han nyss hämtade från badrummet och Johan lutar sig fram på sin plats i fåtöljen, säger:

»Berätta sanningen för oss nu. Jerry är död. Han kan inte göra dig någonting nu.»

Och Jonas Karlsson harklar sig, tittar upp och tar till orda med en bit papper fäst på såret på läppen:

»Jerry var på festen när jag kom dit. Jag tror att han åkte med någon annan. Vid halv två ville Jerry åka in till stan och jag erbjöd mig köra honom och de andra. Vi gick till parkeringen där bilen stod. Festen hade spårat ur. Fredrik Fågelsjö hade gått upp till slottet med dem han ville ha med på efterfesten och till dem hörde inte vi.»

»Så ni var vänner, du och Jerry?»

»Jag var en av många i hans gäng. Vänner? Han hade inga vänner. Han kunde få en att tro att han var ens vän, visst. Och jag ville vara hans vän. Jag beundrade honom, han var en sådan som man ville vara, ville skulle gilla en till varje pris.»

»Så du beundrade honom. Och sedan?»

»Vi fyra, jag, Jerry, Andreas och Jasmin skulle in till stan. När vi kom till bilen ville Jerry prompt köra. Han var rejält upprörd över något, hade varit sur hela kvällen. Han blev riktigt aggressiv när jag vägrade först. Skrek och stod i. Så jag kastade nycklarna till honom, sa: 'Kör då för fan om du vill', och jag spände fast mig i framsätet och Andreas och Jasmin hoppade in där bak, men de var väl för fulla för att komma ihåg bältena.»

»Vad var Jerry upprörd över?»

»Ingen aning. Han hade alltid en massa hemligheter.»

»Sedan åkte ni iväg.»

Waldemar lägger armen om Jonas Karlsson.

»Jerry gasade som fan.»

»Ni kom inte så långt.»

»Vi måste ha gjort en sextio sjuttio när vi kom till kurvan. Hjulen tappade greppet och jag minns bara att jag tänkte att nu går allt åt helvete och sedan tumlade bilen runt runt på det snöklädda fältet och det var som att befinna sig i en tvättmaskin full med sprutande ljus, och sedan blev allt tyst och stilla. Efter ett tag såg jag Jerry hänga upp och ner bredvid mig, han kämpade för att ta sig loss, och han knäppte loss mig, och om han varit full nyss så hade adrenalinet gjort honom fullständigt klar.»

Johan ser synen framför sig.

De två unga männen som stapplar runt i snön, som försöker skyla sig mot vinden och de drivande flingorna, som ser kropparna längre bort på fältet.

»Vi såg dem. Andreas och Jasmin. De låg på fältet.»

»Gick ni fram till dem?»

»Ja. Det blödde ur Jasmins öron, men hon andades.»

»Och ni förstod att Andreas var död.»

»Jag tror det.»

»Och sedan?» frågar Waldemar.

»Jerry tog tag i mina i armar och sa: 'Jag kommer att åka dit för det här, jag var full, men om vi säger att det var du som körde så kan jag klara mig.' Han såg på mig med sina blå ögon och jag fattade att jag aldrig skulle kunna säga nej till honom. Och jag tänkte: Vad är meningen med att Jerry får sitt liv förstört? Han sa: 'Om vi säger att du körde, som är nykter, kommer polisen att skriva av det som en vanlig halkolycka.'»

»Så du gick med på det?» frågar Johan.

»Ja.»

»Bara så där? Det låter för enkelt i mina öron.»

»Jerry kunde vara väldigt övertygande. Och han lovade mig en massa saker innan polisen och ambulansen dök upp. Han lovade att vara min vän, och jag ville inget hellre, det var en dröm för mig. Han lovade också att jag skulle få pengar av honom om han någonsin blev rik.»

»Blev han din vän?»

»Nej, han flyttade ju till Lund.»

»Fick du några pengar?»

»Nej.»

»Frågade du?»

»Nej. Det hade gått så lång tid när det började stå i tidningarna om hans affärer.»

Waldemar väser fram sina ord:

»Du försökte aldrig pressa honom på pengar när det började gå bra för honom? Eller när han flyttade tillbaka? Hotade med att berätta sanningen?»

»Nej. Vad hade jag att vinna på det? Om sanningen kom fram skulle det ju bli känt i hela stan att jag ljugit och jag skulle ha framstått som en vekling. Jag kunde kanske ha blivit åtalad.»

»Är du inte det?» frågar Waldemar. »En vekling?»

Jonas Karlsson skrattar nervöst.

»Det är precis vad jag är», säger han.

»Det slog dig aldrig att föräldrarna hade rätt att få veta vad som verkligen hände?»

Jonas Karlsson gör en gest mot flaskorna på bordet.

»Det slog mig varje dag.»

»Så du försökte inte pressa Jerry på pengar? Åkte ut till honom den där natten? Och så gick allt fel?»

»Den natten var jag hemma hos två kompisar, vi festade till långt in på morgonen. Ni kan ringa dem.»

»Det kan du ge dig fan på att vi ska göra», säger Waldemar.

Jonas Karlsson frigör sig ur Waldemars grepp. Reser sig och ställer sig mitt i rummet.

»Jerry Petersson var inte som andra. Och allt han lovade mig den kvällen, svek han. Men än idag tycker jag att det var rätt det jag gjorde. Andreas var död, Jasmin skadad för livet. De visste vad de gjorde när de klev in i bilen, även om de var fulla. De var vuxna nog att ta konsekvenserna av sina handlingar. Ingen skam föll över mig, det skrevs av som en olycka, och sådana händer. Varför då förstöra Jerrys liv också? I andra människors ögon lämnar man aldrig en sådan sak bakom sig.»

»Du menar att köra full och ta livet av andra?» frågar Johan.

»Det är precis vad jag menar», säger Jonas Karlsson samtidigt som han tar bort pappret från läppen som återigen börjar blöda.

41.

Vindrutetorkarna arbetar frenetiskt med att hålla regnet borta, sikten fri.

Klockan på instrumentbrädan visar 13.35.

Genom fönstret ser Malin fälten och dungarna, de rödmålade husen och hela världen här verkar täckt av matt aska.

Inte ett enda bad på Teneriffa. Inget vatten om den brinnande kroppen.

Men hon mår lite bättre nu. Alkoholen har gått ur blodet så pass mycket att hon kan köra från Norrköping till Linköping. Hon vill åka direkt till Folkungaskolan, storma in på vilken lektion Tove nu har och bara krama henne. Nästan en vecka sedan hon flydde ut ur huset efter att ha slagit Janne på fyllan. Nästan en vecka sedan liket påträffades i vallgraven.

Teneriffas värme. Regnet och kylan. Hon har satt på sig den varma ullpolon med norskt mönster hon packade med sig för återkomsten.

Men Tove måste vänta.

Hon pratade med Zeke. Fick de senaste rapporterna om fallet: att Fredrik Fågelsjö släppts, att Jonas Karlsson medgivit att Jerry Petersson körde, men att han hade alibi för mordnatten och morgonen.

Malin fick en adress till en av föräldrarna till pojken som dog på nyårsnatten, en kvinna som hette Stina Ekström och bodde i Linghem.

»Jag tar det på vägen», sa hon till Zeke.

»Vi kan möta upp.»

»Jag tar det själv. Det är lugnt.»

»Hur var Teneriffa?»

»Varmt.»

»Dina föräldrar?»

»Vi hörs igen när jag pratat med Stina Ekström, om hon nu är hemma.»

Malin sätter på radion. Närmar sig Linköping, rattar in den lokala kanalen.

Känner igen Helen Anemans mjuka, sexiga röst. De har inte träffats på åratal nu, trots att de bor i samma stad. De brukar pratas vid på telefon ibland, säga att de måste träffas, men så blir det ingenting av.

Bekanta mer än vänner, tänker Malin när hon hör Helen prata om en hundutställning som ska hållas på Cloetta Center i helgen och sedan, när Helens röst försvunnit, börjar musiken spridas i bilen och Malin känner magen dra sig samman, varför just den här jävla låten nu.

»Snart kommer änglarna att landa ... törs jag säga att vi har varandra ...»

Ulf Lundells röst.

Jannes kropp tätt intill hennes. Det larvigt romantiska, hur de brukade dansa till den låten i vardagsrummet i huset när de delat en flaska vin och Tove sov i soffan utan att störas av musiken.

Linghem.

Skylten knappt synlig i den regnstinna luften.

Av alla en människas mardrömmar, är den om att förlora ett barn den värsta.

Jag fick behålla dig, Tove, tänker Malin.

En bil som snurrar på ett öde kallt vinterfält.

Knackningar på en dörr.

»Vi måste tyvärr meddela ...»

Malin svänger av in mot Linghem, kör förbi en fotbollsplan och en kyrka. En ensam man i munkjacka står vid en gravsten på den lilla, muromgärdade kyrkogården med en bukett i handen, verkar prata för sig själv.

Det lilla radhuset är inrett med furumöbler.

Virkade dukar ligger på lackade träytor och på dukarna står Swarowski-figurer, en imponerande samling, tänker Malin, samtidigt som Andreas Ekströms mamma Stina sätter en kanna med nybryggt kaffe på vardagsrumsbordet.

På en byrå står sju inramade fotografier.

En lintott med glugg flinar på ett dagisfoto. En bild från en fotbollsplan. En skolavslutning. En välbyggd tonåring på en charterstrand. Det pageklippta håret rufsas till av vinden och någon meter ut i vattnet står en man som kan vara Andreas Ekströms pappa.

»Nu vet du hur han såg ut», säger Stina Ekström, och sätter sig mitt emot Malin, i en likadan vinröd plyschklädd fåtölj som den Malin redan sitter i.

Likadana bilder av Tove hemma på byrån i sovrummet.

»Han verkar ha varit ett riktigt charmtroll», säger Malin.

Stina Ekström ler instämmande.

Hur gammal är du? tänker Malin.

Sextio?

Kvinnan framför henne har kort ljust hår med gråsprängda tinningar, och rynkorna kring de tunna läpparna vittnar om år av rökande. Det luktar tobak men Malin kan inte se någon askkopp eller några cigaretter. Kanske har Stina Ekström lyckats sluta? Kan hålla begäret stången?

Svarta jeans.

En gråmelerad stickad tröja.

Ögon som vant sig vid att dagen kommer och går, att det egentligen inte finns några överraskningar. Det är inte en trötthet jag ser i hennes ögon, tänker Malin, snarare något annat, ett lugn? Inte en bitterhet. Nej, en känsla av att vara tillfreds, visst är det så?

Stina Ekström häller upp kaffe med vänster hand och gör sedan en gest mot fatet med hembakade bullar.

»Vad i hela världen kan ni på polisen vilja mig?»

»Jerry Petersson.»

»Det ante mig. Ja, jag läser tidningen, det gör jag.»

»Han var med när din son omkom.»

Blicken i Stina Ekströms ögon ändras inte. Är det så sorg ser ut när man kommit till ro med den?

»Han satt i fram. Hade bälte och klarade sig.»

Malin nickar.

»Tänker du mycket på olyckan?»

»Inte på olyckan. Men på Andreas. Varje dag.»

Malin tar en klunk kaffe, hör regnet smattra mot fönstret några meter till vänster om henne.

»Bodde ni här då?»

»Ja, vi flyttade hit när Andreas var tolv. Innan dess bodde vi i Vreta Kloster.»

Malin väntar tills Stina Ekström fortsätter.

»Först var jag arg», säger Stina Ekström. »Men sedan, med åren? Det var som om all ilska och sorg gav vika till slut, att nitton år med Andreas var ändå en fantastisk gåva, och jag tror att det är meningslöst att sörja sådant som inte blev.»

Malin känner hur hennes hjärta pressas samman som av en jättelik näve, och hur ögonen, mot hennes vilja, blir dimmiga av tårar.

Stina Ekström ser på henne.

»Mår du bra?»

Malin hostar, säger:

»Det är nog bara en allergisk reaktion.»

»Jag har två barn till», säger Stina Ekström, och Malin ler samtidigt som hon torkar tårarna ur ögonen.

»Kände du hat mot han som körde?»

»Det var en olycka.»

Malin sitter tyst en stund, sedan lutar hon sig framåt.

»Vi har indikationer på att det var Jerry Petersson som körde den natten, och att han var berusad.»

Stina Ekström säger ingenting, blicken förändras inte heller.

»Han ska ha övertalat Jonas Karlsson att säga att ...»

»Jag förstår», säger Stina Ekström. »Dummare är jag inte. Och nu tror ni kanske att jag vetat detta, eller fått veta detta, och bestämt mig för att slå ihjäl ...»

»Vi tror ingenting sådant.»

»Men du sitter här.»

Malin ser in i Stina Ekströms ögon.

»Jag förlorade mycket den natten. Min man och jag skilde oss efter några år. Vi kunde inte prata om Andreas och då var det som om tystnaden till slut var allt som fanns. Men oavsett vem som körde, så finns det ingen ilska mer, inget hat. Sorgen finns kvar, men den är en ton bland alla de andra som utgör ens liv.»

»Var det någon annan som tog väldigt illa vid sig?»

»Alla var ledsna. Men det är länge sedan nu.»

»Andreas pappa?»

»Han kan svara på det själv.»

Zeke hos honom nu, i Malmslätt.

»Familjen Fågelsjö. Visade de sitt deltagande?»

»Nej. Jag fick känslan av att de låtsades som om det hela inte hänt. Inte på deras mark, inte på en fest anordnad av deras son.»

Malin sluter ögonen. Känner sig svullen och illamående.

»Får jag fråga vad du jobbar med?» frågar hon sedan. »Eller är du pensionär?»

»Inte på fyra år än. Jag arbetar halvtid med utvecklingsstörda på ett dagcenter. Varför undrar du det?»

»Ingen särskild anledning», säger Malin samtidigt som hon reser sig och sträcker fram handen över bordet.

»Tack för att du tog dig tid. Och för kaffet.»

»Ta en bulle.»

Malin sträcker sig mot fatet, tar en bulle och snart fyller det mjuka vetebrödet hennes mun.

Kanel. Kardemumma.

»Ska du inte fråga vad jag gjorde natten mellan torsdag och fredag förra veckan?»

Malin sväljer, ler.

»Vad gjorde du?»

»Jag var här hemma. Satt och chattade halva natten. Ni kan kolla loggen om ni vill.»

»Ska inte behövas», säger Malin.

Stina Ekström reser sig och går ut ur rummet. Efter någon minut är hon tillbaka med ett paket tuggummi.

»Ta ett par», säger hon vänligt. »Innan du träffar dina kollegor.»

Malin parkerar bilen utanför Folkungaskolan.

Slår av motorn, hör regnet nästan försöka tränga igenom karossen, lägger händerna på ratten och andas ut och in, ut och in, låtsas att Tove sitter bredvid henne, att hon kan kasta sig över henne och krama henne hårt, hårt.

Malin stirrar mot ingången, den stora trappan som leder in i den slottslika skolbyggnaden med portar som är tre gånger så höga som eleverna själva. De högvuxna ekarna runt om håller desperat fast i sina sista solnedgångsfärgade löv, verkar tro att världen försvinner om löven gör det.

Någonstans där inne finns Tove. Malin kan inte hennes schema. Vad har hon nu? Svenska, matte? Bara att gå in och fråga på receptionen, gå till klassrummet, ta med Tove på en fika och krama henne. Men jag stinker väl sprit, gör jag det? Eller har tuggummina hjälpt?

Hoppas Tove kommer ut på sin rast. Då kan jag se på henne, springa fram till henne, säga förlåt kanske eller bara titta på henne här inifrån bilen. Kanske kommer hon fram om jag ser henne. Men hon kommer nog inte ut i regnet.

Nu går jag in.

Malin öppnar bildörren och sätter ena foten i marken, ser några elever gå över skolgården, deras skugglösa rörelser inramade av de vindpinade ekarna lika gamla som skolan själv.

Hon drar tillbaka foten. Stänger dörren. Lägger sina skakande händer på ratten, vill få dem att sluta men händerna vägrar. Hon andas. Måste ha något i sig. Men så lyckas hon tvinga bort känslan, med all sin kraft.

Såja. Nu är skakningarna borta.

Hon tar upp telefonen, slår Toves nummer. Svararen går igång.

»Tove, det är mamma. Jag vill bara säga att jag är hemma igen. Vi kan väl äta middag tillsammans ikväll. Ring är du snäll.»

Malin vrider om bilens startnyckel, låter motorns ljud överrösta regnet.

Hon sluter ögonen.

Inom sig ser hon ett väldigt stenslott torna upp sig i tät höstdimma.

Inte Skogså.

Utan ett annat slott. En byggnad hon inte känner igen.

Hon låter blicken sväva över vallgraven.

Full med nakna svullna vita lik, små silverglänsande fiskar som flämtar i luften och en pulserande rädsla.

42.

Zeke springer över parkeringen mot polishusets entré. Fukten dryper om de gamla ockrafärgade, putsade kasernerna, som fått ett andra liv som hem åt stadens polis, domstolar och Statens kriminaltekniska laboratorium.

Han svär inombords över det förbannade jävla vädret, men vet att det är lönlöst att förbanna makterna, fucking useless, och det leder aldrig någon vart.

I regnet går hans tankar till Martin.

I NHL. Pojkfan har nog med pengar redan för att vi skulle kunna ta det lugnt i solen till döddagar.

Och barnbarnet som jag knappt sett.

Vad håller jag på med?

Andreas Ekströms pappa Hans.

Bara en kvart sedan jag åkte därifrån.

En arg gammal man i en gammal dåligt hållen villa. Det tog hus i helvete när Zeke berättade att det troligtvis var Jerry Petersson som körde bilen då hans son omkom.

Hans Ekström reste sig från stolen i köket där han suttit och skrek till Zeke att det där bara var skitsnack, att ingen jävel skulle komma och rota i sådant som han äntligen lyckats lägga bakom sig.

Hans Ekström hade vägrat att svara på några frågor efter det, men han hade uppenbarligen, av sin reaktion att döma, ingen aning om det Zeke berättade.

Därför ingen anledning att mörda Jerry Petersson. Eller så var Hans Ekström en really good actor. En högerhänt sådan.

Hans Ekström hade avslutat med att förbanna familjen Fågelsjö:

»De skickade inte ens en blomma till begravningen.»

Det borde de ha gjort, tänker Zeke samtidigt som han öppnar dörren till polishuset, de nya automatiska dörrarna fungerar uppenbarligen inte, säkert har regnet och fukten letat sig in i deras mekanism, gjort den obrukbar.

Malin.

Zeke ser henne sitta vid sitt skrivbord, och gud vad hon ser trött och sliten ut. Om solen sken nere på Teneriffa så inte fan sken den på henne.

En skuggmänniska.

Håller du på att bli det, Malin?

Han vill gå fram och lägga armen om sin kollega, säga åt henne att ta sig samman men vet att hon bara skulle bli arg.

Hon tittar upp, får syn på honom, hälsar inte utan sänker istället blicken ner i några papper.

Zeke vänder, går uppför trappan till Sven Sjömans rum.

Han hinner ta det här före deras uppsamlingsmöte.

Sven står vid fönstret, ser ut över Universitetssjukhusets huvudbyggnad och Östra entrén. De vita och gula plåtskivorna som utgör det tio våningar höga husets fasad rister i vinden, verkar vilja släppa taget, flyga ut över staden och landa på en mer uthärdlig plats.

Zeke står några meter in i rummet.

»Säg ingenting till Malin», säger han. »Hon skulle aldrig förlåta att jag gick bakom hennes rygg, men du ser själv hur hon mår. Hon dricker åt helvete för mycket.»

Sven skakar på huvudet.

»Det här samtalet stannar mellan oss. Det är bra att du tog upp det, jag har tänkt på det själv, men, ja du vet.»

Sven vänder sig om.

»Hon får inte ihop det», säger Zeke. »Jag klarar inte av att se det. Jag har försökt ...»

»Jag ska prata med henne, Zeke. Resan till Teneriffa var delvis ett försök att ge henne andrum.»

»Du ska se henne nu. Verkar som om det inte blev som någon spa-vistelse direkt.»

»Kanske var resan en dum idé. Vi får se vart det tar vägen», säger Sven. »Du kör väl bilen när ni är ute?»

Zeke nickar.

»Jag kör i princip jämt.»

Han gör en paus.

»Jag tror det som hände i Finspång förra året tog henne hårt», säger han sedan.

»Det gjorde det», säger Sven. »Men vem skulle inte ta en sådan sak hårt. Jag tror bara inte hon förstår det själv. Eller accepterar det.»

Klockan på väggen i deras vanliga mötesrum visar 15.37.

Utredningsgruppen är samlad.

Fönster här, till skillnad från i Pappershades.

Inga barn i dagisets lekpark, men Malin kan skymta dem innanför fönstren, hur de springer av och an i rummen, leker som om den här världen är alltigenom god. En röd och blå plastrutschkana. Ett gult tyg. Klara färger, utan tvekan. En tydlig värld för människor som tar sig an verkligheten med direkthet, lever i nuet.

Människorna här inne, tänker Malin, är precis tvärtom.

Karim Akbars ansikte samlat, kroppen som besatt av ett nytt slags medelålders allvar som gränsar till trötthet.

Hösten reducerar oss, tänker Malin. Till figurer i en svartvit film.

Zeke, Sven Sjöman, Waldemar Ekenberg, Johan Jakobsson, till och med unga Lovisa Segerberg från Stockholm verkar redo för en lång paus från allt vad polisarbete och regn heter.

Utredningen.

Just nu befinner den sig i det skede där den riskerar att rosta sön-der, precis som hela staden.

Linjerna i utredningen.

De ålar sig kors och tvärs som spårljus i våra hjärnor.

Aningar. Röster. Alla människor, händelser som dyker upp när de vänder på de stenar som var Jerry Peterssons ganska korta liv.

Sven står vid whiteboardtavlan vid rummets ena kortända. På tav-lan, med blå spritpenna, har han skrivit en rad namn.

Jochen Goldman.

Axel, Fredrik och Katarina Fågelsjö.

Jonas Karlsson.

Föräldrarna till Andreas Ekström och Jasmin Sandsten.

Sedan en rad frågetecken. Nya namn? Uppgifter? Något som kan leda oss vidare?

Malin tar ett djupt andetag. Ser in på barnen i dagiset. Hör Svens röst, men orkar inte ta till sig orden.

Fragment av ett möte:

Hennes egen berättelse från Teneriffa.

Att Jochen Goldman är tvetydigheten själv.

Hennes möte med Andreas Ekströms mamma. De andra lyssnar uppmärksamt. Lovisa berättar att hon envetet arbetar sig igenom papperen och innehållet på Jerry Peterssons hårddisk, men att det skulle behövas minst fem poliser med specialkunskaper för att kunna göra det i en vettig takt, och Karim som säger: »Det finns inga sådana resurser.» De har fortfarande inte hittat något testamente, inte hittat någon form av utpressningsbrev eller något annat misstänkt, de har hört ytterligare några av Peterssons affärsbekanta, men samtalen har givit noll.

Och Waldemar och Johan berättar om de nya samtalen med familjen Fågelsjö, om hur de påstår sig knappt minnas olyckan och att de fått tag i Jasmin Sandstens pappa Stellan på hans arbete ute på Collins Mekaniska och att det samtalet inte givit någonting förutom att han hade alibi för mordnatten. De hade ännu inte fått tillfälle att prata med Jasmins mamma; tydligen var hon och dottern på ett habiliteringshem tillsammans utanför Söderköping.

Zeke om sitt möte med Hans Ekström.

Sorgen.

Det döda barnet.

Efter så många år spelar det kanske ingen roll vem som körde och om personen var full eller inte.

Barnet, det älskade, är dött. Eller kanske ännu värre, en levande död.

Skulden.

I grunden meningslös. Men tar ilskan slut? Fyrtio knivhugg, åratals vrede som släpps lös.

Sven som hastigt berättade att åklagaren beslutat släppa Fredrik Fågelsjö. Sedan: »Vi får hålla ett öga på honom», tomma ord och det visste han. De har inga resurser att hålla ett öga på någon.

»Kontakter», väste Waldemar. »Vem vet vad den där fjanten Ehrenstierna har för hakar på åklagaren?»

Och Malin tänkte på sitt eget arbete.

Utredningarna.

Maria Murvall.

Våldet och jakten på den sanning som hon inbillade sig skulle kunna trösta dem som är kvar här på jorden när deras anhöriga svävar runt i något slags ljus och strålande himmel.

»Kollade du med dina kontakter bland byket?» frågar Sven Waldemar.

»Det ser så ut, eller hur?» svarar Waldemar och de andra skrattar avvaktande. »Jag kollade. Men Jerry Petersson verkar inte ha haft några sådana kontakter.»

Och hon hörde Sven prata om att de fick fortsätta leta i Jerry Peterssons liv, fortsätta följa utredningens linjer, med envishet och kraft. Följa de spår de har.

»Vi», hörde hon Sven säga, »befinner oss i ett skede av utredningen där alla spiraler på något vis bär neråt. Vi kan åstadkomma ett genombrott eller fastna. Bara hårt arbete kan hjälpa oss nu.»

Lyssna till rösterna, viskade Malin tyst för sig själv.

»Jag åker till Vadstena och pratar med Jasmins mamma.»

»Söderköping», sa Sven. »Ni kan åka dit imorgon, du och Zeke.»

»Jag vill prata med dig, Malin.»

Svens röst formell, myndig nyss utanför mötesrummet och nu går hon bredvid honom uppför trappan till hans tjänsterum och han stänger dörren bakom dem och ber henne sätta sig.

Snidade träskålar på en vit hurts. Malin vet att Sven gjort dem själv.

Hon sitter framför honom och han bakom sitt skrivbord med sitt fårade bekanta ansikte, och Malin kan inte riktigt få fatt i dragen och de nya djupare rynkorna som han fått sedan han gått ner i vikt.

Det sitter en främling framför mig, tänker hon. Hela världen är en främling.

Och Sven ser besvärad ut och nu pratar han med mig, är bekymrad över mig, var inte bekymrad Sven, jag har nog med egna bekymmer, kan du inte bara låta mig vara ifred.

»Hur mår du?»

»Jag mår bra.»

»Jag är inte säker på det.»

»Jag mår bra. Teneriffa var toppen.»

»Så det var bra?»

»Ja.»

»Fick du lite sol?»

Malin nickar.

»Och du fick träffa dina föräldrar?»

»Jag träffade dem. Det var trevligt.»

»Jag har varit, och är, orolig för dig, Malin. Det vet du.»

Malin suckar.

»Jag är okej. Bara lite mycket nu. Jag har separerat från Janne och det har inte satt sig än.»

Sven ser på henne.

»Och alkoholen? Du dricker för mycket, det står skrivet över hela dig. Du ...»

»Det är under kontroll.»

»Det är inte vad jag hör eller ser.»

»Har någon snackat med dig? Gått bakom min rygg? Vem?»

»Ingen har sagt ett dugg. Jag har ögon.»

»Zeke? Janne? Han har en förmåga att ...»

»Nu är du tyst, Malin. Skärper dig.»

Efter Svens stränga ord sitter de tysta mitt emot varandra i rummet och Malin vet att Sven vill säga något mer, men vad skulle han säga? Det är inte så att jag har kommit full till stationen.

Eller har jag det?

»Har Zeke sagt något?»

»Nej. Jag har ögon själv.»

»Och nu?»

»Du arbetar på. Men tänk efter noga när du kör bil. Låt Zeke
köra. Och försök skärpa dig. Du måste.»

»Kan jag gå?» frågar Malin.

»Om du vill», svarar Sven. »Om du vill.»

43.

»Mamma.»

»Tove? Jag har sökt dig.»

»Jag var i skolan.»

Ska jag säga att jag var utanför? Blir hon glad då? Eller ledsen för att jag inte kom in?

»Kommer du ikväll? Fick du mitt meddelande?»

»Jag ska på bio.»

»Vill du inte höra hur det var hos mormor och morfar?»

»Hur var det?»

»Tove, snälla.»

»Okej.»

»Kommer du hem efter bion? Du måste. Jag vill träffa dig. Kan du inte förstå det?»

»Det blir sent efter bion. Det är nog bäst att jag tar bussen ut till pappa.»

»Jag kan fixa mackor.»

»Jag har alla grejor där ute. Jag bor ju liksom där.»

»Du bestämmer själv.»

»Kanske imorgon kväll, mamma.»

»Du kan ju faktiskt bo hos mig också. Det gick bra förr.»

Tove är tyst i andra änden.

»Måste jag vädja, Tove. Kan du inte komma?»

»Lovar du att inte dricka om jag kommer?»

»Vad då?» säger Malin. »Jag brukar ju bara dricka ibland. Det vet du också.»

»Du är helt otrolig, mamma, vet du det? Helt störd.»

Och så trycker Tove bort samtalet, och orden dröjer som nålar mot trumhinnan. Malin vill ta bort dem, skaka ur dem ur hörselgången och höra andra varma ord istället, ord som manar fram en annan verklighet, en där hon inte ljuger för sin dotter som ett sätt att ljuga för sig själv.

Så ser hon monstret stå lutat över Tove, redo att döda henne, och monstret vänder sitt masktäckta ansikte mot Malin och ler, viskar: »Jag ger dig det du vill ha, Malin.» Och hon vet i det ögonblicket att hon mest av allt dricker för att hon fick en giltig anledning när Tove var nära att mista livet, att hon fick möjlighet att skapa en intellektuell konstruktion som rättfärdigade att hon gav efter för sin allra största kärlek: Ruset, den kantfria, mjuka världen utan hemligheter, världen där inte rädslan är en känsla utan en svart katt som du kan kela med och vars klor aldrig river några brännande hål på din hud.

Se på mig. Det är synd om mig. Hon vill slå sig själv i bitar, men helst av allt bara svepa ett glas tequila.

Var är jag?

Jag står i polishusets entré och undrar vart jag ska ta vägen, tänker Malin sedan samtidigt som hon ser ut i mörkret, på hur regndropparna avtecknar sig som grått splitter i gatlyktornas orange sken, hur de gamla kasernerna skiftar färg i höstmörkret, blir stumt grå istället för matt beige. Klockan är strax efter sju. Pappersarbetet efter Teneriffa höll henne kvar på stationen.

Malin står kvar.

Knäpper på telefonen.

Han svarar efter tre signaler.

»Daniel Högfeldt här.»

»Malin.»

»Jag ser det på displayen. Länge sedan.»

»Du vet hur det är.»

»Och nu vill du träffas?»

»Ja.»

Dörrarna glider upp och tre uniformerade biffar går förbi henne, med korta nickar.

»Jag är inte nödbedd. Kan du komma till mig om en halvtimme?»

»Ja.»

Hon känner honom redan i sig när hon trycker bort samtalet.

Och exakt trettiofem minuter senare står Malin som en hund i hans säng i den stramt inredda lägenheten på Linnégatan och håller sig i metallgavelns tunna stänger och han pumpar hårt och stönande djupt inne i henne och hon skriker rätt ut i lägenheten och han är varm och hård och främmande och bekant på samma gång.

Han är en piska i mig, tänker hon.

Hans händer är rivande taggtråd på min rygg. Hon vill skrika fortare din fan, djupare, längre in, hårdare och det är som om han hör vad hon tänker och han pressar sig hårdare mot henne varje gång hans kropp rör sig och han gräver med naglarna i hennes nacke och hon kan känna hans svett droppa som kallt regn ner genom huden och in i köttet och benen och själen.

Håll inte emot.

Explodera istället.

Låt medvetandet försvinna i smärta och skönhet, låt de små ormarna med sina många olika ansikten retirera in i sitt mörker.

Han ligger på rygg bredvid henne på det grå lakanet och hans muskulösa kropp avtecknar sig mot den nerfällda persiennen. Han pratar, hans röst är lugn och klar, med all sin hårdhet och värme intakt och hon försöker förstå vad det är han frågar henne.

»Så ni har flyttat isär?»

Hon ligger bredvid honom och hör sig själv svara, med andedräktslösa svävande ord.

»Det gick inte. Jag slog honom till slut.»

»Det går aldrig. Hur kunde du tro det?»

»Vet inte.»

»Och fallet med Petersson. Kommer ni någon vart? Jag skulle rota i Goldman om jag var ni.»

»Skit i fallet, Daniel.»

Hans hesa skratt. Och hon vill krypa intill honom, lägga armen om honom, men det är som om han inte finns där bredvid henne, eller är det hennes förmåga till närhet som inte finns?

»Ska vi ta ett varv till?», hans hand på mitt lår, men jag känner den inte och i hans neutrala ord är det som om det finns en vilja att uttrycka något annat, som om han faktiskt väntat på mig, som om han tror att något på något vis skulle kunna vara möjligt att upptäcka tillsammans.

Var det inte det vi gjorde nyss? tänker Malin.

Så reser hon sig, klär sig och han tittar tyst på henne hela tiden.

»Ska du gå?»

Idiotisk fråga.

»Vad tror du?»

»Du får stanna. Jag kan fixa mackor om du är hungrig. Du ser trött ut, du kan behöva någon som pysslar om dig en stund.»

»Ditt jävla snack, Daniel. Jag kan inte tänka mig värre pålägg.»

»Gå du. Hamlet är väl fortfarande öppet.»

»Håll truten, Daniel. Håll bara truten.»

Zacharias Martinsson har fört Karin Johannisons kjol högt upp över hennes mage, har slitit av hennes vita nylonstrumpor och burit henne genom laboratoriet i SKL:s källare och placerat henne på rygg på en bänk i rostfritt stål.

Hon skrevar framför honom och han äter henne, drar i sig hennes fukt och söta doft och smak, och han hör hennes stönanden, är det tionde eller tjugonde gången nu?

Gunilla där hemma. Väntade säkert med middagen när han ringde och sa att han måste jobba över, att han nog inte skulle komma hem förrän efter elva.

Han försöker slå bort bilden av sin fru ensam i villans kök, men den vägrar att försvinna.

Han gjorde sig ett ärende till Karin en gång förra hösten, och hon dröjde sig kvar, drog med honom ner i laboratoriet för att visa något och så hände det. De hade båda längtat, och nu viskar hon, kom i mig, kom in Zacharias, och han lyfter ner henne på golvet, drar ner sina byxor och han är hård och hon är varm och mjuk och följsam och ser på honom, viskar, jag har svett i nacken, slicka svetten från min nacke.

Maria Murvalls ansikte framför Malin.

Fotot av det blåslagna våldtäktsoffrets ansikte ligger på vardagsrummets parkett, och hon vrider och vänder på bilden av sin egen besatthet.

Maria.

Din hemlighet.

Bevarad i dig.

I din tysta skrikande kropp i det vita rummet på Vadstena mentalsjukhus, imorgon ska jag till ett annat sjukhus, till en annan stum människa.

S:t Larskyrkans klocka slår tio och Malin undrar om Maria sover nu, och om hon sover, vad drömmer hon om då?

Tove.

Säkert på bussen med någon kompis nu.

Hit kommer hon inte. Och fattas väl bara som jag beter mig. Jag vädjade till henne, och hon är väl som alla innerst inne. Ser de svaghet, så tar de sin chans att visa makt.

Tänkte jag just så, om min egen dotter?

Malin stannar upp i tanken, känner skammen suga tag i kroppen.

Slår bort tanken.

Vem skulle hon på bio med? En kille? Hur kan jag släppa efter så efter det som hände? Ondskan försvinner, blir mindre i minnet med tiden. Bara en tveksam elektricitet dröjer sig kvar som en vag rädsla, eller hur? Rädslan som kan ursäkta allt.

Jag fattar inte allt det här. Jag förstår inte mig själv.

Och Janne. Hans värme som en försvinnande dröm långt inne i ett minne. Hon vill inte prata med honom, vill inte be om förlåtelse. Vad är jag för en människa, tänker hon, som bara kan känna förakt för min egen kärlek?

Malin går ut i köket och drar fram tequilaflaskan ur skåpet ovanför kylskåpet.

Halva kvar.

Hon halsar.

Vad gör den här hösten med dig, Malin Fors? Med er alla?

Vart ska den ta dig?

Se vart den tog mig.

Du ska veta en sak: ibland har jag känt Andreas i min närhet, jag har kunnat känna hans andedräkt, alldeles fri från temperatur och doft. Jag har inte kunnat se eller höra honom, men jag vet att han finns här i min närhet och också så långt bort han kan komma.

Jasmin finns här också, en del av henne.

Borde jag vara rädd för dem?

Vill de mig illa nu?

Min värld är vit. Deras kanske svart eller grå och kall som natten då bilen tumlade in i minnet hos både de levande och döda.

Du kan inte få reda på din hemlighet, Malin, och om du fick det skulle det nog inte hjälpa dig. Det finns kraft i hemligheterna.

Min hemlighet?

Ta reda på den om du vill.

Följ spåret rätt ut i ensamheten och rädslan.

Kanske kan jag få förlåtelse då.

Om det nu finns anledning till det.

Förlåtelse.

Ordet liksom sicksackar sig genom Jannes huvud när han brer smör på en macka till Tove, och samtidigt ser bort mot köksbänken där Malin stod och skrek för bara en vecka sedan, där hon höjde handen och slog honom.

Kan man sprida ut förlåtelsen över tid?

Hur kan vi närma oss förlåtelsen, Malin och jag? För på något sätt är det som om vi bara förmår en sak tillsammans: att känna att vi står i skuld till varandra, att våra liv bara är en förolämpning, ett tillkortakommande eller en oförrätt som det ska bes om förlåtelse för.

Har vi blivit för gamla, Malin?

Hur lång tid måste en ursäkt få verka mellan sådana som oss? Tolv år. Tretton?

Tove gillar leverpastej med inlagd söt gurka.

Hon sitter framför tv:n däruppe.

Hukar sig i skenet.

Hemma här.

Du kommer vilja att jag ska säga förlåt för att hon gör det valet, Malin. Eller hur?

Hon har varit på bio med kompisen Frida.

Verkar hålla sig borta från pojkvänner, har inte haft någon riktig sedan Markus. Sedan Finspång.

»Mackorna är färdiga, Tove. Vill du ha örtte eller ingefärste?»

Inget svar där uppifrån.

Kanske har hon somnat.

Tove lutar sig tillbaka i soffan och zappar mellan kanalerna.

»Desperate housewives.» Någon dokusåpa. En fotbollsmatch. Hon fastnar vid en dokumentär om en konstnär som har gjort en skulptur som visar en av dem som kastade sig ut från World Trade Center när hon faller mot marken. Skulpturen skulle ha placerats där tornen stod, men människor kallade den degenererad. Ovärdig.

Precis som om de vägrade acceptera att det funnits människor som tvingades hoppa ifrån byggnaderna.

Hon tar en tugga av sin macka.

Hon orkade inte åka hem till mamma. Inte i ikväll. Ikväll vill hon bara sitta i mörkret och titta på tv, höra pappa göra vad han nu gör där nere.

Och skulpturen på tv.

Hopkrupen i brons. Liten i vinden, precis som i verkligheten. Den liknar dig, mamma, tänker Tove. Och så vill hon gå ner till pappa, be honom att de ska åka hem till mamma, se hur hon mår, kanske stanna där hos henne. Men pappa vill nog inte det. Och mamma kanske skulle bli arg om de kom bara så där.

Telefonen piper.

Ett sms från Sara. Tove trycker fram ett svar, samtidigt som tv:n visar närbilder på skulpturens rädda ansikte, dess glänsande brons-hår som fladdrar i vinden.

44.

Torsdag den trettionde oktober

Zeke Martinsson tittar på klockan i bildskärmens övre hörn.

08.49. Relativt lugnt på stationen ändå, folk är väl ute och ränner. Inget morgonmöte idag, de sammanfattade tillräckligt igår, vet vad de ska ta tag i.

Malin borde ha varit här för länge sedan. De borde varit på väg till Söderköping nu.

Var är du, Malin?

Nere i gymmet? Knappast.

Har något dykt upp och du har dragit iväg? Troligen inte det heller.

Kände du för smärta igår.

För spriten?

Gunilla undrade varför han kom hem så sent, trots att han ringt och sagt att han skulle jobba. Han stod i köket och ljög henne rätt upp i ansiktet utan att tveka och utan att lyckas känna skam, istället tyckte han synd om henne, som har en man som efter så många års äktenskap kan bedra henne utan att tveka. Och han hade somnat snabbt, med Karin Johannisons lår tätt omkring sig i minnet.

Zeke ser på kollegorna runt honom. I uniformer. Utan. Målmedvetna men ändå planlösa. Vad vill ni, egentligen?

Malin vet inte vad hon vill, men ändå gör hon det varje dag. Här, i det här kontorslandskapet ger hon sig rätt in i arbetet med att försöka få människor att tro att inget ont kan hända dem.

Så var är du, Malin? Zeke har ringt tre gånger, två gånger till mobilen, en gång hem men inget svar. Kanske är hon hos Janne?

Inget svar hos Janne heller.

Högfeldt?

För komplicerat. Jag vet inget om deras förehavanden.

»Var har du Malin? Borde inte ni vara i Söderköping nu?»

Sven Sjömans trötta, liksom sammanpressade röst när han ropar bortifrån hissdörren.

Zeke reser sig.

Ger Sven en blick, och Sven rynkar ögonbrynen och ser ut att tänka att hon kan ha ställt till det rejält, borde vi ha tagit hennes problem på ännu större allvar?

De två poliserna möts mitt i rummet.

Ser på varandra.

»Jag tror hon är hemma», säger Zeke.

»Vi åker dit direkt», säger Sven.

Zeke trycker på Malins ringklocka och hör den ilskna signalen från andra sidan dörren.

Sven tyst bredvid honom, i en av kårens mörkblå fodrade regnjackor.

Ordlös bilfärd.

Vad skulle de säga?

Zeke ringer igen.

Igen.

Sven petar in brevinkastets lucka och kikar in genom den, och ljudet av tunga andetag, en sovande människas rörelser, letar sig ut i trapphuset.

»Har du en dyrk?»

»Jag har en i knippan», svarar Zeke.

»Hon ligger på hallgolvet.»

Zeke skakar på huvudet, slår snabbt bort den instinktiva oron som hugger tag i magmusklerna, fokuserar på att handla.

Hon andas.

Sover.

Kan vara skadad.

»Ge mig dyrken», säger Sven och sekunderna senare är dörren öppen och de ser Malin på hallgolvet, med en vit t-shirt uppdragen över naveln, små rosa hjärtan på små trosor.

Inget blod.

Inga blåmärken, inga sår, bara ljudet av djup, efterlängtad sömn och en påtaglig stank av alkohol.

En tom tequilaflaska.

Corren bredvid hennes huvud.

De knäböjer vid hennes sida, ser på varandra, behöver inte ställa frågan som far genom bådas huvuden.

Vad gör vi nu?

Stäng av regnet. Det är för kallt. Och det trummar mot skinnet på ett jävligt irriterande sätt och vad är det som är så kallt mot benen?

Jag vill inte veta av det här, och vilka är det som pratar?

Janne.

Skriker:

»Daniel, ge fan i det där.»

Ge fan.

Och dropparna trummar och är iskalla och vad gör jag ute naken i det här vädret och vad säger de?

Sven. Zeke.

Vad fan gör ni här?

»Håll i henne.»

»Sitt still.»

Tyget mot min kropp. Zekes ansikte, hans rakade huvud och han ser bestämd ut, Sven, är du där, och jag ser badrummet nu, duschen, jag känner den mot mitt huvud och helvete, helvete vad kallt vattnet är och jag ser dem nu, båda två, jag sitter i badkaret och de duschar mig och t-shirten klibbar mot kroppen och trosorna, de fånigaste jag har som knappt döljer håret där nere och sluta ...

»Sluta, jag vet nog vad fan ni håller på med!»

Hon slår med armarna.

Försöker tvinga bort duschmunstycket.

Dropparna.

Men den flytande isen, de små vassa piggarna dunkar, tvingar henne tillbaka.

»Låt mig få sova, era jävlar!»

Morgonrocken är varm om kroppen, och kaffet som glider ner genom strupen är varmt. Det dånar i huvudet och Malin tycker sig se dubbelt, se två Sven och två Zeke och hon vill skrika rakt ut, eller dricka mer, men deras blickar håller henne tillbaka.

Sven på en stol vid fönstret. Zeke står vid diskbänken och ser först på den trasiga Ikeaklockan och sedan på en duva som tar plats på fönsterbrädet några sekunder innan den flyger iväg bort mot kyrktornet.

Säg något nu då.

Förmana mig.

Säg att jag är en dålig jävla människa.

En svagsjälad fyllkaja, en sådan människa som inte kan stå emot ens den minsta inre demon.

Kalla mig för skit. För skithål.

Men ingen av hennes två kollegor säger något.

De har tvingat i henne två Treo, två Resorb och nu vet hon att de förväntar sig att hon ska dricka upp kaffet.

De går ut i hallen, hon hör dem prata. Hör Sven säga: »Jag kollar, få henne på fötter, vi kan inte avvara ...»

Zeke: »Hon måste in på torken.»

Säger han verkligen så? Jag måste ha hört fel. Han skulle aldrig säga så.

De kommer tillbaka. Tysta står de bredvid henne i köket.

Och när kaffet är slut säger Sven:

»Ta på dig så åker du och Zeke till Söderköping. Du har jobb att ta tag i.»

På något sätt klarade Malin bilresan, hon vet inte hur, och nu, strax före lunchtid, står hon och Zeke i ett blomtapetserat rum på Söderköpings habiliteringshem. Framför dem sitter Ingeborg Sandsten i en rosenröd fåtölj. Bredvid henne ligger Jasmin Sandsten i en blå rullstol och under en lövgrön filt avtecknar sig hennes spastiska kropp, förvriden av åratals ofrivilliga muskelsammandragningar. Hennes ena bruna öga är öppet, det andra stängt och blicken röjer inget medvetet liv. Jasmin Sandsten andas i tunga rosslingar och ger ibland ifrån sig ett brölliknande ljud, och varje gång ljudet kommer ur hennes mun sträcker sig hennes mamma fram och torkar saliv ur hennes ena mungipa med högerhanden.

Ett fönster i bakgrunden. Ett kalt vindpinat träd, en öde kanalbank som verkar vänta på cyklande sommargäster och kanalbolagets gamla vitmålade passagerarbåtar fyllda med amerikanska turister.

En mamma som aldrig vikit från sin dotters sida, tänker Malin, och hon känner en djup respekt för de båda främmande människorna i rummet. Även om Jasmin inte uppfattar något omkring sig, så vet hon säkert att hon aldrig blivit övergiven. Vet du, tänker Malin och ser på flickan i rullstolen, att du har ren kärlek vid din sida. Hon, din mor, är som människan borde vara. Eller hur?

Om Tove slutat så här.

Vad hade jag gjort då? Jag klarar inte ens av tanken på det.

»Vi skulle ha varit på Teneriffa», säger Ingeborg Sandsten och lägger sina magra händer på sina lika magra lår. »På Vintersol, men de tackade nej i sista stund när de fick höra hur pass handikappad Jasmin är. Så vi fick åka hit istället. Det är fint här också.»

Malin tänker först säga: »Vilket sammanträffande. Jag var där häromdagen», men det skulle vara som ett hån mot mor och dotter som inte kom iväg.

Ingeborg Sandstens ansikte är smalt och rynkigt, oändligt trött och kvinnans trötthet får Malin att känna sig piggare.

»Jag har vårdat Jasmin sedan olyckan. Som anställd av kommunen.»

»Kan hon höra oss?» frågar Zeke.

»Läkarna säger att hon inte kan. Men jag vet inte. Ibland tror jag det.»

»Våra kollegor pratade med din före detta man igår», säger Malin.

»Han är fortfarande arg.»

»Har du pratat med honom? Hört vad vi misstänker hände på olycksnatten.»

»Ja, han ringde mig.»

»Och vad tror du?»

»Det kan ha varit så, men det spelar ju ingen roll. Eller hur?»

»Du visste ingenting?» frågar Malin.

»Jag förstår vart ni vill komma. Jag visste inte. Och jag var här på hemmet med Jasmin hela förra veckan.»

Så brölet ur Jasmins mun, hur hennes ansikte förvrids i en oåtkomlig smärta, hur hon måste ha varit mycket söt en gång för länge sedan, och så torkar Ingeborg sin vuxna dotters mungipa.

»Kände Jasmin Jerry Petersson före olyckskvällen? Minns du det?» frågar Malin och tänker att hon fiskar, slänger ut nät och krokar och drar, försöker fånga undervattensröster.

»Jag tror inte det. Hon hade aldrig nämnt honom. Men vad vet man om en tonårings liv?»

»Och syskonen Fågelsjö? Kände hon dem?»

»Hon gick i parallellklass med Katarina Fågelsjö. Men jag tror inte att de var vänner.»

»Så du visste inget om den natten?» frågar Zeke igen. »Att det kanske var Jerry Petersson som körde?»

»Vad tror du?» frågar Ingeborg Sandsten. »Att Jasmin kanske berättat?»

Ett tjogtal svullna regndroppar träffar fönsterrutan som i ett knippe.

»Långt inne i sina drömmar minns Jasmin vad som hände», säger hon sedan. »Långt, långt in.»

Bilen pressar sig fram genom det östgötska sanka landskapet. Grå lövlös skog, grå ensamma åkrar, grå människoboningar.

Zekes händer är stadiga på ratten.

Malin hämtar andan. Tar ett par djupa andetag.

»Det var du som bad Sven prata med mig, eller hur?» frågar hon sedan.

Zeke tar för en kort sekund blicken från vägen. Ser på henne. Sedan nickar han.

»Blir du förbannad nu, Malin? Något måste jag göra.»

»Du kunde ha sagt något direkt till mig.»

»Och du hade lyssnat? Sure, Malin, sure.»

»Du gick bakom min rygg.»

»För din egen skull.»

»Du går bakom många ryggar, Zeke. Tänk på vad du kan förlora.»

Zeke tar än en gång blicken från vägen. Ser på henne innan han låter sina gröna hårda ögon fyllas av värme.

»Ingen av oss är guds bästa barn», säger han.

»Och lika barn leka bäst», fyller Malin i och sedan låter de ljudet från bilmotorn ta över och Malin sväljer saliv för att tvinga bort sitt kvardröjande illamående.

Hennes telefon ringer när de är någon mil utanför Linköping.

Ett nummer Malin inte känner igen. Hon tar samtalet.

»Det var Stina Ekström här. Andreas mamma.»

»Hej», säger Malin. »Hur har du det?»

»Hur jag har det?»

»Förlåt», säger Malin.

»Du frågade mig om jag minns något särskilt från tiden för olyck-an. Jag vet inte vad det kan betyda, men jag minns en av Andreas vänner från tiden innan han började på gymnasiet. Anders Dalström. Han och Andreas var vänner, blev det när vi flyttade till Linghem när han började på högstadiet. Andreas tog hand om honom, som jag minns det. Men de umgicks inte så mycket efter att de började på olika gymnasium. Jag minns honom på begravningen. Han verkade ta Andreas död hårt.»

»Vet du var han finns nu?»

»Jag tror att han bor kvar i stan. Men det var länge sedan jag såg honom.»

»Så de var vänner?»

»Ja, i grundskolan här ute.»

Sedan tystnar Stina Ekström, men något får Malin att inte lägga på.

»Vi var arga då» säger Stina Ekström sedan. »Jasmins föräldrar var arga. Vi hade förlorat våra barn på olika vis. Men ilskan leder inte framåt. Jag har lärt mig att det enda vi har till slut är våra handlingar gentemot nästan. Vi kan välja. Empati eller inte. Det är så enkelt.»

45.

Följ utredningens röster, Malin.

Följ dem rätt in den mörkaste av Östergötlands skogar om det är där du kan höra dem viska. Grip varje halmstrå i de riktigt svåra utredningarna.

Den täta skogen runt om Malin och Zeke lider av samma färglöshet som himlen, som om hela världen är anpassad för de färgblinda. Löven på marken är svarta här, har inte kvar några av sina brinnande färger. Doften av förmultning kan nästan kännas ända in i bilen, frisk men samtidigt illavarslande.

Men så ser hon det lilla envåningshuset i skogsdungen några kilometer söder om Björsäter, hur den faluröda färgen tycks sjuda i det stilla regnet och döda eftermiddagsljuset.

Utredningens senaste röst tillhör Anders Dalström. Malin vet ännu inte hur han passar in i utredningen.

Följ utredningens röster tills de tystnar.

Sedan följer du dem ännu längre och ibland, kanske, kommer en belöning i form av ett samband, sammanhang, sanningen.

Det är den människor vill ha av oss, sanningen, tänker Malin.

Varken mer eller mindre.

Precis som om sanningen skulle göra dem mindre rädda.

De stannar Volvon på den krattade grusplanen framför huset. En röd Golf står parkerad framför en verkstad. Om Skogså var en låda, tänker Malin, skulle du få plats med trettio sådana här hus i den lådan.

På ytterdörren sitter en handskriven skylt med Anders Dalströms namn. Dörren öppnas och framför dem står en man i jeans och t-shirt med Bob Dylan på bröstet. Hans ansikte är smalt, men näsan är trubbig och kinderna är täckta av grunda koppärr.

»Anders Dalström?» frågar Zeke.

Mannen nickar, och hans långa svarta hår rör sig i vinden.

»Har du ett glas vatten?» frågar Malin när de kommit in i det slitna köket. Anders Dalström ler: »Visst har jag det.»

Hans röst är hes och skrovlig, avvaktande men ändå kraftfull och vänlig. Han ger Malin ett glas med högerhanden.

Konsertaffischer från EMA Telstar täcker väggarna i köket. Springsteen på Stadion, Clapton i Scandinavium, Dylan på Hovet.

»Gudarna», säger Anders Dalström. »Som dem blev man aldrig.»

Malin och Zeke sitter i en gammaldags kökssoffa, dricker långsamt av nybryggt hett kaffe.

»Spelar du själv?» frågar Malin.

»Mer förr», svarar Anders Dalström.

»Ville du bli rockstjärna?» frågar Zeke och Anders Dalström tar plats mitt emot dem, tar en stor klunk kaffe och ler igen och leendet får hans trubbiga näsa att verka ännu mindre.

»Nej, inte rockstjärna. Men när jag var yngre ville jag gärna bli trubadur.»

»Som Lars Winnerbäck?» frågar Malin och minns konserten hon såg, fullsatt på Cloetta Center när stadens store son uppträdde.

»Jag hade gärna varit Lars Winnerbäck. Men det tog aldrig fart.»

Du väntar fortfarande, eller hur, tänker Malin.

»Jag har en studio där nere i verkstaden. Har byggt den själv. Spelar in mina låtar där. Men det blir inte så ofta. Jobbet tar all kraft.»

»Vad arbetar du med?»

»Jag jobbar natt på äldreboendet inne i Björsäter, är så jäkla trött på dagarna. Jag jobbade natten till idag, och ska jobba inatt igen.»

Malin inledde nyss med att berätta för Anders Dalström om deras ärende, vad som framkommit om Jerry Petersson och olycksnatten och vad Andreas Ekströms mamma berättat för dem. Kanske skulle jag ha hållit på informationen, tänker hon nu. Men skallen är för seg för det, och vi har inga som helst skäl att misstänka Anders Dalström för något.

»Har du haft några framgångar?» frågar Zeke. »Med musiken?»

»Blygsamma. I gymnasiet var jag någon slags halvpopulär festtrubadur under mitt sista år, men det upphörde när jag tog studenten.»

»Kände du Jerry Petersson då?»

»Inte alls.»

»Ni gick inte på samma gymnasium?»

»Nej. Han och Andreas gick på Katedral. Jag gick på Ljungstedtska.»

»Så du kände inte Jerry?» frågar Malin.

»Jag svarade på det nyss.»

»Och Andreas? Hans mamma sa att ni var bra vänner.»

»Ja, det var vi. Vi höll ihop. Tog hand om varandra.»

»Hur då?» frågar Malin.

»Ja, gjorde saker ihop. Satt bredvid varandra på lektionerna.»

»Växte ni upp ihop?»

»Vi gick i samma klass i skolan i Linghem. Från sjuan, när Andreas flyttade dit.»

Malin ser sig själv på skolgården i Sturefors med sina klasskamrater, de flesta av dem spridda över landet nu. Hon ser mobbarna, killarna som gjorde en vana av att ge sig på dem med tydliga svagheter. Än idag minns hon mobbarnas namn: Johan, Lasse och Johnny. Än idag minns hon sin egen feghet, hur hon ville säga åt dem att sluta, men alltid hittade någon anledning att inte göra det.

»Men i gymnasiet kom ni ifrån varandra?»

»Nej.»

»Inte?» säger Malin. »Jag fick den uppfattningen av Stina Ekström.»

»Vi umgicks. Det är länge sedan. Hon måste ha glömt.»

»Men du var inte med på nyårsfesten?»

Zekes röst hes, sträv som regnet utanför.

»Nej. Jag var inte bjuden.»

Malin lutar sig fram över köksbordet. Ser lugnt på Anders Dalström. Hur han liksom vill dölja ansiktet med de tunna svarta hårstriporna.

»Du tog hans död hårt, eller hur? Måste ha varit jobbigt att förlora en vän.»

»Jag hade som mest med musiken då. Men visst, jag blev ledsen.»

»Och nu? Har du många vänner nu?»

»Vad har mina vänner med det här att göra? Jag har fler vänner än jag hinner träffa.»

»Vad gjorde du natten mellan torsdag och fredag och i fredags morse?» frågar Zeke samtidigt som han ställer sin kaffekopp på bordet.

»Jag jobbade. Ni kan fråga avdelningschefen, ni ska få numret.»

»Vi måste kolla», säger Malin. »Det ingår i rutinerna.»

»Ingen fara», säger Anders Dalström. »Gör vad ni måste för att få fatt i den som mördade Jerry Petersson. Visst, han verkar ha varit ett svin, och om han körde bilen den natten förtjänar han ett straff. Men att bli mördad? Det förtjänar ingen, inte av någon anledning.»

»Så du visste?» säger Zeke.

»Visste vadå?»

»Att Petersson körde bilen?»

»Jag hade ingen aning. Det var ju ni som berättade det nyss. Hon.»

»Har du numret till ditt jobb?» frågar Malin samtidigt som hon tittar på Zeke och sedan dricker upp det sista av sitt vatten.

Mörkret har sänkt sig över Linköping när Zeke släpper av Malin utanför porten på Ågatan.

Det lyser inifrån Puben Pull & Bear, sorlet hörs ut på gatan och om några sekunder kan jag stå vid bardisken med en fatlagrad tequila framför mig.

»Gå upp nu», ropar Zeke innan han kör iväg. Stående i porten lyssnar Malin av meddelandena på mobilen: Ett meddelande från Tove där hon berättar att hon sover ute hos Janne. Det har gått en vecka sedan vi sågs, tänker Malin. Hur gick det till?

Malin ringde avdelningsföreståndaren på Björsäters äldreboende på vägen tillbaka, och hon bekräftade Anders Dalströms alibi, kollade i pärmen med arbetsscheman och sa att han jobbat den natten.

Malin lägger ner mobilen, tar ett steg ut på gatan och ser på pubens skylt, hur den lyser med ett mjukt och varmt och löftesrikt ljus. Hennes bakfylla dröjer sig kvar i kroppen lika våldsam som tidigare, men nu förstärkt av tonvis med ånger och längtan och saknad, ändå vill hon gå in på puben, sätta sig vid bardisken och se vad som händer.

Så det välbekanta ljudet av telefonsignalen.

Pappas nummer.

Hon svarar.

»Hej, pappa.»

»Kom du hem som du skulle?»

»Jag är hemma. Har jobbat igår och idag.»

»Du förstår väl att mamma undrar vart du tog vägen?»

»Förklarade du för henne?»

»Jag sa att du fick ett jobbsamtal och var tvungen att rusa.»

Nödlögner.

Hemligheter.

Syskon med varandra de två.

»Hur är det med Tove?»

»Hon mår bra. Väntar på mig uppe i lägenheten. Jag står utanför nu. Vi ska göra kvällsmackor med kokt ägg.»

»Hälsa Tove», säger pappa.

»Det ska jag, jag träffar henne om någon minut. Nu ringer det, inkommande samtal, måste lägga på, hej då.»

Malin sätter nyckeln i låset.

Öppnar dörren.

Post på golvet. Reklamtidningar från olika stormarknader.

Men under reklambladen.

Ett vitt A4-kuvert med hennes namn skrivet med tydliga versaler i blått bläck.

Ofrankerat.

Och hon tar med sig posten ut till köket, slänger reklamen på bordet, tar fram en kökskniv och sprättar upp kuvertet, rycker ut innehållet.

Bilder.

Otaliga bilder.

Svartvita bilder och Malin känner hur hon blir kall och hur rädslan förbyts i en ilska som snart blir till rädsla igen.

Pappa utanför huset på Teneriffa.

Mamma suddig på balkongen.

De båda på en stormarknad bakom en varuvagn i en gång med matvaror.

Pappa på stranden. På en golfbana.

Mamma på en uteservering, ensam med ett glas vitt vin. Hon ser lugn och avslappnad ut.

Bilder som tagna ur en film gjord med super-åtta-kamera.

Bilder som tagna av någon som spionerar, dokumenterar, förföljer.

Svarta svartvita bilder.

Ett budskap.

En ankommen hälsning.

Goldman, tänker Malin. Ditt jävla svin.

46.

Sven Sjöman lutar sig tillbaka i den vinröda skinnsoffan i villans var-
dagsrum, pekar på ett av fotona som ligger på det kakelklädda soff-
bordet. Moraklockan i hörnet slog nyss åtta, klangen perfekt i det
egenmonterade klockverket. Hemvävda trasmattor på golvet, stora
välskötta krukväxter skymmer utsikten mot trädgårdens mörker.

Sven ser på Malin som sitter framåtlutad mitt emot honom i en
Laminofåtölj.

Hon hade ringt, och han sa åt henne att komma hem till honom
omgående.

Fotona på bordet. Varsamt ditlagda med pincett, Svens finger i
luften.

»Han vill skrämma dig, Malin. Han vill bara göra dig rädd.»

Så ger Malin efter för paniken:

»Tove. Vad är det som säger att de inte vill åt Tove? Egentligen.»

»Lugn, Malin. Lugn.»

»Det får inte hända en gång till.»

»Tänk, Malin. Tänk. Vem tror du ligger bakom bilderna? Vad är
det logiska?»

Hon andas djupt.

I bilen försökte hon tänka klart, tvinga bort rädslan.

Kom fram till samma sak som den första tanken:

»Goldman.»

Sven nickar.

»Det här», säger han. »Ska vi inte ta lätt på. Men jag tror inte att
du behöver oroa dig. Det är bara Goldman som leker en av de där
lekarna han uppenbarligen älskar.»

»Så du tror det?»

»Vem annars skulle det vara? Det måste vara Goldman. Han leker med oss, njuter säkert av att göra dig rädd. Och alla bilderna är från Teneriffa.»

»Men varför?»

»Du har träffat honom, Malin, vad tror du själv?»

Jochen Goldman vid poolen. Havet och himlen som tävlade i blånad, hans kropp nere vid stranden, hur du lekte med mig, fick mig dit du ville. Och här: regnet som kastanjetter mot plasttaket över Sven Sjömans altan.

»Jag tror han är uttråkad. Han vill bara visa vem som bestämmer.»

Sven nickar.

»Men om det finns minsta sanning i ryktena om vad han gör med dem som kommer i hans väg, måste vi vara försiktiga. Ta det på allvar.»

»Men vad kan vi göra?» frågar Malin uppgivet.

»Vi skickar bilderna till Karin Johannison. Hon får kolla fingeravtryck och se om de kan hitta något annat. Jag tvivlar dock på att de kommer hitta någonting.»

Sven gör en paus innan han fortsätter:

»Du tror inte att det kan vara någon annan. Någon som du satt dit och som vill jävlas?»

I bilen på väg till Sven hade Malin tänkt igenom vem som skulle vilja komma åt henne. Det fanns många, men ändå inga som hon trodde skulle gå så långt som att ge sig på den polis som fångade dem.

Mördare.

Våldtäktsmän.

Rånare.

Något mc-gäng? Knappast.

Men bäst att kolla om någon blivit utsläppt och satt igång en vriden plan.

»Inte vad jag kan tänka mig», svarar Malin. »Men vi får kolla om någon gammal antagonist nyss muckat.»

»Vi gör det», säger Sven och hans fru kommer in i rummet, hälsar på Malin, frågar:

»Vill du ha en kopp te? Du ser lite frusen ut?»

»Nej tack, det är bra. Jag sover dåligt på te.»

Och Sven småskrattar och hans fru ser undrande ut, och Sven säger: »Ett internt skämt bara», och Malin ler, känner att det är det enda som går att göra.

»Jag tar gärna en kopp», säger Sven och hans fru försvinner ut till köket och när hon är borta frågar han Malin hur hon mår. Han ställer frågan långsamt, med en röst Malin vet att han vill ska låta både innerlig och hoppfull, och hon svarar:

»Jag hade något slags dipp igår kväll. Jag är ledsen att ni fick se mig så där imorse.»

»Du vet att jag borde göra något.»

»Vadå?»

Malin lutar sig ännu längre fram över bordet. Ställer frågan igen:

»Göra vadå, Sven? Skicka mig på rehab?»

»Kanske är det precis vad du skulle behöva.»

Så reser sig Malin upp, och med ilsken röst fräser hon åt honom:

»Jag har just fått ett hotbrev med bilder på mina föräldrar tagna i smyg och du kan bara snacka om rehab!»

»Jag snackar inte bara om det, Malin. Jag menar det. Ta dig samman, eller så ser jag till att du blir avstängd och inskriven på någon form av behandling innan du får börja jobba igen. Jag har starka skäl att tvinga dig.»

Svens röst utan mjukhet nu, chefig, mästrande och Malin sätter sig igen, säger:

»Vad tycker du att jag ska göra med mamma och pappa?»

»Det skulle kunna göra dig gott, Malin. Få dig att komma på banan igen.»

»Ska jag berätta för dem?»

»Tänk på det. När fallet är avklarat.»

»Kan vi be polisen på Teneriffa att hålla ett öga på dem? Och på Goldman?»

»Vi gör så, Malin.»

»Gör vadå?»

»Ser tiden an vad det gäller dig. Vad gäller det andra så kontaktar vi lokalpolisen på Kanarieöarna. Du hade väl en kontakt?»

Malin känner de sista resterna av dagens illamående gå ur kroppen: Behandlingshem.

Över min döda kropp.

Fatta det, Sven.

Aldrig i hela jävla livet. Jag var bara lite nere. Jag reder ut det här, det måste du tro på, Sven.

En hand på Svens axel, en tekopp på bordet framför honom.

»Ditt te, Earl Grey, extra starkt, precis som du vill ha det.«

Regnet pockar envetet mot biltaket.

Hennes fadda andedräkt fyller kupén och hon fumlar med mobilen, trycker fram Jochen Goldmans nummer, men ingen signal går fram, bara ett tutande som följs av ett meddelande på spanska som måste betyda att abonnenten inte går att nå för tillfället, eller att abonnemanget upphört eller något annat jävla dumt. Malin trycker bort samtalet, lägger mobilen på passagerarsätet och är det hon eller fukten som får bilens innanmäte att stinka av mögel?

Hon startar.

Inte berätta för pappa. Eller mamma.

Hon åker hem till sin tomma lägenhet, och hoppas på att få sova.

Malin kan inte somna. Istället ser hon ut genom fönstret, på regnet som ritar ryckiga streck i natthimlen.

Hennes kropp är varm under täcket, lugn, skriker inte efter alkohol eller något annat. Hon vågar tillåta saknaden efter Janne och Tove ta plats i rummet.

Hon drar täcket över huvudet.

Janne finns där under. Och Tove som fem-, sex-, sju-, åtta-, nioåring, som alla de åldrar hon någon gång har varit.

Jag älskar idén om vår kärlek. Det är den jag älskar. Eller hur?

En knackning på fönstret.

Tolv meter över marken.

Det är omöjligt.

En ny knackning, och det bekanta ljudet av glas som vibrerar en aning.

Hon ligger kvar. Väntar ut ljudet och är det något som rasslar där ute? Hon sliter av sig täcket. Kastar sig de få meterna mot fönstret.

Regnet och mörkret. En osynlig kropp som svävar över hustaken?

Drick. Drick.

Orden som dunkningar i tinningen nu. Och så knackningen på fönstret, tre långa, tre korta, som ett rop på hjälp från en avlägsen planet.

Är det jag som ropar, tänker Malin när hon sekunderna senare ligger under täcket och väntar på nya knackningar som aldrig kommer.

Jag är långt ifrån dig nu, Malin.

Men ändå nära.

Du vet vem som knackade, eller hur? Kanske var det jag, eller så var det bara din alkoholindränkta hjärna som spelade dig ett spratt.

Drick, Malin.

Mörkret biter dig i strupen om du visar dig svag.

Om så bara inför alkoholen, pengarna eller kärleken.

Jag själv gav upp kärleken den där nyårsaftonen. Sedan fokuserade jag mina ansträngningar på pengarna. Jag visste redan då, där i studentrummet i Lund där jag ser mig själv sitta hukad över juridikböckerna, att pengarna var min enda möjlighet att någonsin få kärlek. Det är därför jag så ivrigt för mina fingrar över lagbokens tunna, lena papper.

47.

Lund 1986 och framåt

Den unge mannen knackar med fingret mot lagbokens silkespapper.

Han har satt proppar i öronen för att stänga ute alla ljud som finns i studentkorridoren på Östgöta nation i Lund. Han använder sina obevekliga blå ögon till att fotografera sidorna i boken. Titta, se, lagra i minnet. Juridiken är det simplaste av simpla ting för honom, bokstäver att fästa i medvetandet, sedan tillämpa som stunden kräver.

Han är i Lund i tre år. Längre behövs inte för att han ska ha tagit alla de poäng med de betyg som krävs för att han ska få sitta ting i Stockholm. Det är tre år av glömska, av att förtränga inskränktheten i en stad som Linköping, på en skola som Katedralskolan, i ett liv som det som varit hans.

Visst, de finns här också, de med efternamn som står skrivna med gåsfjäderpenna i böckerna på Riddarhuset, men här tas det mindre notis om dem.

Han klättrar uppför fasaden på Akademiska föreningens pampiga hus en natt. Nedanför står flickorna och skriker. Pojkarna skriker också. Han åker till Köpenhamn för att köpa amfetamin och kunna hålla sig vaken för att läsa. Han smugglar pillren under förhuden, ler åt tullarna i Malmö.

Han håller sig vid sidan av karnevalen som infaller hans andra år. Han kommer sent till pubarna och barerna, visar upp sig, låter ryktet gå om den som är smartast av de smarta, som lägrar de snyggaste brudarna.

Han är kropp i Lund. Men ännu mer viskningar och gissningar. Vem är han, var kommer han ifrån, och en kväll slår han en kille från Linköping blodig på en parkeringsplats bakom Malmö nation. Han hade berättat för dem som ville veta om vem Jerry Petersson verkligen är: en nolla. En ingenting från en ingentinglägenhet i ett ingentingområde i en ingentingstad.

»Du vet ingenting om mig», skriker han när han står över den liggande pojken som inte är mer än en svart kontur i ljuset från en ensam gatlykta. »Så du berättar ingenting. Du låter mig få vara den jag vill. Annars ska jag döda dig din jävel.» Han böjer sig ner, får fatt i ett stycke metall som ligger på marken, håller det som en kniv mot den liggande pojkens strupe, skriker: »Hör du den här, hör du de här? Hör du gräsklipparen, din jävel?»

Han lär sig allt om kvinnokönet. Dess mjukhet, dess värme och att de alla är olika och transformeras på olika vis, och att de kan förpuppa honom och föda honom på nytt och nytt och nytt.

Han lär sig vad fysisk saknad innebär när han ligger på sängen i sitt studentrum och drömmer om den kvinna som borde ha varit hans, som han ännu drömmer om kommer att kunna bli hans.

De drömmarna är hans hemlighet.

Den hemlighet som gör honom till människa.

48.

Det närmar sig nu, Malin.

Du känner det i din svarta dröm spunnen av hemligheter.

Människor som inte får ihop sina liv, som aldrig kommer till rätta med sin rädsla. Som ropar på hjälp med stumma ormröster.

Som är dömda till att vandra i vemod.

De finns alla i din dröm, Malin. Han finns där, pojken.

Malin.

Vem är det som viskar ditt namn?

Världen, allt mänskligt liv, alla känslor kremerade, alla ormungar som krälar runt de svullna hårlösa råttorna i stadens översvämmade rännstenar.

Bara rädslan finns kvar.

Den mest askgrå av känslor.

Jag vill vakna nu.

Maria.

Jag somnade alldeles för tidigt.

Klarvaken, tänker Fredrik Fågelsjö samtidigt som han ser på bordspendylen ovanpå spishällen, hur dess pelare i svart marmor verkar smälta ihop med den öppna spisens svarta sten. Klockan ska strax slå halv tolv.

Rått ute, en torr värme här inne. Sjön Roxen vild bara några hundra meter bort.

Elden sprakar, träklabbarna skiftar i orange och glödande grå toner, hela rummet doftar av brinnande trä, av lugn och trygghet.

Han snurrar konjakskupan med lätt hand, höjer den till näsan och

302

drar i sig aromerna, den söta frukten och han tänker att han aldrig mer ska dricka något annat än Delamain. Att det sista han dricker i det här jordelivet ska vara ett glas Delamainkonjak.

Bra att Ehrenstierna drog i sina kontakter. Nätterna i häktet var för jävliga. Ensamma och med alldeles för mycket tid till att tänka. Och han kom på en sak, förstod det när den där gamle stöten till kommissarie gick på om hans familj, om Christina och barnen. Förstod att pengarna och Skogså och all den där skiten inte spelar någon roll. Allt som betyder något har han här, och att det är Christina, deras aviga kärlek, barnen, som är allt. Att det de har fungerar, även om Christina aldrig förlikat sig med far, trots att hon ändå blivit som dem med åren.

Barnen. Han har försakat dem för att få det han trodde att han ville ha, det far ville ha.

Jag får ta månaden på Skänningeanstalten i sommar. Jag klarar det. Jag vet det nu.

Christina och barnen är hemma hos hans svärmor och svärfar. Det var bestämt sedan länge och ingen häktestid skulle få ändra på det, det var de överens om. Men själv ville han vara hemma. Njuta av Villa Italia i höstmörkret.

De borde vara hemma snart.

Fredrik Fågelsjö älskar lugnet i villan en sådan här kväll, men han skulle vilja höra bilen komma nu.

Höra barnen rusa uppför på trappan i regnet.

Deras fotsteg.

Fredrik Fågelsjö häller upp ännu en konjak.

De dröjer och han vill ringa sin fru, men håller tillbaka impulsen. Säkert stannar de kvar och ser en film eller spelar ett spel, ett av de där pöbelaktiga sällskapsspelen hans svärmor, hemska kvinna, älskar.

Slottet.

Det ligger i ett dödsbo nu som tillhör Peterssons far. Polisen har inte hittat några andra arvingar men de har pengar igen, tack vare någon gammal kärring i en gren av släkten de aldrig haft ett dugg att göra med. Pengar sprungna ur deras historia.

Far ska lägga ett bud till dödsboet.

Ordningen återställd.

För vem ska bo på Skogsås om inte vi? Jag, barnen. För även om det inte är viktigt egentligen, så är det ju vårt. Vi ska föra det vidare.

Jerry Petersson.

En klassresenär. En människa som inte vet sin plats, som aldrig vetat sin plats. Enkelt kan man uttrycka det så här, tänker Fredrik Fågelsjö:

Han dränktes i sina egna ambitioner.

Advokat Stekänger sköter dödsboet. Ett bra bud snabbt och saken är klar om Peterssons far tar det. Om han motsätter sig det hela höjer vi budet lite. Marken är vår, och inga andra ungar ska leka där än mina, jag känner det starkt, mot min egen vilja.

Sedan ska jag få ordning på jordbruket. Odla energiväxter och göra familjen en ny förmögenhet. Jag ska visa far att jag vet hur det går till, att jag kan skapa saker och få dem att hända.

Att jag kan vara hänsynslös. Precis som han.

Att jag inte bara är en banktjänsteman som endast duger till att förlora pengar, utan att jag faktiskt kan placera familjen i framtiden.

Fredrik Fågelsjö känner kinderna hetta när han tänker på optionerna, på förlusterna, på sin obotliga klantighet.

Men nu finns det pengar igen.

Jag ska visa far att jag duger till att hänga som porträtt på Skogsås väggar. Och när jag visat honom det, ska jag säga till honom att hans åsikt om mig inte betyder något, att han kan dra åt helvete med sitt porträtt.

Fredrik Fågelsjö reser sig.

Känner parketten gunga under sina fötter när konjaken far upp i huvudet.

Han sätter sig på nytt. Ser på bilden av sin mor Bettina som står bredvid bordspendylen. Det milda ansiktet är inramat av en kraftig guldram. Hur far aldrig blivit sig lik sedan hon gick bort. Hur han har något efterlämnat, nästan kvarglömt över sig.

Fredrik Fågelsjö stod i smyg utanför sin mors sjukrum på slottet den sista natten hon levde. Hörde hur hon fick fadern att lova att ta hand om honom, den svage sonen.

Hans mor var inte alls lik den kvinnliga kriminalinspektören som grep honom ute på fältet när han försökt köra ifrån polisen inne i stan, men ändå kommer Fredrik Fågelsjö att tänka på henne.

Malin Fors.

Rätt snygg.

Men trashig. Dålig klädsmak och alldeles för sliten för sin ålder. Hon har det där billiga över sig som alla lantistjejer av lite sämre familj har. Det som skilde henne från andra av samma sort var att hon verkade fullständigt medveten om vem hon var. Och att det störde henne. Hon kanske är intelligent, men riktigt smart kan hon knappast vara.

Kommer ni snart?

Den gamla villan tycks ruva på hemligheter i varje hörn och fukten och regnet får huset att knäppa som ville det sända ett meddelande till honom på morsekod.

Så hör Fredrik Fågelsjö något.

Är det bilen som stannar, hans frus svarta Volvo, och pendylen slår ett slag och visst, det måste vara de. Barnen sover säkert i bilen nu, om de skulle stanna över hos svärmor och svärfar skulle Christina ha ringt.

Han reser sig.

Går på ostadiga ben ut i hallen där han öppnar dubbeldörrarna.

Regnet slår in mot honom, men han ser ingen bil på uppfarten.

Mörkret kompakt ute.

Och regnet.

Så tänds ett par billyktor borta vid ladugården.

Så släcks de igen.

Och tänds igen och han kan inte urskilja bilen tillräckligt för att kunna se märket, men visst är bilen svart, det är den, och han undrar varför hans fru inte kör ända fram till huset i det här vädret, kanske har hon fått motorstopp av fukten, och han kliver ut på förstubron och vinkar och nu blinkar bilen igen, om och om igen. Frun och barnen. Vill de att han ska springa dit med ett paraply? Eller är det far som kommit? Min syster?

Blink.

Blink.

Fredrik Fågelsjö drar på sig sin oljerock.

Spänner upp paraplyet.

Blink.

Sedan mörker.

Han går i regnet mot bilen som står med släckta lyktor femtio meter bort.

Mörkret.

Han kan nästan känna pupillerna vidga sig, hur ögat arbetar febrilt för att hjälpa hjärnan tolka världen, som om världen försvinner utan korrekta signaler.

Han borde ha tänt trädgårdsbelysningen. Ska han gå tillbaka?

Nej, fortsätt mot frun och ungarna.

Han närmar sig bilen.

Fruns bil.

Nej.

Tonade rutor, omöjliga att se in genom.

Något i rörelse vid bilen.

Ett djur?

En räv, eller en varg?

Ett snabbt ljud från det som är i rörelse.

Och Fredrik Fågelsjö blir kall, kroppen förlamad och han vill fly som han aldrig flytt förut.

Det är bara en dröm, tänker Malin. Men den tar aldrig slut.

Det är bara i drömmen rädsla finns.

Knackningarna på det innersta av mig.

Ugnen, den jag någon gång ska in i, är inget att vara rädd för.

Jag har givit efter. Och det gör mig rädd.

Den jag är, det är min rädsla. Eller hur?

Del 3.

De vårdslösa och de rädda

Östergötland, oktober

Filmen tar inte slut, bara för att jag vill att den ska göra det.

Den är oändlig, och bilderna blir allt suddigare, allt mer diffusa, allt mer grå samtidigt som de brinner i kanterna.

Vad som än händer ska de inte få fatt i mig.

Jag ska värja mig.

Jag ska andas.

Jag ska inte tygla något som helst raseri. Jag vill känna ormungarna, de sista, lämna min kropp.

Jag ska medge att det kändes bra den här gången. Det var inget plötsligt utbrott som första gången. Jag visste vad jag skulle göra. Och det fanns tusen skäl. Jag såg ditt ansikte i hans, far, jag såg alla pojkarna på skolgården i hans ansikte. Jag klädde av honom som de klädde av mig, jag låtsades att jag la honom på ett altare av ormungar.

Det gjorde mig lugn, våldet. Lycklig. Och oändligt förtvivlad.

Mörkret tätnar nu, regndropparna formas till kulor av bly som slår ner i marken och människorna.

Det är min tur nu. Jag är mäktigast.

Ingen ska någonsin mer få vända sig ifrån mig. Och vem behöver egentligen svinen med sina anor, namn, sin genom födseln givna överlägsenhet. Bilderna flimrar, svartvita med gulbleka siffror. Berättelsen om mig, den som sprutar ut ur projektorn, närmar sig sitt slut nu.

Men jag finns ännu.

Far omfamnar mig igen på bilderna och han är mager, mamma överlever inte cancern länge till. Kom till mig, son, stå stilla så att jag kan slå dig.

Jag har en vän.

Det går att undfly ensamheten, ofriheten. Främlingarna och rädslan, allt det som är outhärdligt. Livet kan vara ett blått, spegelblankt hav.

Pengar.

Allt kostar.

Har sitt pris.

Pojken som springer i trädgården på bilderna på den vita projektorduken vet inte det ännu, men han anar det.

Pengar. Det skulle ha varit min tur.

Far, du har inga pengar. Har aldrig haft. Men varför skulle jag inte ha några? Din bitterhet är inte min bitterhet, och kanske kunde vi ha gjort något tillsammans, något bra.

Men det gick som det gick.

En hyresrätt, ett radhus, påvra mänskliga boningar.

Jag springer ensam genom trädgården på bilderna. Fan ta dem som skapar ensamhet, rädslan som kommer med den.

Fan ta dem.

Pojkar. Levande och döda, män med skinn att försöka passa i.

Så är rullen slut. Projektorn blinkar vit. Varken pojken eller mannen finns längre.

Vart ska jag ta vägen? Jag är rädd och ensam, en människa som inte finns på några bilder. Kvar finns bara känslan av ormungar som krälar under min hud.

49.

Fredag den trettioförsta oktober

Advokat Johan Stekänger ökar farten och sätter vindrutetorkarna på maximal hastighet, och de flaxar som nackade hönor över rutan framför honom.

Jaguaren svarar på hans kommando och de glider förbi bussen i god tid före mötet med en sorglig svart Volvo kombi.

Värmen i sätet värmer skönt mot arslet. Extra ruggigt där ute så här på morgonen. Bilen doftar fortfarande nytt och fräscht av kemikalier och den grå inredningen matchar onekligen årstiden.

Konsten på väggarna på slottet, varenda vägg täckt av tavlor som knappt föreställer ett skit, men som han förstått har ett stort värde.

Därav fjanten i tweedkostym bredvid honom: En Paul Böglöv, förlåt Boglöv, som är expert på samtida konst och som åkt ner arvodesfritt från Stockholm för att dokumentera och värdera Jerry Peterssons konstsamling.

Böglöv hoppas väl på att få sälja skiten, tänker Johan Stekänger samtidigt som de stannar på slottsbacken efter att ha korsat bron över den tomma vallgraven.

Han har inte sagt många ord.

Märker kanske mitt förakt, tänker Johan Stekänger, och det var faktiskt en av anledningarna till att han valde att flytta tillbaka till Linköping efter juristlinjen i Stockholm. Invånarna är mer homogena här, och bögar, som han alltid haft jävligt svårt för, ser man nästan aldrig på stadens välhållna gator.

Klockan på instrumentbrädan visar 10.12.

En bouppteckning av det grandiosa slaget, den största han någonsin haft. Det blir ett bra arvode i slutändan, det är ett som är säkert.

Och då får man stå ut med en konstfjolla från Fjollträsk.

Han föraktar mig, tänker Paul Boglöv samtidigt som den oborstade advokaten i den billiga gröna kostymen och det allt för långa blonda håret i nacken trycker in koden till larmpanelen vid sidan om slottsporten.

Men vad bryr jag mig om hans förakt?

Landsortstölp.

»Kliv på i prakten.»

»Det var det jävligaste.»

Orden kommer ur munnen på Paul Boglöv innan han hinner hejda dem, och när han äntligen lyckas slita blicken från den enorma målningen som hänger i slottets entré ser han hur brännvinsadvokaten vid hans sida ler.

»Så pass, alltså. Värdefull?»

»Det är en Cecilia Edefalk. Från hennes mest kända serie.»

»Ser inte mycket ut för världen om du frågar mig. En man som smörjer sololja på ett fruntimmers rygg. Han kunde väl ha smörjt brösten!»

Det där svarar jag inte på, tänker Paul Boglöv.

Istället tar han upp kameran, fotograferar målningen, antecknar i sitt lilla svarta block.

»Det hänger sådant här i nästan varje rum.»

Paul Boglöv går från rum till rum, fotograferar, kalkylerar och blir förvånad på samma sätt som barn blir förvånade, och för varje rum växer känslan av att göra en stor upptäckt inom honom, var det så här de kände de som hittade den kinesiska terrakottaarmén?

Mamma Andersson, Annika von Hausswolff, Bjarne Mellgaard, Torsten Andersson, en fin Maria Miesenberger, Martin Wickström, Clay Ketter, Ulf Rollof, ett nersläckt Tony Oursler-huvud.

Oklanderlig smak. Samtida. Måste vara inköpt under det senaste decenniet.

Valde Jerry Petersson konsten själv?

Känslan för kvalitet. Den är man född med.

Och brännvinstypen.

Hans idiotiska kommentarer.

»Ser ut som ett vanligt foto, om du frågar mig.»

Om den lilla Miesenbergern.

»Lite glas med hål i.»

Om Ulf Rollofen över sängen i det som måste ha varit Jerry Peters-sons master bedroom.

Konst för en trettio miljoner. Minst.

När alla rum är genomgångna tar Paul Boglöv ett glas vatten i köket och läser igenom sin anteckningsbok, klickar sig tillbaka genom bilderna av målningarna i kameran.

Öga.

Petersson, eller någon annan, måste ha haft ett perfekt öga.

Ni rör er genom mina rum.

Du gapar, han hånar.

Ni vet inte vad ni snart ska hitta, vad jag nyss såg.

Det fanns ett skäl till att jag drogs till konsten, så mycket är sant.

Men jag tänker inte berätta om det nu, det återstår för Malin Fors att gissa sig till.

Jag blev överrumplad av konsten. Fick så mycket mer än jag anat. Först hade jag inte råd, men ganska snart.

I mina bilder såg jag, ser jag alla de känslor jag inte har namn på. Se bara på det blå genomskjutna glaset ovanför min säng. Skönheten och smärtan i det, eller på Mellgaards fistfuckande apor, deras illa förtäckta rädsla över vad de är, vad de blivit, kärleken de lämnat bakom sig någonstans.

Eller på Maria Miesenbergers tomma människoskuggor. Som synder man aldrig kan lämna bakom sig.

»Det finns ett kapell också», säger Brännvinet. »Det hänger några Jesusmålningar i guld där. Du kanske ska se dem också?»

Ikoner, tänker Paul Boglöv. Han vet inte ens att det heter ikoner, för något annat kan det väl inte vara?

»Var ligger kapellet?»

»Bakom slottet mot skogen till.»

Paul Boglöv ställer ner glaset på diskbänken.

Ute regerar kejsar Regn, dagen mörk trots att klockan bara just slagit tolv.

De går med raska steg runt slottet. Kapellet ligger ensamt och övergivet vid randen till en tät granskog.

En nyckel i Brännvinets hand.

Ikoner, tänker Paul Boglöv, undrar om Jerry Petersson hade lika god smak där?

»Det är visst öppet», säger Brännvinet.

Och så öppnar de portarna till kapellet.

De glider långsamt och knarrande upp.

Ett matt ljus genom fönsterlösa gluggar.

Och de ger båda upp varsitt bottenlöst skrik när de får se det som ligger naket och liksom draperat på den stenupphöjning som markerar platsen för släkten Fågelsjös familjegrav.

50.

Döden är doftlös här. Den ruttna ton som träffar Malins näsa kommer inte från liket, utan från skogen runt om slottskapellet.

Marken är sank, men verkar inte kunna översvämmas.

Fredrik Fågelsjös kropp är naken.

Malin vet det, trots att den redan ligger på en bår i en svart plastsäck, avsedd för ändamålet: Att transportera och dölja lik i.

Hon står vid ingången till Skogsås kapell, försöker undvika regnet som vinden vill driva in mot henne, ser de guldfärgade Kristusbilderna på väggarna, helgonglorian runt gudasonens huvud, en gloria som ingen levande tycks ha denna höst.

Gamarna hålls på avstånd. Hon kunde se förväntan i deras ögon när hon gick förbi dem nyss. Deras små BlackBerry för anteckningar, deras svältfödda kameror, deras instinkt väckt till liv, äntligen händer det något igen. Daniel var inte där. Han kanske kommer.

Sven Sjöman och Zeke bredvid henne, tysta och sammanbitna, men också fundersamma.

Fredrik Fågelsjö.

Mördad. Som offrad för något på familjegraven.

Ett höstoffer.

Men varför? Och av vem?

Sambandet med mordet på Jerry Petersson vill de tre poliserna ta för givet, men vet att de inte får göra det. Inga knivskador den här gången, men ett tydligt meddelande lika fullt: En naken kropp på en grav.

De måste hålla alla vägar i utredningen öppna, det är inte säkert att deras två mord hör samman bara för att brottsplatsen är nästan densamma, eller för att offren har en gemensam historia. Vem vet, tänker Malin, hur våldets irrgångar kan se ut? Blindgångar, mörka och ensamma. Tillvägagångssätten skiljer sig uppenbarligen åt, men det är en myt att en mördare alltid mördar på samma vis.

Advokaten och konstexperten.

De var uppjagade när Malin, Sven och Zeke anlände för kanske en timme sedan, men de hade haft vett nog att inte gå långt in i kapellet och att sedan avlägsna sig försiktigt från dess närmaste omgivningar.

Deras ärende på platsen solklart. De hade inte heller sett eller hört något.

Ingen idé att hålla dem kvar.

Karin Johannison och hennes två manliga kollegor från SKL rör sig runt graven, letar efter fingeravtryck, stoppar ner saker, osynliga för ögat, i plastpåsar.

Karins ord om Fredrik Fågelsjö efter det att hans lik kommit in i sin svarta plastsäck:

»Han dog med största sannolikhet av ett slag mot huvudet. Såret ser ut som om det kommer från en hammare. Det har träffat rakt på, så det går inte att avgöra om förövaren är högerhänt eller vänsterhänt. Inga andra tydliga märken på kroppen, inget våld mot genitalierna vad jag kan se vid en hastig anblick.»

»Mördades han här eller flyttades han?» frågade Malin.

»Han flyttades med största sannolikhet hit. Det finns tydliga blodspår vid ingången. Och även om kläderna är borta, så tror jag att han kläddes av här. Det ser ut att vara samma fibrer på stengolvet som jag hittade på kroppen vid min första examination.»

»Så mördad på en annan plats, men avklädd här.»

»Troligtvis, ja.»

»Och sättet, att lägga honom i kapellet, på den där graven.»

»Gravvården.»

»Sak samma. Vad tror du om det?»

»Sådant är din sak, Malin. Jag tror ingenting.»

»Och tillvägagångssättet?»

»Det måste ha varit ett hårt slag.»

»I ilska?»

»Kanske. Men knappast i raseri, då slår du nog flera gånger.»

Och nu gör Karin ett tecken mot sina kollegor.

De två männen bär ut Fredrik Fågelsjös lik ur kapellet.

Vad vill du, eller ni, berätta, tänker Malin när de passerar henne.

Vad försöker ni säga?

Familjegraven framför henne.

Fredrik Fågelsjö som spekulerade bort pengarna och släktens gods. Är det far Axel och syster Katarina som hämnats? Men varför skulle de göra det nu, när familjen fått ett arv och med största sannolikhet kan köpa tillbaka egendomen av dödsboet? Eller var det familjen som tillsammans såg till att få undan Jerry Petersson och nu måste få undan Fredrik för att han av någon anledning inte kan hålla tyst eller vet för mycket?

Eller är det något helt annat som hänt här? Har Fredrik Fågelsjö kopplingar till Goldman? Känns jävligt långsökt, eller hade Fredrik en stor roll i nyårsnattens tragedi, gjorde han mer än bara ordnade festen? Eller har Fredrik Fågelsjö blivit mördad för att han mördade Petersson?

Varför händer allt detta nu? Om Jochen Goldman på något sätt håller i trådarna skulle det kunna vara så att det helt enkelt inte hunnits med förut. Vem vet hur mycket en sådan som han har att städa undan i sitt förflutna. Kanske har han förpassat många till havets botten? Skickat många bilder?

Eller hör morden inte alls ihop? Vilka fiender hade Fredrik Fågelsjö? Arrendebönderna?

Jerry, Fredrik. Har någon anledning att hata er båda två?

Ikonerna på väggarna tycks glöda, som om de vill mana på henne att fortsätta framåt.

Malin känner hur hon, trots kylan och regnet, trots all jävelskap njuter av att hjärnan går igång, av att försöka bringa ordning på de möjligheter som ett dubbelmord ger.

Utredarsjälen kickar igång igen.

Då finns inga tveksamheter eller sorger mer. Bara fokus på en gåta som måste få sin lösning.

»Ska vi gå till huset och sammanfatta läget?»

Svens röst är inte trött, snarare förväntansfull, som om även hans polissjäl vaknat till liv.

»Det gör vi», säger Zeke och vänder ryggen till platsen för den våldsamma döden.

Malin, Zeke och Sven står i slottsköket och går igenom möjligheterna, samma som Malin funderade över vid kapellet och några till.

»Tillvägagångssätten skiljer sig åt», säger Sven. »Men jag tror ändå att vi har att göra med samma mördare.»

Malin nickar.

»För mycket länkar morden till varandra. Platsen, offrens historia. Det skulle förvåna mig mycket om det inte var samma gärningsman.»

»Kanske skedde första mordet i raseri, och det andra var planerat», funderar Zeke.

»Det kan också vara så att Fredrik Fågelsjö mördade Petersson och själv blev mördad som hämnd», säger Sven. »Vi vet helt enkelt inte. Men med största sannolikhet har vi att göra med en och samma mördare.»

»Och då kan vi avskriva föräldrarna till ungdomarna som råkade illa ut i bilolyckan», säger Malin. »De hade ju ingen anledning att vilja mörda Fredrik Fågelsjö. Om de velat ta livet av honom för att han ordnade festen skulle de ha gjort det för länge sedan.»

De nämner Jochen Goldman, kommer fram till att kopplingen är långsökt, men att de inte helt kan avskriva honom.

De tre poliserna står tysta ett slag, begrundar alla tänkbara scenarier, känner hur svårfångad och mångskiftande sanningen är.

»Ni två får åka till Axel Fågelsjö», säger Sven sedan. »Johan och Waldemar får meddela Katarina Fågelsjö.»

»Och förhöra dem, vi förhör gubben», säger Zeke. »De kan trots allt i högsta grad ha haft något med det här att göra.»

»Det kan de», säger Sven. »De kan ha velat röja Fredrik ur vägen för affärernas skull, eller så är de skyldiga till Peterssons död och han höll på att bryta ihop och ville erkänna.»

Malin skakar tvivlande på huvudet, men säger ingenting.

»Och så får vi ta en noggrann titt på Fredrik Fågelsjös liv. Hans affärer på banken», säger Sven. »Kanske har han inte bara förskingrat sin familjs pengar. Han kan ha fiender. Det blir mer jobb för Johan, Waldemar och Lovisa i Hades.»

»Vilken jävla röra», säger Zeke. »Hur i helvete ska vi komma framåt med det här?»

»Hades får kolla affärerna. En dålig affär kommer sällan ensam», säger Sven och sedan ger han Malin en medlidsam blick som gör henne irriterad, som vill få henne att säga: »Sluta bry dig så jävla mycket. Jag klarar mig», och sedan tänker hon: »Tänk om jag inte gör det, tänk om jag inte klarar mig. Vad händer då?» Och så det diffusa begreppet behandlingshem som ett för tidigt tomtebloss i hjärnan.

»Och så får vi prata med Fredrik Fågelsjös fru», säger Zeke. »Hon har inte anmält honom saknad.»

»Gör ni det», säger Sven. »Han har kanske sagt att han skulle någonstans till henne. Några fler möjligheter?» undrar Sven sedan. »Bilolyckan?»

»Tveksamt. Men vi ju måste ju ställa oss frågan varför han placerats naken på familjegraven», säger Malin, »nästan som ett offer.»

»Tror du att mördaren vill berätta något för oss?»

»Jag vet inte, kanske. Eller så vill han eller hon att vi ska tro att det finns något att berätta. Få oss att rikta blicken åt ett visst håll. Kanske mot familjen Fågelsjö själv. Allt har ju gått att läsa i tidningarna.»

»Kan det vara någon i familjen, som vill bli upptäckt, menar du?»

Zeke frågande bredvid henne.

»Snarare tvärtom», säger Malin.

»Vadå?»

»Jag vet inte», säger Malin. »Det känns bara som om det är något som inte stämmer.»

»Du har helt rätt i att det är något som inte stämmer. Men vi får Karins rapport imorgon och får gå vidare därifrån», säger Sven. »Vi får upprätta ett schema över Fredrik Fågelsjös sista dygn i livet också. Vi har ju inte kommit så långt vad det gäller Petersson. Eller så finns det helt enkelt inget att fylla i mer än det vi redan vet förutom hans möte med mördaren.»

»Hur tror vi Fredrik Fågelsjö hamnade här?» frågar Zeke.

»Tekniska ska undersöka hjulspåren på slottsbacken. Se om de hittar några nya som inte stämmer överens med dem från advokatens bil. Inget tyder på att någon varit inne på slottet. Det var larmat när de kom. Åk till Katarina Fågelsjö nu. Innan det är ute i media.»

»Det är redan ute», säger Zeke.

Correns och lokalradions bilar. SVT. 4:an. Kanal Lokal.

De ettriga gamarna. Även om de inte nämner några namn kan alltid offrens anhöriga lägga samman ett och ett och ingen ska behöva få dödsbud via medierna.

Fortfarande ingen Daniel där ute.

Istället en äldre reporter Malin konstigt nog inte känner igen och fotografen, den unga tjejen med rastaflätor Malin vet tar bra bilder. Vad är det hon försöker fånga nu?

Döden?

Våldet? Ondskan. Eller rädslan.

Vad du än gör, ta inga kort på mig. Jag ser ut som en gris.

Svens telefon ringer.

Han hummar bredvid dem. Lägger på.

»Det var Groth på Tekniska», säger han vänd mot Malin. »Undersökningen av bilderna på dina föräldrar gav tyvärr ingenting.»

Malin nickar.

»Shit», säger Zeke lågt. Han blev arg när han fick veta om bilderna imorse. »Kan bilderna hänga ihop med det här?»

»På något sätt hänger allt ihop, eller hur?» säger Malin. »Det är bara en fråga om hur.»

Malin går ut ur köket, vidare ut i entrén och fastnar än en gång framför den väldiga målningen av en man som smörjer solkräm på en kvinnas rygg.

Tänker att tavlan är vacker och skitig på samma gång.

Känner något inför den, men kan inte sätta fingret på vad.

Sven går förbi henne.

Hon säger: »Jag vill gärna att jag och Zeke tar samtalet med Katarina Fågelsjö.»

»Gör det om du tror att det är bättre», säger Sven. »Waldemar och Johan får prata med Fredrik Fågelsjös fru istället. Men börja med hans far. Och inte ett jävla ljud till media.»

51.

Axel Fågelsjö står stilla vid fönstret i salongen. Dimman som drev in när det blev uppehåll i regnet gör sikten ut mot Trädgårdsföreningen grumlig, de nakna träden är som tunna siluetter av kroppar, och Axel Fågelsjö verkar spana efter något, som om han hade en känsla av att någon nere i parken betraktade honom på avstånd och bara väntade på rätt tillfälle att kasta sig över honom.

Det var som om han visste varför de kommit, som om han visste vad som hänt, och han bad Malin och Zeke redan i hallen att »komma ut med språket», som om han väntat på dem hela natten. De bad honom gå in i vardagsrummet och sätta sig, men den gamle mannen vägrade: »Säg vad ni har att säga här», och Malin satte sig på en gammal sliten rokokopall vid dörren och sa rätt ut:

»Din son. Fredrik. Han hittades död i kapellet på Skogså imorse.»

Ordens fasansfulla innebörd blåste bort hennes osäkerhet.

»Hade han tagit livet av sig? Hängt sig?»

Och i Axel Fågelsjös ansikte, i det rosa virrvarret av rynkig hud spänd över fett, såg Malin en hårdhet, men också en tydlighet.

Jag föraktade min son. Jag älskade honom.

Han är död, och kanske är han nu förlåten sina synder. Mot mig. Mot sin mors minne. Sina förfäders.

Och längst inne i de blanka pupillerna sorg, men känslan ändå som dold bakom lager på lager av självkontroll.

»Han blev mördad», sa Zeke. »Din son blev mördad.»

Som om han ville provocera fram en reaktion hos Axel Fågelsjö, men han vände sig bara om, gick ut i salongen och bort till fönstret där han nu står med ryggen mot dem och svarar på deras frågor, verkar inte bry sig om omständigheterna. Malin önskar att hon kunde se hans ansikte nu, hans ögon men hon är säker på att inga tårar kommer nerför Axel Fågelsjös kinder.

»Vi kan berätta om detaljerna kring din sons död för dig om du vill höra», säger Malin. »Vi vet en del.»

»Hur han hittades, menar du?»

»Till exempel.»

»Det kommer jag att kunna läsa i tidningen tids nog, eller hur?»

Malin berättar ändå det de vet, utan att avslöja några detaljer. Axel Fågelsjö förblir orörlig vid fönstret.

»Hade Fredrik några ovänner?»

»Nej. Men ni vet ju att jag inte var glad på honom efter finansdebaclet, som bekant.»

»Någon som kan vilja komma åt dig?

Axel Fågelsjö skakar på huvudet.

»Vad gjorde du igår kväll och inatt?» frågar Zeke.

»Jag var hemma hos Katarina. Vi pratade om möjligheterna att köpa tillbaka Skogså från dödsboet. Det var bara hon och jag. Jag promenerade hem sent.»

Far och dotter, tänker Malin. De är tillsammans, just den natten Fredrik, brodern, sonen, mördas. Varför?

»Inget annat som vi borde veta om Fredrik? Några andra affärer som kan ha gått snett?»

»Han hade inga sådana befogenheter på banken.»

»Inté?»

»Han var en hantlangare.»

»Kan han ha haft något att göra med en Jochen Goldman?»

»Jochen Goldman? Vilken Goldman?»

»Svindlaren», säger Zeke.

»Jag känner inte till någon Goldman. Än mindre tror jag att Fredrik hade några affärer med en svindlare.»

»Varför inte?»

»Det var han för feg för.»

Malin och Zeke ser på varandra.

»Och Fredriks fru. Hur var deras relation?»

»Det får du fråga hans fru om.»

»Vill du att vi ska se till att det kommer hit någon? Vi ser helst inte att du är ensam.»

Axel Fågelsjö fnyser åt Malins ord.

»Vem skulle ni skicka hit? En präst? Har ni inte fler frågor kan ni gå nu. Det är dags att lämna en gammal man ifred. Jag behöver ringa en begravningsentreprenör.»

Malin tappar tålamodet med den gamle mannen.

»Det är inte så att ni i familjen tillsammans lät döda Jerry Petersson, och nu höll Fredrik på att bryta ihop och ville erkänna? Att ni mördade honom?»

Axel Fågelsjö skrattar åt henne.

»Ni är galna», säger han.

Och Malin hör själv hur konspiratorisk deras teori låter.

»Vi ska till Katarina nu», säger Malin sedan. »Du kanske vill ringa henne först?»

»De här nyheterna får ni komma med», säger Axel Fågelsjö. »Hon slutade lyssna på mig för länge sedan.»

Malin och Zeke tar trapporna ner, deras steg får hela trapphuset att eka. Halvvägs ner möter de en mörkhyad städare som sveper över trappstegens sten med en våt svabb.

»Det är en känslokall jävel det där», säger Zeke när de närmar sig porten.

»Han kan stänga av helt», säger Malin. »Eller snarare stänga in helt.»

»Han verkade inte ens bli upprörd. Eller undra över vem som dödat han son.»

»Ännu mindre verkade han bry sig om Fredriks fru», säger Malin.

»Och barnbarnen. Han verkade helt strunta i barnbarnen», fyller Zeke i.

»Han är väl för gammal för vreden», säger Malin.

»Han? Han blir aldrig för gammal för den. Ingen blir det.»

Axel Fågelsjö har satt sig i fåtöljen framför den öppna spisen.

Han knyter sina grova labbar till händer, känner ögonen bli fuktiga och hur tårarna rinner nerför kinderna.

Fredrik.

Mördad.

Hur kunde det ske?

Poliserna.

Ingen att prata med, ju färre ord som yppas desto bättre.

Han ser sina barnbarn springa genom salongerna ute på Villa Italia, hur Fredrik jagar dem, så springer de vidare ut ur bilden inom honom och barnfötter trummar över stengolvet i rummen på Skogså. Vilka är de barnen? Fredrik, Katarina? Victoria? Leopold?

Jag vill ha barnbarnen hos mig, men hur ska jag närma mig henne, Bettina? Hans fru Christina har aldrig tålt mig och inte jag henne.

Och egentligen, vad ska de med mig till?

Sanningen, tänker Axel Fågelsjö, är för dem som inte vet bättre. Handling är för mig.

Du är änka nu.

Dina två barn faderslösa.

Johan Jakobsson ser på kvinnan framför sig i soffan i Villa Italias stora salong, hur hon är hopsjunken och söndergråten men ändå utstrålar ett slags framtidstro. Säkert är hon trygg ekonomiskt, och Johan har sett det förr hos kvinnor med barn som han givit dödsbud om maken, hur de omgående verkar rikta all kraft framåt, på barnen, på att göra dem till hela människor.

Johan lutar sig tillbaka i fåtöljen.

Christina Fågelsjö ser förbi honom, bort mot Waldemar Ekenberg som sitter på en pall vid flygeln och håller ena handen stilla på tangenterna samtidigt som han med den andra stryker sig över blåmärket på kinden.

Christina Fågelsjö har just berättat att hon valde att sova över hos sina föräldrar med barnen efter att de druckit vin till middagen. Att hon ofta åt middag med barnen hos sina föräldrar utan Fredrik, »att de aldrig gått bra ihop, han och de», att föräldrarna kan bekräfta.

»Du ringde inte hem», frågar Waldemar.

»Nej.»

»Och han var borta när du kom hem?» frågar Johan och han slås av tanken att Christina Fågelsjö kanske har mördat sin make för att komma åt det nya arvet innan pengarna spenderas på att försöka köpa tillbaka Skogså.

Långsökt, tänker han sedan. Kvinnan framför honom är ingen mördare. Och arvet är med stor sannolikhet främst Axels. Men av allt att döma är hon högerhänt. Som nästan alla andra.

»Jag tog för givet att han var på banken.»

»Hade han några fiender?» frågar Waldemar och Johan känner att frågan är precis rätt ställd, i rätt ögonblick och motvilligt inser han att han och Waldemar fungerar bra ihop som poliser. Han är övertygad om att Christina Fågelsjö säger sanningen när hon svarar:

»Inga som jag känner till.»

»Hans far? Syster?»

»Ni menar för debaclet?»

Christina Fågelsjö rycker på axlarna.

Waldemar Ekenberg klinkar sakta på flygeln. Ljuset i Christina Fågelsjös blick.

»Vi har ställt frågan tidigare», säger Johan. »Men vet du varför han flydde från oss? Kan det ha ...»

»Vi pratade om det dagen han slapp ur häktet. Han blev rädd, fick panik. Det kan vem som helst få i en sådan situation.»

»Reflekterade han över att det är olagligt och farligt att köra bil berusad?»

»Ibland tyckte han sig stå över sådant. Regler var ibland mer för andra.»

»Hur var ert äktenskap?» frågar Johan sedan, och Christina Fågelsjö svarar utan att tänka efter.

»Det var ett bra äktenskap. Fredrik var en generös man. Familjen Fågelsjö är bra på kärlek.»

Och i samma ögonblick som Christina Fågelsjö säger ordet kärlek, springer två små barn in i rummet, en liten flicka och en ännu mindre pojke. Barnen rusar fram till sin mamma, frågar i mun på varandra:

»Mamma, mamma, vad är det, mamma, berätta.»

»Mamma. Är du där? Linjen är dålig.»

Tove.

Klockan har hunnit bli halv tre och det har redan börjat mörkna en aning borta vid horisonten över en taggig, sönderriven Östgötaslätt. Malin sitter i Volvon med Zeke på väg hem till Katarina Fågelsjö.

Hon vill att Tove ska säga att hon kommer hem ikväll, att hon sover i lägenheten i stan och inte ute hos Janne.

De kör förbi Ikea, fullt på parkeringen så här dags, och vid bensinmackarna ut mot Skäggetorp fyller folk tankarna på sina glänsande, välhållna bilar. Hon ser mot platsen där hon parkerade sist när hon skulle handla kläder och tycker sig se två män som gestikulerar vid en bil.

Malin blinkar.

När hon öppnar ögonen igen är männen borta.

Nere vid Stångån och Cloetta Center reser sig det nya höghuset Tornet, en skyskrapa i miniatyr och ett meningslöst skrytbygge för att ännu en av stadens fåniga byggherrar ska få sitt namn inpräntat i Linköpings historia.

»Mamma? Är du där? Jag hör dig dåligt.»

»Jag är här», säger Malin. »Kommer du hem ikväll? Vi kan göra äggmackor.»

»Kanske imorgon?»

Så pratar mor och dotter, om hur de mår, vad de har gjort, vad de ska göra.

Malin hör sin egen röst men det är som om den inte finns. Som om Toves röst inte finns. Och denna rösternas frånvaro formar sig till en ensamhet som formar sig till en oförmåga som formar sig till en sorg.

Bilen stannar utanför Katarina Fågelsjös funkisvilla nere vid ån, fallna äpplen ligger alltjämt kvar under träden, och först nu ser Malin förfallet, att huset behöver putsas och att hela trädgården skulle behöva rensas och kanske nyplanteras.

Malin och Tove lägger på.

Vindrutetorkarna arbetar frenetiskt.

Deras rörelser formar hjärtan, tänker Malin. Målade hjärtan som smeker solkräm på en kvinnas hud.

Som kärlekstecken aldrig tydda.

Och hon vet vilken fråga hon ska ställa till Katarina Fågelsjö.

52.

Som om hon väntat på att det skulle ske.

Katarina Fågelsjö sitter framför Malin och Zeke i soffan från Svenskt Tenn. Hennes ansikte röjer ingen bestörtning, ingen sorg, ingen förtvivlan.

Hon har just fått ett dödsbud.

Din bror är mördad.

Och Katarina Fågelsjö tycks rycka på axlarna, borsta bort dammet och gå vidare. Han var ändå din bror, tänker Malin, trots sina tillkortakommanden.

Malin ser på Anna Ancher-tavlan på kortväggen, kvinnan vid fönstret som står vänd från betraktaren. Hon påminner om din far, Katarina, framför fönstret ut mot Trädgårdsföreningen, som om de båda till varje pris vill dölja sina ansikten för att slippa avslöja vad de känner.

Är det så man ska göra? Låtsas som om omvärlden och känslorna inte finns? Eller har du något annat att dölja?

Hon hör Zeke ställa frågor, och Katarina Fågelsjö svara.

»Ja, far var här. Han åkte hem. Jag gick och la mig. Ingen kan bekräfta det. Behövs det?»

»Jag mördade inte min egen bror, om ni nu tror det. Vi ligger inte bakom något av morden. Punkt slut. Fiender? Fredrik var harmlös. Inte hade han några fiender. Ja, den dagen min far dör ärver jag det mesta nu, men jag har länge haft allt jag behöver.»

Ironin, rakbladsvass, när Katarina Fågelsjö säger de sista orden.

Zekes frågor tar slut.

Katarina Fågelsjö knäpper händerna i sitt knä, låter fingrarna vila mot varandra på det blå sidentyget i den knälånga kjolen, och Malin tänker att hon har den stilla rastlöshet man bara finner hos vissa kvinnor utan barn, en sorgsen längtan som tar sitt uttryck i en orolighet och kronisk flyktighet och plötsliga försök till värme.

Katarina Fågelsjö rynkar pannan och Malin tänker att en enda tillräckligt stark känsla kan definiera en människas liv, få henne att vilja vila i den känslan, trots att den aldrig kommer åter.

En annan målning på en annan vägg. En ensam kvinna i blått målad i impressionistisk stil, vänd ut mot ett dimmigt fönster. Hon längtar, tänker Malin.

»Du och Jerry Petersson», säger Malin. »Ni hade något ihop, eller hur?»

Och Malin hör hur hårda, otillräckliga och fumliga, hennes ord låter och hon ser hur Katarina Fågelsjös ansikte förvrids, innan hon säger:

»Fantasier finns det väl knappast utrymme för just nu, eller hur, inspektören?»

Jag ser dig lämna Katarinas hus, Malin, sedan ser jag dig gå in i polishuset.

Du försöker bekräfta dina egna tillkortakommanden i andras, eller hur? Du vill så gärna tro att din egen smärta ska lindras bara för att andra människor känner en likadan smärta.

Det är högmodigt, Malin.

Men du vädrar väl, måste jag medge. Vågar följa dina aningar, spåren av de känslor som dröjer sig kvar i luften, det sätt på vilket vi människor andas varandras kärlek.

Vi är parasiter på varandras kärlek, Malin. Försöker få den dit vi vill, försöker förtvivlat förstå vad den vill med oss. Vad vi ska göra med all kärlek, vänskap, rädsla och förtvivlan?

Trodde du att Katarina skulle svara på din fråga?

Eller att jag ska viska dig svaret här där jag svävar med min mun bara några centimeter från ditt öra?

Knappast.

Så lätt vinns inga segrar.

Bättre kan du, Malin.

Nu hälsar du på din chef Karim Akbar.

Han berättar det inte för dig, men nyss tackade han nej till ett jobb han blivit erbjuden på Migrationsverket. Han berättar inte heller att han mår bra där han står och ser ut över polisstationens inre och de utredare han under jobbfunderingarna kommit på sig själv med att uppskatta mer än han kunde ana själv.

Karim tänker också på en bok han håller på att skriva, om integrationsfrågor, att arbetet med den legat nere allt för länge.

Och så du, Malin.

Vad ska vi göra med dig?

Vad ska vi göra med alla dessa liv som står stilla i sig själva.

Pappershades på polisstationen känns mer klaustrofobiskt än någonsin.

Lovisa Segerberg, Waldemar Ekenberg och Johan Jakobsson har varit på Östgötabanken och hämtat papper och dator från Fredrik Fågelsjös tjänsterum, och även hans privata dator och papper ute från Villa Italia.

Klockan är halv fyra.

Ute i receptionen väntar gamarna på något slags uttalande, men förutom ett pressmeddelande med namnet på offret har de inte fått ett skit. Karim vägrar att hålla presskonferens, vill ha arbetsro i utredningen, som han sa nyss ute i köket.

Johan gnuggar ur ögonen, tänker på sin fru som med största sannolikhet leker med ungarna hemma nu.

Fredrik Fågelsjös papper.

Jerry Peterssons dokument. Innan de ens hunnit igenom en tiondel av Peterssons papper så har de en ny uppsättning från ett nytt mord.

Trots deras tystnad drar både radio och tv på stort om mordet. Har profiler på både Jerry Petersson och Fredrik Fågelsjö. Naturligtvis toppar Corren sin sajt med mordet, en stort uppslagen artikel skriven av den där journalisten som Johan är övertygad om att Malin har ett förhållande med, eller åtminstone knullar med ibland. Han skriver att det andra mordet kanske kunde ha undvikits om polisen varit effektivare med att lösa det första. Var han ens ute vid slottet?

Waldemar sitter vid bordets ena kortända och läppjar på en kopp kaffe. Svart och starkt och han ser oändligt uttråkad ut. Pustar och stönar, verkar inte vilja börja med arbetet. Lovisa däremot, lutar sig intresserat över Fredrik Fågelsjös dator, samtidigt som hon klickar sig fram från dokument till dokument. Kanske hoppas hon på att hitta en koppling mellan Jochen Goldman och Fredrik Fågelsjö?

Så reser sig Waldemar, ställer sig bakom Lovisa och börjar massera hennes axlar, säger:

»Det här gillar du, eller hur?»

Lovisa reser sig.

Vänder sig mot Waldemar. Säger med iskall röst:

»Du ger fan i att röra mig. Jag ger fan i hur många unga kvinnliga poliser du sexmobbat i din dag, men mig ger du fan i. Förstått?»

Waldemar backar undan.

Slår ut med armarna, flinar.

»Men lilla stumpan. Har du ingen humor?»

»Jag har fått ett mejl från Interpol i Stockholm», säger Sven Sjöman samtidigt som han närmar sig Malins skrivbord.

En antydan till huvudvärk. Abstinens, tänker Malin. Men ingen bakfylla, i alla fall.

»Jochen Goldman har lämnat Teneriffa», säger Sven. »För tre dagar sedan.»

»Vart åkte han?» frågar Malin.

»Till Stockholm, via Madrid. Men sedan han landade på Arlanda vet ingen vart han tagit vägen.»

»Så det kan vara han som lagt bilderna i min brevlåda?»

»Osannolikt. Men han kan ju ha sett till att det skedde. Kanske enklare för honom att göra det direkt från Stockholm.»

»Då var han i landet när Fredrik Fågelsjö mördades», säger Malin.

»Vi har ingen som helst koppling mellan dem än så länge, men vi får se vad de hittar i pappren», säger Sven.

»Vi har inget alls på honom», säger Malin. »Han har rätt att göra vad han vill. Bilderna är kanske bara en vrickad lek.»

»Jag blir ändå inte klok på det», säger Sven. »Vad ska Goldman till Sverige att göra just nu?»

»Vem vet», säger Malin. »Men jag är övertygad om att Jochen Goldman ligger bakom bilderna. Det kan inte vara någon annan. Aronsson gav mig nyss resultatet av sin koll: Ingen av dem jag tidigare satt dit och som skulle kunna vilja hämnas har släppts nyligen.»

Sven drar in magen, säger till henne att utredningsmötet börjar om fem minuter.

»Nu måste vi se till att komma någon vart med det här, Malin. Och gamarna i entrén kräver resultat snabbt.»

Trötta poliser runt ett mötesbord.

Ord som flyger genom luften, sammanfattningar och nya idéer. En polisutredning som står och stampar, där varje samtal och meningsutbyte riskerar att föra arbetet i en emotionell riktning snarare än en logisk.

Dagisets lekpark tom.

Sven Sjöman sammanfattar läget.

»Vi arbetar vidare med Peterssons dokument. Fortfarande har inget anmärkningsvärt dykt upp, eller någon släkting eller annan person ur hans liv. Vi har heller inte hittat mordvapnet, som med största sannolikhet är en kniv.

Vi får fortsätta att leta i Peterssons förhållande till familjen Fågelsjö, särskilt till Fredrik Fågelsjö och Katarina Fågelsjö. Vi får försöka ta reda på mer om hans och Jochen Goldmans förehavanden. Vi letar också vidare i omständigheterna kring bilolyckan.»

Sedan tystnar Sven.

Ser på Lovisa Segerberg.

»Något nytt?»

Hon skakar på huvudet.

»So far nothing.»

»Det är så satans mycket papper», väser Waldemar Ekenberg. »Det känns som om vi inte kommer någon vart.»

»Ge er in i det, ännu djupare», säger Karim Akbar, och Malin tänker att det låter som om han försöker övertyga sig själv, snarare än sina underställda kriminalinspektörer.

»Vi måste vidare med det här nu», fortsätter Karim. »Vi har inte kommit någonstans.»

333

»Det har du helt rätt i», säger Malin.

»Och medierna är galna. Det är presskonferens om två timmar.»

»Och bilderna du fick på dina föräldrar. Vi antar att Goldman ligger bakom dem», säger Sven och Malin försöker att inte höra när han berättar vidare om fotona.

Sedan går han igenom läget i deras nya utredning om mordet på Fredrik Fågelsjö, om Axel och Katarina Fågelsjös tveksamma alibin och att Fredrik Fågelsjös svärföräldrar bekräftat fruns alibi.

»De flesta mord sker inom familjen», säger Waldemar. »Axel och Katarina hade ju goda skäl att vilja bli av med familjens svarta får efter de pissiga affärerna. Och kanske var de rädda att den svage Fredrik skulle bryta ihop och avslöja dem?»

»Tror du verkligen att de har gjort det?» frågar Malin. »Mördat sin egen son, eller bror? Av någon anledning?»

»Även om Axel och Katarina inte gjorde det själva», säger Waldemar, »kan de ju ha sett till att få det utfört. Det gäller båda morden.»

»Med ett så spektakulärt tillvägagångssätt?» frågar Zeke.

»För att rikta uppmärksamheten åt annat håll», säger Waldemar.

»Vi får helt enkelt arbeta vidare där, på alla vis, det känns som vårt huvudspår just nu», säger Sven. »Försöka kolla familjens förehavanden och mobiltrafik till att börja med.»

»E-post?» frågar Johan Jakobsson.

»Då skulle vi behöva beslagta deras datorer», säger Sven. »Vi börjar med mobiltrafiken. Så mycket kan motiveras nu.»

»För tidigt för datorer», fyller Karim i. »Vi har i princip inget konkret på dem.»

»Under dagen har vi knackat dörr runt slottet igen», säger Sven, »och runt Fredrik Fågelsjös villa där han med största sannolikhet befunnit sig kvällen han blev mördad. Men ingen har observerat någonting. Linnea Sjöstedt struntade i bössan denna gång.»

Poliserna skrattar.

»Och Karins rapport?» frågar Zeke sedan.

Sven nickar.

»Hon var snabb. Den kom nyss, inte imorgon som hon först sa. Fredrik Fågelsjö dog av ett slag mot bakhuvudet. Trubbigt våld, med en sten eller liknande föremål. Ett hårt slag, men inte hårdare än att förövaren kan vara man eller kvinna. Och som hon sa redan på brottsplatsen så är det omöjligt att avgöra om förövaren är vänsterhänt eller högerhänt. Inte så stor yttre blodsutgjutelse, slaget orsakade en kraftig blödning på hjärnan som måste ha gjort honom medvetslös direkt. Döden inträffade någon gång mellan tio på torsdagskvällen och två på natten till fredag, vilket i princip ger Axel och Katarina Fågelsjö alibi, om de nu inte gjort det i samförstånd. Axel ska ha gått från sin dotter först vid två på natten.»

»Goldman», säger Zeke. Han kan ha varit där.»

Sven gör en paus innan han fortsätter:

»Fredrik Fågelsjö har med största sannolikhet klätts av i kapellet efter sin död. Kroppen var fri från jord och annan smuts, vilket tyder på att han inte klätts av på annan plats. Några kläder har vi dock inte påträffat. Karin hittade också samma tygfibrer på kroppen som på kapellgolvet. Dessa kan komma från mördarens kläder, sannolikt från ett par vanliga jeans.»

»Kan Karin säga om han dödades där?» frågar Zeke.

»Blodspåren i kapellet kom från Fredrik Fågelsjö, men om han fått sitt sår där eller inte är omöjligt att fastslå.»

»Så det du säger», harklar sig Malin. »Är att någon kan ha slagit ihjäl Fredrik Fågelsjö i hans villa och fört kroppen till kapellet, men att det också är möjligt att Fredrik Fågelsjö dödats någon annanstans och förts till kapellet, eller så kan någon ha fört honom till kapellet under hot och dödat honom där?»

»Ja.»

»Eller så kan han ha befunnit sig i kapellet eller ute vid slottet av egen fri vilja», säger Malin, »och blivit överraskad av någon där. Eller stämt träff med någon. Det ger oss ungefär tusen och åter tusen möjliga scenarier. Jag antar att Tekniska har kollat Villa Italia?»

»Tekniska hittade inget tecken på våld i villan eller utanför», säger Sven. »Men det fanns gott om stenar på ladugårdsbacken som skulle kunna ha använts vid slaget mot hans huvud, men eftersom det hade regnat konstant i minst tio timmar är alla eventuella spår effektivt utplånade.»

»Och runt slottet, i kapellet?» frågar Zeke.

»Dörren var olåst», säger Malin. »Familjen Fågelsjö hade ju tillgång till nycklar. Men samtidigt kan mördaren ha använt offrets nycklar, om han hade dem på sig.»

»Vi har inte hittat några nycklar», säger Sven Sjöman. »Vi får fråga Christina Fågelsjö om hon vet var hennes mans nycklar är.»

»Brottsplatsen kanske var fri från tekniska bevis», säger Malin. »Men inte från berättelser. Han låg där på graven som ett offer. Ett familjeoffer? Kan det vara något fornnordiskt sätt för att återupprätta familjens heder?»

»Därav fokus på de levande Fågelsjös», säger Karim.

»Men tänk om någon vill få oss att rikta blickarna mot familjen Fågelsjö?» säger Malin för att på nytt sätta ord på de tvivel hon kände ute på brottsplatsen.

»Du menar för att skydda sig själv?» frågar Zeke.

»Långsökt», säger Waldemar. »Men kanske var det Fredrik Fågelsjö som mördade Petersson, och nu vill någon som visste det hämnas mordet? Vem kan vilja hämnas Peterssons död?»

»Hans far», säger Johan.

»Men han är gammal och knappast förmögen att orkestrera något sådant», svarar Malin.

»Vilka tyckte bra om Petersson?» frågar Sven.

»Ingen, så vitt jag vet», säger Zeke.

»Jag tror att Katarina Fågelsjö tyckte bra om honom», säger Malin.

Och de andra poliserna i rummet blir tysta, ser förväntansfullt åt Malins håll.

Hon slår ut med armarna.

»Bara en aning, okej? Låt mig få tänka vidare. Jag vill bara komma ur de här jävla utredningscirklarna vi går runt i.»

»Försök komma med fakta, Malin», säger Karim. »Vi har inte tid med aningar.»

Malin försöker fästa blicken på whiteboarden, på Svens anteckningar, bringa reda i orden, strecken, färgerna.

Men sammanhangen undflyr henne, hela utredningen är som en palett med sammanblandade färger, en grå massa.

»Ingen av dem var Mr Popularity direkt», säger Zeke. »Fågelsjö var misslyckad. Petersson var lite av en small pig turned big swine, om du frågar vissa.»

Ni sitter där i ert deprimerande rum och försöker blottlägga sanningen.

Jag, ett big swine?

Kanske var jag ett stort svin en gång, om ni med det menar att jag var hänsynslös i affärer.

Men var tror ni min hänsynslöshet kom ifrån?

Varför skrämde jag de andra delägarna på det fina advokatkontoret så pass att de skickade ut mig på gatan trots att jag drog in mer pengar till firman än någon annan?

Varför förlorade jag den popularitetstävlingen?

Han som står ensam i ett kontor på Kungsgatan just vid Stureplan och känner vinden från den nyinstallerade luftkonditioneringen smeka sitt ansikte bryr sig inte om det. I alla aspekter, utom en, ser han framåt.

53.

Stockholm 1997 och framåt

Jerry känner kall luft smeka kinderna. Nedanför honom, på andra sidan ett nyputsat kontorsfönster, ålar sig Kungsgatan ner mot Stureplan i sensommarsolen, i Humlegården rör sig röda gräsklippare över trött gräs, deras knivar finns i hans drömmar som bärare av det han tror sig ha lämnat bakom sig. Knivarna tvingar honom framåt, låter honom inte vila, men han vet att han någon gång måste trotsa dem.

Han står här för pengarnas skull, i vart fall tror han det, eller om det är för att ta sig bättre ut vid disken på Sturehofs övre bar. Han vet inte och orkar inte bry sig.

Flyttkartongerna står ännu ouppackade och samtalet från första kunden kom nyss, till Petersson Advokat AB. Jochen Goldman ville ha hjälp med att sätta upp en kapitalförsäkring i Liechtenstein.

Det här rummet. Dess rena linjer, fria från smuts, den möjlighet det ger honom att själv skapa sin verklighet. Soffan i hörnet klädd i skinande vitt tyg.

Klienter kommer och går i det rummet. Människor och bussar och bilar skyndar förbi i alla årstider på Kungsgatan, en ung man, knappt fyllda tjugo sitter framför mannen och berättar om en idé, en möjlighet, en avancerad teknik som kan komma till nytta i den nya ekonomin.

Jerry är road av den unge, ger honom och hans idé två miljoner, och tre år senare, året efter det att Anna Lindh mördats, är företaget sålt, mannen i rummet på Kungsgatan hundratals miljoner rikare.

En större våning högst upp i ett sekelskifteshus vid Tegnérlunden, där konsten kommer till sin rätt, är allt han köper sig. Hade kunnat köpa sig det länge, men det är först nu som han kommer sig för.

Ett balkongräcke att balansera på i minnet, parken som en hägring av det liv som varit hans, svalor som flyger nära men har ett oändligt avstånd till sina skuggor.

Ibland tycker han sig se henne i andra. Hennes hår, rörelser, en doft på NK en lördag. Han håller sig uppdaterad om hennes liv, det finns sätt, men han närmar sig henne aldrig. Han tror att det han känner ska försvinna med åren, men nej, det kommer närmare, närmare.

Istället lär han känna dem alla.

De överåriga golddiggerna på Sturehof, deras sorgliga slappa kön, de ryska hororna i Bandhagen, de tillfälliga knullen som verkar dyka upp överallt, kropp mot kropp, hårt och snabbt, kanske armar bundna i en sänggavel. Ibland låtsas han att hon är dem, ger dem hennes ansikte, men han vet inte längre hur hon ser ut, hon har blivit ett suddigt minne.

Så ringer hans bekanta, fastighetsmäklaren som hjälpt honom med våningen vid Tegnérlunden, säger att ett slott sydväst om Linköping är till salu, var du inte därifrån, du kanske är intresserad.

Minnet blir tydligt igen.

Driver ut i kroppen.

Han står i alla rum som varit hans och känner alla de kalla händer som någonsin smekt hans kinder eller bröstkorg. Han känner att det är dit jag alltid varit på väg, jag ska åka dit, kanske en svart höstnatt full av flytande mörker. Men jag ska dit.

54.

Axel Fågelsjö har letat fram ett fotoalbum ur det gamla ekskåpet i matsalen och nu sitter han i sin läderfåtölj och fingrar på plastfickorna med svartvita bilder.

Bettina med barnen, inte skolmogna ens, i famnen framför kapellet.

Katarina med en badboll nere vid sjön.

Fredrik tvekande inför ett av jordgubbslanden.

Ett personalfoto. Män och kvinnor som jobbade för mig. Och den där drummeln till karl, som körde traktorn in i kapelldörren så den fick bytas.

Fredrik och Katarina springer över en äng mot skogen på en av bilderna. Det var du som tog den bilden, Bettina, eller hur?

Är han med dig nu, Bettina? Är Fredrik hos dig?

Han sluter ögonen. Känner sig tröttare än han någonsin gjort tidigare. Vill ha Fredrik här hos sig. Prata med honom. Säga något snällt.

Så blir hjärnan tom bakom pannan, alla tankarna stannar av, och Axel Fågelsjö tror för en stund att han ska dö, att hans hjärta eller ett blodkärl i hjärnan givit vika, men han känner hur han andas. Han vill öppna ögonen, men de förblir stängda.

Han tycker sig höra Fredriks röst:

»Jag ser dig i fåtöljen i salongen, far.

Ser mig själv på bilderna i albumet. Och jag ska säga att jag saknar den tiden, när jag var liten och ännu inte visste vilket ok historien lägger på sådana som mig.

Jag var liten då, men jag minns personalen på fotot.

Att du kallade dem för drängar, pigor.

Och hur våldsam du kunde bli mot dem.

Du är ensam nu, pappa, men du förstår det inte.

Köp tillbaka Skogså. Installera dig där igen.

Sitt i din våning nu och se dig omkring, se mamma och mig och Katarina på de svartvita bilderna.

Du kommer aldrig att förstå, pappa, att de enda tre saker som betyder något är födelsen och kärleken.

Den tredje?

Döden, pappa, döden.

Det är där jag befinner mig nu. Vill du slå följe med mig?»

Med de orden är rösten borta, och Axel Fågelsjös tankar fyller åter hans hjärna och han vill ropa tillbaka rösten, men vet att den är borta för att aldrig mer komma åter. Kvar är bilderna. Som en trasig film brer de ut sig i fotoalbumet.

Du hör mig inte, far, eller hur? Du ser inte mig, Fredrik, du ser mig bara som bild. Sörjer du ens? Eller sörjer du bara dina egna tillkortakommanden, din oförmåga att förstå dig själv?

Än är det inte för sent, far. Du har Katarina. Du har barnbarnen, och Christina skulle gärna släppa in dig i sitt och deras liv, bara du tog ett steg tillbaka först och lät henne få veta att hon verkligen duger.

Ingen inbjudan med armbågen.

Du måste bli större än din egen instinkt. Du måste bli en vuxen människa, annars är du ensam. Du måste förstå att vi, dina skapelser, är som vi är, och att det inte finns något du kan göra åt det.

Och far.

Du ska veta en sak: Jag försökte alltid göra mitt bästa.

Jag svävar bakom dig, Fredrik, du är lika förvirrad och i grunden ensam i döden som i livet.

Dimman tätnar om skogarna, om staden och slottet.

Vad är det som händer i det grumliga? I mellanrummen mellan det vi ser och hör?

På polisstationen tröskar Lovisa Segerberg och Waldemar Eken-

berg vidare genom papper och digitala dokument, försöker ta reda på vilka vi var, vad som kan dölja sig i våra efterlämnade liv.

Zeke Martinsson pratar med sin son Martin på telefon.

De har inte mycket att säga till varandra, men han frågar om sitt barnbarn.

Johan Jakobsson har kommit hem till sina barn och sin trötta fru.

Karim Akbar har just bråkat med sin exfru på telefon.

Sven Sjöman äter den sista av årets saltgurkor från trädgården, ser på kvinnan han levt ett liv med och fortfarande älskar.

Börje Svärd försöker dra en pinne ur Howies mun i sin trädgård, i husets stora sovrum håller hans fru Anna sig fast vid livet så mycket hon förmår, syrgastuberna väser vid sidan av hennes säng.

Jag är alldeles nära dig nu, Fredrik, svävande. Har det någonsin slagit dig att du kunde ha tagit mitt parti den eftermiddagen, kvällen och natten?

Du kan se Malin Fors där nere.

Hon är glad.

Tove är hos henne i lägenheten. Hon kom till slut i alla fall. De ska äta middag, en köpepizza. Hon ska sova där i natt.

Mor och dotter. Tillsammans. Som det ska vara.

55.

Tove kom ändå.

Hon sitter framför Malin vid köksbordet. Malin trött av jobb, av att tänka, av att dricka och inte, trött på allt jävla regn. Kan du få mig att känna mig pigg igen, Tove?

Du är vackrare än jag någonsin sett dig. Du är det enda rena, klara och obefläckade i mitt liv. När du ringde och sa att du kunde komma på middag skrek jag av glädje i telefonen och du tystade mig, verkade tycka att jag var pinsam.

Tick tack.

Ikeaklockans sekunder låter fast visarna trillat av, den trasiga lampan över diskbänken blinkar var tjugonde sekund.

Hur kan Tove se äldre, mer vuxen ut, på bara en vecka?

Huden spänd över hennes kindknotor, dragen skarpare, men ögonen är desamma men ändå främmande. Åldern, den relativa, klär henne.

»Jag har saknat dig», säger Malin och Tove ser ner i pizzan, tar en klunk av sitt glas med vatten.

Hämtpizza.

Orkade inte handla, hade inget hemma, och Tove gillar pizza, det gör hon.

Tove petar i champinjonerna.

»Något fel på pizzan?»

»Nej.»

»Du brukar gilla pizza.»

»Det är inget fel på den.»

»Men du äter inget.»

»Mamma, det är för fett. Jag får finnar, blir tjock. Jag hade en på hakan i förra veckan.»

»Du har inte anlag. Varken jag eller pappa ...»

»Kunde du inte ha lagat något?»

Och Tove ser på henne som om hon vill säga: Jag vet vad du går för, mamma, jag vet hur det är att vara vuxen, försök inte ljuga för mig, eller slå i mig att du klarar av det.

Malin häller upp nytt vin från boxen hon köpte på vägen hem häromdagen. Tredje eller fjärde, nej femte glaset och hon ser hur Tove rynkar på näsan.

»Varför måste du dricka ikväll? När jag ändå kom som du ville.»

Hennes fråga överrumplar Malin, självklar och direkt som den är.

»Jag firar» svarar Malin. »Att du är här.»

»Du är helt störd.»

»Jag är inte störd.»

»Nej, du är alkoholist.»

»Vad säger du?»

Tove sitter tyst, petar i pizzan.

»En sak ska du ha klart för dig, Tove. Jag dricker ibland. Men någon alkoholist är jag inte. Förstått?»

Toves ögon svartnar.

»Men skit i att dricka då.»

»Det här handlar inte om det», säger Malin.

»Vad handlar det då om?»

»Det är du för ung för att förstå», och nu glänser Toves ögon av avsmak och Malin vill skära bort skammen ur sitt ansikte, rista orden: Du har rätt, Tove, i sin panna, och så börjar hennes ena hand skaka och Tove stirrar på handen, ser rädd ut, säger ingenting.

»Hur är det i skolan?» frågar Malin sedan.

»Pappa säger att du ...»

»Vad säger han?»

»Ingenting.»

»Säg vad han säger.»

Rösten för arg mitt i all trötthet och lampan över diskbänken blinkar två gånger innan ljuset på nytt stabiliseras.

»Ingenting.»

»Ni gaddar ihop er mot mig, ni två. Eller hur?»

Tove skakar inte ens på huvudet.

»Han vänder dig mot mig», säger Malin.

»Du är full, mamma. Det var pappa som tyckte att jag skulle åka in hit.»

»Så du ville inte komma egentligen?»

»Du är full.»

»Jag är inte full och jag dricker så mycket jag vill.»

»Du borde ...»

»Jag vet vad jag borde. Jag borde dricka hela jävla boxen. Du har bestämt dig för att bo kvar hos pappa, eller hur? Eller hur?»

Tove stirrar bara på Malin.

»Eller hur», skriker Malin. »Erkänn!»

Malin har rest sig, står i köket och ser argt men vädjande på sin dotter.

Utan att röra en min reser sig Tove och säger i lugn ton, med blicken fäst i Malins ögon:

»Ja, jag har bestämt mig. Här kan jag inte bo.»

»Det kan du visst, varför skulle du inte kunna det?»

Tove går ut i hallen och tar på sig jackan. Öppnar ytterdörren och går.

Malin sveper vinet i hallen.

Sedan, när hon hör Toves steg i trappan, slänger hon glaset i hallväggen och ropar efter sin dotter:

»Vänta. Kom tillbaka. Tove. Kom tillbaka.»

Tove springer längs Storgatan ner mot Stångån, förbi Hemköp och bowlinghallen och hon känner regndropparna och vinden i ansiktet, hur det kalla är skönt, hur det skingrar tankarna och hur det våta gör att tårarna på kinderna inte syns.

Jävla mamma. Jävla, jävla mamma. Hon tänker bara på sig själv.

Pappa jobbar ikväll. Jag hade fått vara ensam hemma. Jag vågar det, vill det, borde ha varit det.

Hoppas han är på brandstationen nu. Jävla mamma.

Hjärtat spränger innanför bröstkorgen. Vill ut därifrån och det

345

klämmer åt om magen och hon vill bort från hösten och den här jävla skitstaden.

Där framme, på andra sidan bron, ser hon stationen. Den skimrar i ljuset från de höga, stora gula gatlyktorna.

Hon springer in på stationen.

Gudrun i receptionen känner igen henne, ser rädd ut, frågar:

»Tove, vad har hänt?»

»Är pappa här?»

»Han är där uppe. Gå upp du.»

Fem minuter senare ligger hon i mörkret med huvudet i pappas knä på sängen i hans rum. Han stryker henne över kinden, säger att allt kommer att ordna sig. Så tänds ljuset, larmet börjar tjuta.

»Helvete», säger pappa. »Säkert någon översvämning. Jag måste iväg. Jag vill inte, men jag måste.»

»Jag stannar här», säger Tove när pappa pussar henne på kinden.

Snart är rummet mörkt och tyst och hon försöker att tänka på ingenting.

Hon ser sig själv stå vid randen av en väldig slätt i mörkret. Hon har ingen karta, inga ljus är synliga men hon vet ändå hur hon ska ta sig framåt. Hon bara vet hur hon ska göra, vissheten är som en ton inom henne, en ton helt utan barnets klang.

Blicken grumlig av det billiga vinet.

Malin ligger i sin säng, hör regndropparna hacka envetet mot rutan bakom den nerfällda persiennen. Hon ringde Tove, men mobilen var avstängd.

Hon blundar.

Ansiktena svävar framför hennes ögon.

Toves. Mammas. Pappas. Jannes.

Gå bara, Tove. Bo vart du vill. Jag bryr mig inte.

Hon orkar inte med deras hånfulla leenden så hon blinkar, pressar bort dem och sedan ser hon Daniel Högfeldts ansikte, hans läppar är fuktiga och hon känner hur könet drar sig samman under jeansen, fyllekåthet, svår att stå emot men inte omöjlig och sedan ser hon Maria Murvall springa i sitt slutna rum.

Fågelsjö.

De döda och levande, de själlösa.

Jochen Goldman.

Waldemars bus som han tjatade om i början.

Andreas Ekströms mamma. Jasmin Sandstens mamma i ett annat sorgligt rum.

Jonas Karlsson. Pressade du Petersson på pengar? Ville du bli som honom? Men eftersom det med största säkerhet är samma mördare, så kan det inte vara du. Vi kollade och du har fullgott alibi för den andra mordnatten.

Anders Dalström, Andreas Ekströms vän. Kan han ha fått reda på något om vem som körde och mördat för förlorad vänskaps skull?

Fredrik Fågelsjö. Hur hänger det här ihop? Livstrådarna sjunger i mörkret. Svarta fåglar skränar på dem i regnet.

Sängen, världen snurrar runt runt. Vad är det jag missar, tänker hon. Vad är det jag inte ser?

Hur mycket vin har jag druckit? Två glas? Eller fem. Nog kan jag köra bil. Visst kan jag köra. Och inga kollegor är väl ute på kontroll nu?

Du kliver ur bilen på slottsbacken, Malin.

Ett vackert slott, men det uppfattar inte din druckna blick.

Mitt slott kunde det aldrig bli, men jag ville ha det som jag trodde fanns där.

De gröna lyktorna vajar släckta längs vallgraven, de fångna krigsfångarsjälarna viskar, deras munnar glöder.

Du hade tur på vägen ut.

Inga missöden, inga fotgängare att köra över, ingen patrull som ville få dig att blåsa.

Jag känner med dig, Malin. Du sorgliga människospillra, du som inte ens orkar med kärleken till din egen dotter.

Slottets portar är låsta.

Malin tog med sig en flaska vodka hon köpte samtidigt som vinboxen, halsar ur flaskan nu när hon går runt slottet mot kapellet.

Regndropparna verkar hoppa ner från himlen som från en brinnande skyskrapa.

347

Bomullsjackan, den tunna som hon av någon anledning tog på sig, blir snabbt genomblöt och kall och hon hostar, lunkar längs det mörka skogsbrynet mot byggnaden.

En son mördad och placerad naken på en familjegrav. Uppkomlingen i vallgraven. Privilegier. Förnekelse. Degeneration och en fest en kall nyårsnatt. Historien som en tryckkokare för människornas själar.

Dörren till kapellet är låst. Hon har ingen nyckel, så hon ställer sig i valvet vid porten men tittar inte in på ikonerna, eller platsen där liket låg. Hon dricker ur flaskan, två värmande klunkar, och hon saknar tequilans söta, nyansrika smak.

Men råheten i vodka speglar det här ögonblicket bättre.

Skogen bakom kapellet verkar röra sig. Ondskan ålar sig och slottets alla fönster verkar tända, dödskallar flinar i gluggarna, skrattar åt alla hennes tillkortakommanden, vet att de döda och döden alltid vinner.

Vad gör jag här?

Jag letar efter en sanning. Flyr från en annan.

Hon slänger flaskan med vodka i vallgraven.

Fylld igen.

Det svarta vattnet slukar girigt glaset. Inga fiskar nu.

Det lyser grönt där nere i springorna mellan stenarna. Var kommer det ljuset ifrån?

Hon känner hur hon tappar fästet i världen, men regnet håller henne kvar i verkligheten, och hon går runt slottet några varv för att bli klarare i huvudet innan hon sätter sig i bilen för att vänta, lyssnar på non-stop music, bedövande skval som nästan får henne att somna. Hon ser bort mot skogen. Mellan träden, knappt urskiljbara i mörkret finns ormungarna igen. Gestalterna finns där, men hon kan inte höra deras gemensamma röst om den nu är där. Kanske har de sagt allt de tänker säga?

»Jag är inte rädd för er», skriker Malin bort mot skogen. »Förbannade ormjävlar.»

Nästa gång hon blinkar är ormarna försvunna. Kvar finns bara mörkret och hon saknar nästan de krälande djuren, vill inte vara utan dem. Så hör hon ljudet av en gräsklippare, av fötter som försöker undkomma knivarna.

Hon håller för öronen, och ljudet försvinner.

Hon känner sig nästan nykter några timmar senare när hon vrider om nyckeln i tändningslåset och lämnar slottet och andarna och själarna bakom sig.

Hon kör förbi fältet där olyckan måste ha skett. Stannar, men kliver inte ur.

Mörkret och regnet tycks skaka fram gestalter ur det förgångna, svarta själar som ännu rör sig över gräset, mossan och stenen och tycks försöka undkomma det de är.

Hon kör vidare.

Ökar hastigheten.

Utanför infarten till Sturefors står en triangel. Hundra meter efter triangeln ett upplyst målat fordon.

En uniformerad biff hon inte känner igen vinkar in henne.

Hon vill trycka gasen i botten.

Göra som Fredrik Fågelsjö.

Komma undan, men hon stannar.

Biffen höjer på ena ögonbrynet när hon vevar ner rutan, hans blick bekymrad.

»Inspektör Fors», säger han. »Vad gör du här ute så här dags?»

Han är en mask, tänker Malin. En talande mask med tunn hud spänd över kindbenen.

Biffen rynkar på ögonbrynen.

»Jag måste tyvärr be dig blåsa i den här.»

56.

Lördag den första november

En obeveklig Sven Sjöman står innanför dörren till sitt rum, stängde den nyss hårt bakom sig efter att ha hämtat Malin från hennes plats, där hon satt klädd i sin allra mest prudentliga vita blus, som hon dessutom sett till att stryka på morgonen. Hon vet inte vart Tove tog vägen igår, hon tog säkert första bussen ut till Malmslätt. Har inte hunnit kolla med henne eller Janne än, ville inte väcka dem en lördagsmorgon eller svara på besvärliga frågor och hade hon inte kommit hem hade Janne ringt. Det var ju aldrig tal om att hon skulle sova över, även om Malin skulle ha velat det. Eller var det det? Hon hade inte pratat med Janne innan Tove kom, tog för givet att de snackat med varandra, och jag borde ringa Tove, Janne, tänk om hon inte kom hem?

Svens blick.

Måste möta den först.

Han vet att jag åkt dit.

Och när hon tänker på hur Tove stack igår vill hon kräkas på sig själv, försvinna tusen mil bort och aldrig mer komma tillbaka.

Klockan på väggen i Svens kontorsrum visar strax efter tio, inget utredningsmöte på morgonen idag eftersom de hade ett på eftermiddagen igår, och det är lördag dessutom. Men självklart med lördagsarbete med två färska, olösta mord.

Sven ser på Malin en lång stund innan han med hög röst säger:

»Jag hoppas du förstår vilken jävla sits du sätter oss alla i. Dig själv i.»

Malin vill resa sig, skrika åt honom att hon skiter i det, att hon inte bett om någon jävla smusselbehandling, men hon hejdar sig, ångrar sig, ångrar allt och nu vill hon hålla kvar i det som ännu är hennes.

»Jag vet inte vad som flög i mig.»

»En och en halv promille, Malin. Rattfylla. Det tydligaste tecknet på en alkoholist. Vad fan skulle du där att göra?»

»Jag är ingen alkis.»

»Du vet inte vad du är. Eller gör.»

»Se till att åtala mig då. Anmäl mig.»

»Du vet inte vad du säger. Det är fler än jag som riskerar sitt jobb för din skull.»

I Svens röst saknas den beskyddande ton som brukar finnas där, nu ger han order och han förväntar sig att hon ska ta ansvar, göra det hon måste göra.

Hon blåste knallrött igår kväll på väg hem från slottet.

Och biffen och biffens kollega hade sett på varandra, ringt ett samtal som om något viktigt var på gång, som om de ville ordna något och de hade sagt åt henne att de pratat med Sven, att de båda var beredda att låtsas som att det här aldrig hade hänt. Hon hade velat be dem dra åt helvete där ute i det kyliga regniga mörkret, men hon hade hållit käften, trots berusningen, vetat vad de riskerade och att det måste strida mot deras jävla rättskänsla.

Men kårkänslan är större, känslan av samhörighet. Och av att stå över lagen?

»Alla kan göra misstag», sa en av biffarna.

De hade kört henne och hennes bil hem, sagt att det var vad Sven ville, och hon hade vaknat i tid med bara en lätt bakfylla, åkt till stationen och satt sig vid sitt skrivbord och väntat på att Sven skulle kalla henne till sitt rum.

»Jag försökte lyssna på rösterna», säger hon nu och Sven går till sitt skrivbord, slår sig ner och ser på henne.

»Vilka röster, Malin?»

»Utredningens röster. De du brukar prata om. De finns där vid slottet, sanningen finns där, jag vet det, jag hör bara inte rösterna.»

»Jaså, de rösterna»

»Ja, dina röster. De du lärt mig allt om.»

Sven muttrar något, och Malin undrar om han kommer att jämföra henne med Fredrik Fågelsjö, rattfylleristen i deras egen utredning, men det är tveksamt om Sven skulle sjunka så lågt. Han ser länge och tyst på henne innan han säger:

»Vi kommer ingen vart med fallen.«

»Regnet gör sanningen hal«, säger Malin.

»Det som hände igår kväll är historia. Jag har pratat med Larsson och Alman. För dem är det som om det aldrig hänt. Men snacket lär gå. Och du håller tyst.«

»Alla här vet att jag spritar ibland.«

»Nej.«

»Jo, jag märkte det på dem igår. Att de fick något bekräftat.«

Sven svarar inte, tar bara ett djupt andetag och säger:

»Jag behöver dig i utredningen just nu. Du är den bästa jag har, det vet du. Vore det inte ett sådant jävligt läge skulle jag stänga av dig, så du vet. Men jag behöver dig nu.«

»Tack«, säger Malin.

»Tacka mig inte. Ta dig samman.«

»Jag ska.«

»Ingen läpparnas bekännelse nu, Malin. Hör du det? Du kör bara om du är spiknykter. Och så fort fallet är löst ska jag se till att du kommer under behandling. Och du ska infoga dig. Förstått?«

Malin nickar.

Ser sig om i rummet med vilsen blick.

När Malin ska gå ut från Svens rum, ropar han henne tillbaka.

»Föreläsningen«, säger han och hon stannar upp, vänder sig om.

»Vilken föreläsning?«

»Den för högstadiet på Stureforsskolan som du ska ha på måndag. Klockan nio. Har du glömt den?«

Så minns hon. De pratade om det för några månader sedan och hon tackade ja, kände ett märkligt sug efter att återvända till sin barndomsskola.

»Har jag inte viktigare saker att göra? Vi kanske ska ställa in?«

»Du tar hand om den där föreläsningen, Malin.«

Sven tittar ner i ett papper.

»Och du gör det klanderfritt. Var en god förebild för ungdomarna nu. Det behöver de. Och du. Ta ledigt imorgon, söndag. Ta det lugnt. Vila. Och rör inte flaskan.»

Malin knackar på dörren till Pappershades och hör ett uppgivet: »Kom in.»

Waldemar Ekenbergs tobakshesa röst och sedan två röster till som vaga ekon, en pigg ung kvinna och en man i hennes egen ålder.

Papper från golv till tak. Svarta pärmar, mappar.

Nog för hjärnor att gå bort sig i, tyna bort i, och rummet luktar av fukt och svett och rakvatten och billig parfym, av trötthet inför en omöjlig uppgift.

Trots det arbetar de tre poliserna febrilt, sökandes på hårddiskar och i pärmar och Malin blir glad av den milda men ändå medvetna energi som finns i rummet.

»Inget nytt», säger Johan Jakobsson utan att ge henne en blick.

Lovisa Segerberg skakar på sitt blonda huvud.

Waldemar ser upp på henne. Vad betyder hans blick? Vet han, de, något om nattens händelse?

Nej. Eller?

Skit i det.

»Inget annat du behöver hjälp med?» frågar Waldemar.

»Du menar om jag kan rädda dig från Hades?»

»Precis.»

»Dröm vidare.»

»Och ni?»

»Jag och Zeke?»

»Nej, du och kungen.»

»Jag ska snacka med Zeke nu. Vi får se. Vi ska väl ha en avstämning i eftermiddag.»

»Om något dykt upp», säger Johan.

»Ha det så kul», säger Malin.

»Stäng dörren efter dig», säger Johan.

»Vi vill ju inte gå miste om svettdoften här inne», säger Lovisa och flinar.

Waldemar vidgar näsborrarna, verkar försöka hitta en dräpande

kommentar och bränner av ett leende fullt av nikotingula tänder
innan han säger:

»Kör försiktigt, Malin.»

Malins telefon ringer när hon är på väg till skrivbordet.

Hon svarar, bryr sig inte om att kolla numret.

»Malin.»

»Hej, det är jag.»

Tio dagar sedan hon stack från huset, tio dagar sedan hon pratade
med honom, och det enda hon vill göra är att lägga på.

»Du, Janne, jag är rätt busy, kan du ringa ...»

Hon stannar upp, ilskan i hans röst får henne att förlora förmågan
att sätta det ena benet framför det andra.

»Nej, Malin. Det är du som ska lyssna nu. Hur fan kunde du låta
Tove bara gå igår kväll? Vad fan sa du till henne? Vad gjorde du med
henne? Hon var helt uppriven igår. Hon kom till stationen och var
helt jävla förtvivlad. Att du slår mig är en sak, men när du får Tove
helt ur balans då ...»

Ord. Hon vill inte höra dem. Vill inte tänka på det där. Har skjutit
det åt sidan tills nu.

»Jag ...»

»Håll käften! Så här är det: Tove bor hos mig. Du kommer inte
hit. Vill du henne något ringer du henne, men var jävligt noga med
vad du säger, det är vad som gäller tills du fått någon ordning på dig
själv. Förstått?»

Kan han göra så, tänker Malin. Ja, det kan inte vara särskilt svårt
att bevisa för myndigheterna att jag är en alkismorsa.

»Dra åt helvete», säger hon. »Dra bara jävligt långt åt helvete.»

Säg att du älskar mig, tänker hon sedan.

»Malin», säger Janne, utan ilska nu. »Ta dig samman. Tove behö-
ver sin mamma. Sök hjälp.»

Zeke är inte på sin plats när hon kommer tillbaka.

Händerna skakar och hon slår dem upprepade gånger i skrivbor-
det för att de ska stillna, för att all ilska ska försvinna.

Hur lågt har jag inte sjunkit? Jag lät Tove försvinna ut i mörkret.

Till allt som kan finnas där. Sedan drack jag.

Hon ser ut över stationens öppna kontorslandskap. Tvingar bort känslorna och tankarna. Nollställer sig själv.

»Var på muggen», säger Zeke när han kommer tillbaka och Malin sitter och väntar på honom vid sin plats vid deras skrivbord. Väntar på att de ska ta tag i dagens konkreta göromål, väntar på att låta jobbet ta över hjärnan och känslorna.

Han ser på Malin, precis på samma sätt som han gjorde imorse när hon kom till stationen.

Vänligt. Välmenande. Men också oroligt. Inte irriterat. Inte ett dugg. Utan med medkänsla. Och då vände hon bort blicken.

Zeke vet.

Och han tycker säkert som Sven. Låt henne jobba utredningen ut, sedan måste hon få hjälp.

Hans blick är ännu oroligare nu.

»Har något hänt?» frågar han. »Du ser ...»

»Håll tyst. Nu jobbar vi.»

Jag vill inte ha någon hjälp, tänker Malin. Jag vill ha Janne. Tove. Eller hur?

Vårt liv.

Eller vill jag det?

Psykoanalytiker Viveka Crafoords ansikte, hennes ord: »Du är välkommen till min soffa när du vill, Malin.»

Så kommer polisassistent Aronsson till deras bord. Håller ett papper i sin hand.

»Jag fick just det här från arkivet», säger hon. »Det tog ett tag, men nu verkar de ha rotat längst in i gömmorna. Det enda de hittat om familjen Fågelsjö. Tydligen ska Axel Fågelsjö ha misshandlat en av sina arbetare svårt någon gång på sjuttiotalet. Gjort honom blind på ett öga.»

57.

»Han slet ner mig på marken och piskade mig. Det brände som eld på ryggen av snärtarna och jag vände mig om för att resa mig upp då ögat blev träffat av piskan.»

Ännu en röst i utredningens kör.

Malin och Zeke sitter i var sin fåtölj i Sixten Erikssons lägenhet i servicehuset Serafen. Från sitt vardagsrum har han utsikt över Trädgårdsföreningens kala trädkronor som rör sig sakta i vinden. Regnet har gjort uppehåll.

Sixten Eriksson. Mannen som Axel Fågelsjö misshandlade 1973. Omständigheterna stod i mappen de fått från arkivet. Hur Sixten Eriksson var anställd som dräng ute på Skogså och körde in med en traktor i kapellet. Hur Axel Fågelsjö tappade humöret, misshandlade honom så att han blev blind på ena ögat. Hur han bara fick dagsböter, och betalade ett mindre skadestånd till Sixten Eriksson.

Sixten Eriksson sitter i den blå tygsoffan framför dem med en lapp för ena ögat, hans andra öga grågrönt, nästan genomskinligt, av starr. Bakom honom på väggen hänger reproduktioner av Bruno Liljeforsmålningar: Rävar i snö, orre i skog. Hela rummet luktar av tobak och Malin antar att doften kommer från Sixten Erikssons porer.

»Det kändes som om jag var inuti ett ägg som sprack», säger Sixten Eriksson. »Än idag drömmer jag om den smärtan, kan känna den ibland.»

Sköterskan som släppte in dem berättade att Sixten Eriksson var helt blind, att starren fått ohjälpligt fäste i hans andra öga.

Malin ser på honom, tänker att det vilar en direkthet över honom trots hans mörker.

»Visst var jag bitter för att Axel Fågelsjö inte fick ett hårdare straff, men så är det alltid. De som har makten rubbas inte så lätt. De tog mitt ena öga, försynen det andra. Inte mer med det.»

Rätten hade bara givit Axel Fågelsjö dagsböter, visat förståelse för hans ilska, Sixten Eriksson hade enligt pappren visat oaktsamhet med traktorn, och kapellets port hade fått stora skador.

Gubben kan inte ha hämnats på Axel genom att mörda hans son så här långt senare, det är uppenbart, tänker Malin. Men Axel Fågelsjö? Han misshandlade då, med stor brutalitet, kan han ha gjort något nu med sin son?

»Vad gjorde du sedan?» frågar Zeke.

»Jag fick jobb på NAF. Var där tills de la ner.»

»Gick bitterheten över?»

»Vad fanns det att göra?»

»Smärtorna?» frågar Malin. »Försvann de?»

»Nej, men man lär sig leva med allt.»

Sixten Eriksson gör en paus innan han säger:

»Den smärta finns inte som det inte går att lära sig leva med. Man får ta ut den på annat, flytta den från sig själv.»

Malin känner att något förändras i rummet.

Värmen ersätts av en kyla, och en inre röst manar på henne att ställa nästa fråga:

»Din fru. Lever hon?»

»Vi var aldrig gifta. Men vi levde tillsammans från det att vi var arton. Hon dog i cancer. Levern.»

»Hade ni några barn?»

Innan Sixten Eriksson hinner svara öppnas dörren till hans rum och en ung, blond kvinna klädd i ljusblå underskötereskekläder kliver in.

»Dags för medicinen», säger hon, och när sköterskan går mot soffan svarar Sixten Eriksson på Malins fråga.

»En son.»

»En son?»

»Ja.»

»Vad heter han?»

Undersköterskan drar varsamt igen dörren efter sig och Sixten

Eriksson ler, väntar några långa sekunder innan han svarar:

»Han tog sin mors namn. Han heter Sven Evaldsson. Bor i Chicago sedan många år.»

En buss pressar sig uppför Djurgårdsgatan och innanför rutorna hukar sig glåmiga Linköpingsbor i sätena, deras ansikten som otydliga grimaser av fukten från regnet som åter börjat falla.

Malin och Zeke står i regnet, tänker båda efter.

»Borde inte de där bönderna ha känt till Fågelsjös misshandel? Snacket borde gå än idag», säger Zeke.

»Även om de visste så förstod de kanske inte att vi ville veta», säger Malin. »Eller så ville de inte prata om det. Sett ur deras perspektiv har det väl aldrig varit omöjligt att familjen Fågelsjö kommer tillbaka som slottsherrar, och då är det ju bäst att hålla tyst.»

När de är på väg att sätta sig i bilen ringer Malins telefon.

I regnet utanför svarar hon, ett okänt nummer på displayen.

»Malin Fors.»

»Det är Jasmins mamma.»

Jasmin.

Vem av Toves kompisar är det?

Men så minns hon kvinnan i rummet på hemmet i Söderköping, vid sin dotters rullstol. Känslan av att hennes kärlek till dottern var oändlig. Om något sådant hände Tove, skulle jag orka då? Frågan finns där igen.

Droppar i ansiktet, smatter mot jackan, Zekes otåliga min inifrån bilen.

»Hej. Kan jag hjälpa dig med något?»

»Jag drömde inatt», säger Jasmin Sandstens mamma.

Inte igen, inte en drömmare till, tänker Malin och ser Linnea Sjöstedts ansikte. Vi behöver något konkret nu, inga jävla drömmar.

»Du drömde?»

»Jag drömde om en kille med lång svart hår. Jag minns inte vad han heter, men han brukade besöka Jasmin i början efter olyckan, sa att de knappt känt varandra men att han varit vän med Andreas som omkommit i kraschen. Jasmins kompisar visste inget om honom. Jag minns att jag tyckte att det var konstigt att han kom, men han var

vänlig och de flesta kom inte alls. Jag trodde att ljudet av jämnårigas
röster kanske kunde hjälpa henne tillbaka.»

»Och nu drömde du om honom?»

Malin väntar inte på Jasmin Sandstens mammas svar, istället tän-
ker hon att Anders Dalström, trubaduren i skogen, har långt svart
hår.

Så nu dyker han kanske upp i utredningen igen. I en dröm.

»Långt svart hår. Du minns inte vad han hette?»

»Nej, tyvärr. Men det kom en ung välklädd man utan ansikte till
mig i drömmen. Han visade en film på den unge mannen som bru-
kade besöka Jasmin. En svartvit film. Hackig och gammal.

Vänta. Jag tror han hette Anders. Kanske Fahlström i efter-
namn.»

58.

Anders Dalström tar en klunk av sitt kaffe på Roberts Coffee vid Akademibokhandeln, strax nedanför Stadium och Gyllentorget. Ett av de flådiga amerikanska kaféerna som slagit ut de riktiga fiken, ett riktigt lattehelvete, tänker Malin.

Mycket folk en lördag. Pengar som bränner i plånböckerna.

Bokhandeln måste gå bra i det här vädret, när människor kurar i sina hem.

»Jag är i stan», sa Anders Dalström när Malin ringde upp honom, de ville inte åka hela vägen ut till Björsäterskogen om han inte var hemma. »För att köpa böcker. Vi kan ses nu om du vill.»

Och nu sitter han framför henne och Zeke klädd i en blå munkjacka och en gul t-shirt med Bruce Springsteen i grönt på bröstet. Han ser trött ut och har påsar under ögonen, det långa svarta håret stripigt och otvättat.

Du ser tio år äldre ut än ute i stugan, tänker Malin. Är det rätt att störa dig igen? Men Malin ville följa tråden från samtalet från Jasmin Sandstens mamma, fråga Anders Dalström om Jasmin.

»Varför besökte du henne? Du kände henne väl inte?»

»Nej. Men det fick mig att må bra.»

»Bra hur då?» frågar Zeke.

Anders Dalström blundar och suckar.

»Jag jobbade natt igår. Jag är för trött för det här.»

»Bra hur då?» frågar Zeke igen, med bestämd röst nu och Malin märker att han tar hennes plats, frågar i enlighet med hennes intuition, kanske snarare än sin egen.

»Jag vet inte. Det kändes bra. Det är så länge sedan.»

»Så du hade inget förhållande med Jasmin?»

»Nej. Jag kände henne inte. Inte alls. Men jag tyckte synd om henne ändå. Jag minns knappt det där. Det var som om hennes stumhet var min egen på något sätt. Jag tyckte om den där tystnaden.»

»Och du visste inte att Jerry Petersson körde bilen på nyårsafton?»

»Jag svarade nej på den frågan förra gången.»

En kasse med böcker vid Anders Dalströms stol, några dvd:er.

»Vad har du köpt?»

»En ny Springsteenbiografi. Några deckare. Två konsertfilmer med Bob Dylan. Och så *Flugornas herre.*»

»Min dotter älskar att läsa», säger Malin. »Fast mest vanliga romaner. Gärna med kärlek. Men *Flugornas herre* är bra både som bok och film.»

Anders Dalström ser på henne, vilar länge med blicken i hennes ögon, innan han säger:

»Apropå kärlek: Ni har säkert hört det från annat håll. Men det gick rykten på gymnasiet vid tiden för olyckan om att Jerry Petersson hade ett förhållande med Katarina Fågelsjö.»

Jag kan lukta mig till olycklig kärlek på tusen mils håll, tänker Malin. Jag kan känna lukten av den nu, här i Katarina Fågelsjös vardagsrum, den sipprar ur alla den här bittra kvinnans porer och du vill berätta, eller hur? Du är kvinnan på Anna Ancher-målningen på din vägg, kvinnan som vill vända sig om och berätta sin historia.

»Jag åker till henne ensam. Jag kanske kan få henne att berätta.»

Zeke hade nickat.

Låtit henne åka till Katarina Fågelsjö. Det kunde kanske vara farligt, men troligtvis inte. »Åk. Få ur henne det vi vill veta.»

Vita strumpbyxor. Blå kjol, det ena benet över det andra. Högklackat hemma i villan.

Öppna dig. Berätta för mig. Du vill, jag kunde se hur det tog på dig när jag berättade vad Anders Dalström sagt oss. Om ryktena. Kärleken.

»Du sörjer Jerry Petersson, eller hur?»

Svenskt Tenns välbalanserade stoppning mot hennes rygg, Josef

Frank-tygets spräckliga leende ormar.

Och så faller Katarina Fågelsjös mask. Spricker till en plågad grimas och hon börjar gråta.

»Rör mig inte», skriker Katarina Fågelsjö när Malin försöker lägga ena armen om henne.

»Sätt dig igen så ska jag berätta.»

Och snart strömmar orden ur det rödgråtna ansiktet.

»Jag var kär i Jerry Petersson den hösten när olyckan hände. Jag såg honom i skolkorridorerna, visste att han var off limits för en flicka som jag, men du skulle ha sett honom, Malin, han var helt formidabelt vacker. Så hamnade vi på samma fest i ungmoderaternas lokaler, av misstag, och jag minns inte varför, men vi satt på kyrkogården hela natten, och sedan gick vi ner till Stångån. Det fanns ett övergivet pumphus där, som är rivet nu.»

Och Katarina Fågelsjö reser sig. Går fram till fönstret ut mot ån, och med ryggen vänd mot Malin pekar hon bortåt och väntar att Malin ska komma till hennes sida innan hon fortsätter.

»Där borta på den lilla ön mitt i ån låg pumphuset. Det var kallt, men ändå kände jag mig varmare än någonsin den hösten. Jag och Jerry träffades utan att någon visste om det. Jag var upp över öronen förälskad. Men far skulle inte ha velat veta av honom. Varken mer eller mindre.»

Och så tystnar Katarina Fågelsjö, verkar vilja hålla ögonblicket vid liv, genom att hålla minnena för sig själv.

Malin öppnar munnen, ska säga något, men Katarina Fågelsjö hyschar henne, ger henne en blick som säger att nu ska du lyssna, lyssna på mig och inte dig själv.

»Så försvann han till Lund. Men inte ur mig. Jag höll koll på honom genom alla år, genom mitt misslyckade äktenskap med den där fjanten far älskade. Jag glömde aldrig Jerry, ville kontakta honom igen, men jag gjorde det aldrig, jag gav mig in i konsten istället, begravde mig i bilderna. Varför, varför, varför skulle han hem hit igen, varför ville han åt slottet? Jag förstod aldrig det. Om han ville in i mitt liv kunde han väl bara ha ringt? Eller hur? Visst kunde han bara ha ringt?»

Du kunde ha ringt själv, tänker Malin.

»Och jag borde ha ringt. Eller åkt dit. Slängt alla meningslösa älskare åt fanders. Han fanns ju där, det kanske äntligen var dags att göra något åt den förbannade kvardröjande kärleken.«

Du älskade honom alltid. Som jag alltid älskat Janne. Kan vår kärlek någonsin ta slut?

»Träffade Jerry någonsin din far?« frågar Malin sedan.

Katarina Fågelsjö svarar inte. Istället går hon bort från fönstret, ut ur rummet.

Katarina Fågelsjö står framför spegeln i badrummet. Känner inte igen sitt ansikte.

Så tycker hon att någon håller bilder framför hennes ögon, svartvita bilder som aldrig tagits av en kamera men som ändå finns.

Av två unga människor som går längs en å.

Av ett pumphus.

Av brinnande ved. Och rösten finns där, hans röst, en röst som hon längtat efter att få höra.

»Minns du hur vacker du var då, Katarina? Den hösten? När vi gick tillsammans längs Stångån, försiktiga för att ingen skulle se oss, när vi låg i det gamla pumphuset värmda av elden vi gjorde upp i en kvarglömd kamin. Jag strök din rygg då, smekte den och vi låtsades att det var sommar, att jag smörjde din rygg med kräm för att hindra din hud från att brännas.«

Nya bilder.

Snö som faller. Hon själv i sitt rum på slottet. En figur som går genom skogen i kylan. Slottets stängda port.

»Så ville du«, fortsätter rösten, »mot min vilja, att jag skulle träffa din far och din mor. Så jag kom till slottet på nyårsaftons eftermiddag som vi bestämt. Tog bussen dit och sedan gick jag i kylan genom skogen och förbi fälten, och jag såg slottet liksom trycka undan skogen där det låg omgivet av en vallgrav på en låg höjd.

Jag gick över bron till vallgraven.

Såg det märkliga gröna ljuset.

Och din far öppnade och jag såg på honom att han förstod varför jag var där, och du kom till porten, och han såg något i dina ögon och skrek att aldrig i helvete att den där kommer över tröskeln, sedan höjde han armen och slog mig till backen med ett slag.

Han jagade mig över slottsbacken, över vallgraven, slog och slog med ett paraply och du skrek att du älskade mig, jag älskar honom, far, så jag sprang, sprang och trodde att du skulle följa efter, men när jag vände mig om vid skogsbrynet var du borta, slottsbacken tom, porten var inte stängd men din mamma Bettina stod där och jag tyckte att hon log.»

Bilder av henne själv som vänder sig om i slottets entré. Som springer uppför en trappa. Som ligger på en säng. Som står tätt intill far. Som bättrar på sminket i en spegel.

Tyst, vill hon skrika till rösten, tyst, men den fortsätter:

»Jag kom till festen. Du var där. Fredrik. Han hade druckit för mycket, var arrogant mot alla och envar. Det var som om jag inte fanns för dig. Du såg inte ens åt mig och det gjorde mig galen. Jag drack, hävde i mig, dansade, hånglade med tiotals tjejer som alla ville ha mig, jag gjorde mig själv oövervinnlig, jag tog Jasmin som gick i din klass bara för att du skulle bry dig, jag satte mig bakom ratten på den där bilen för att visa den här världen vem som bestämmer, och att kärleken egentligen inte spelar någon roll. Det var jag som bestämde och inte ens kärleken kunde göra mig maktlös.

Och sedan, på fältet, i snön och blodet och tystnaden, såg jag på Jonas Karlsson, bad honom säga att det var han som körde, lovade honom världen.

Och vet du, han gjorde som jag sa, jag fick honom till det och den gången förstod jag på djupet att jag skulle kunna få nästan allt jag ville ha i den här världen, bara jag var hänsynslös nog. Då skulle jag kunna få tyst på gräsklipparknivarna.

Men inte dig, Katarina. Dig skulle jag aldrig få. Inte det du är.

Så visst, på ett sätt både föddes jag och dog den nyårsaftonen.»

Bilder på ett bilvrak. Begravningar, en rullstol med en stum kropp, en man med ryggen mot henne i en kontorsstol, ett stilla flöde av bilder ur liv hon aldrig känt.

»Och när jag köpte Skogså, ville jag väcka liv i det som dött», fortsätter rösten.

»Det var den yttersta fåfängan: värre än alkemistens.

Snart stod jag där i samma entré som jag vägrats tillträde till i alla år. Jag gick med bar överkropp genom rummen, kände stenens skrovliga kalla yta mot min hud.»

Bilderna är borta. Kvar finns bara spegeln, hennes ögon, tårarna hon vet finns där inne i dem någonstans.

59.

Linköping, mars och framåt

Jerry stryker sig mot väggarna i rummet upplyst av de etthundratre ljusen i kronan som hänger fem meter ovanför hans huvud. Stenen är oregelbunden och vass mot hans bröst och rygg, som vore den ytan på en ännu oupptäckt fientlig planet.

Målningen av mannen och kvinnan med solkrämen hänger framför honom.

Rummen i slottet. Hur de avlöser varandra ett efter ett.

Telefonerna. Hon finns endast ett samtal bort. Han sitter under sina målningar och rabblar numret som ett mantra.

Det slår honom aldrig att hon kan vara arg för det han gjort, att hon kan tycka att han slitit historien ur hennes familjs händer.

Men han slår aldrig hennes nummer på telefonen. Istället ger han sig i lag med det praktiska som kommer med en egendom som hans, med att styra upp arrendebönder och hantverkare av alla de skrån, och besöker de horor som han hittar på nätet, de finns även i Linköping, inte sällan medelålders kvinnor med onaturligt hög sexdrift som lika gärna kan ta betalt för att stilla sina begär. Han funderar på att ringa det unga juristbiträdet som han lägrade i samband med kontraktsskrivandet, men tänker att allt kan komma för nära då.

Vissa kvällar och morgnar ger han sig ut på egendomen. Kör genom det svarta landskapet, förbi husen och träden och fälten, fältet som tycks sammanfatta de tre enheter som är han: dåtiden, nuet, och det som kommer imorgon.

Han tycker sig se grönt ljus strömma ur vallgraven och låter installera gröna lyktor runt om den, som ett svar på det optiska fenomenet nere i vattnet.

Han står på andra sidan porten, vilar i sig själv, väntar på ett samtal, på en bil som han vill ska komma och stanna på slottsbacken, men som aldrig kommer. Han står stilla, går omvägar om den kärlek han aldrig förmår öppna sig för en andra gång. Det blir den rädsla han aldrig kommer över.

Istället får han ett brev på posten. Handskrivet.

Han läser brevet vid bordet i köket, en tidig förmiddag denna höst när skyarna öppnat sig och verkar spruta frätande syra ner på människornas värld.

Han viker ihop brevet, tänker att detta måste jag ta tag i, bränna bort en gång för alla.

60.

Lördag den första, söndag den andra november

Pressa stången uppåt.

Du är ensam nere i gymmet, om du inte orkar, Malin, kommer stången att krossa ditt struphuvud och så är det slut på alla problem.

På alla andetag. På all kärlek.

Sjuttio kilo på stången, mer än hennes egen vikt, och hon pressar den uppåt tio gånger innan hon låter den vila på ställningens klykor.

Janne. Nu talar han om för mig vad jag får göra och inte.

Åt helvete med det.

Eller kanske med all rätt.

Tove. Jag vill säga förlåt. Men det rätta är att lämna dig ifred, ett litet tag, eller hur?

Hur kunde jag?

Kroppen fuktig av svett. Som om hon sprungit i det regn hon ser falla på de små fönstergluggarna vid taket.

De har satt upp ny tapet i rummet. Den spygröna är utbytt mot en ännu värre rosa tapet med små lila blommor.

Det här är ett gym, tänker Malin. Inget jävla flickrum.

Hon lägger sig ner på britsen igen.

Tio nya reps och hon känner musklerna arbeta, hur ansträngningen pressar bort alla tankar på sprit. Behandlingshem, fan heller. Jag behöver inte det.

Varje gång hon för stången mot det dammiga vita innertaket som bländar henne försöker hon komma närmare utredningens kärna.

Mjölksyran sprutar i kroppen och hon reser sig, boxar i luften,

skakar liv i stum, syrelös vävnad och säger i takt med slagen:
»Jag. Missar. Något. Men. Vad?»

I bastun, efter en lång kall och sedan het dusch, läser hon Daniel Högfeldts senaste artikel om morden, bladen i Corren heta mot fingrarna.

Han tar upp kopplingarna mellan morden och att källor inom polisen är övertygade om att de hör samman men att de inte vet säkert än.

I en separat artikel har han en välinformerad redogörelse för Fredrik Fågelsjös dåliga affärer och hur familjen kom att förlora Skogså. Han avslutar: »Kanske riktas nu misstankarna mot medlemmar i släkten Fågelsjö, som vissa hävdar skulle göra allt för att få tillbaka godset.»

Han berättar inget om familjens nya pengar, arvet de fått. Men de har bilder på husen där de bor. Säkert nytagna. Gamarna lämnar inte de sörjande ifred.

Så en bild på Linnea Sjöstedt vid huset i kröken ute vid Skogså. Daniel låter henne kommentera:

»Visst kan de ha hämnats på Fredrik för att han slarvade bort egendomen. Ägorna betydde allt för dem.»

Nittio grader här inne.

Tio minuter och kroppen skriker, svetten pulserar ut ur varje por, men Malin tycker om smärtan.

Daniel har inte heller fått nys om Axel Fågelsjös misshandel. Eller att Jerry Petersson körde bilen den olyckssaliga nyårsaftonen. Det är bra, kanske har läckorna i polishuset ändå blivit färre. Och Daniel är hygglig, egentligen. Han har aldrig pressat henne på information när hon varit full, inte försökt göra henne till en läcka.

Malin står naken i omklädningsrummet.

Ett meddelande på telefonen.

Daniel Högfeldts nummer, vilket sammanträffande, och hon tänker att han vill ha sig en omgång ikväll. Hon ringer upp svararen och lyssnar av vad han har att säga.

»Daniel här. Jag skulle bara säga att jag fick ett anonymt tips om er utredning. Du kan väl ringa mig?»

Daniel.

Han brukar aldrig ge oss någonting. Hålla alla de tips han får in för sig själv. Och nuförtiden ringer mediekåta och penningsugna människor oftare till tidningar med tips och ledtrådar än till oss på polisen.

Hur kunde det bli så?

»Daniel.»

»Det är jag. Jag fick ditt meddelande.»

»Ja, jag ville bara säga att jag fick ett tips på telefon om Fågelsjö. Att det måste vara far och dotter Fågelsjö som dödat Fredrik. Som hämnd. Att de ligger bakom.»

»Vi har onekligen tänkt i de banorna själva.»

»Ja, självklart, Malin. Men den här tipsaren var onaturligt angelägen. Han blev lättad när jag sa att jag redan tänkt skriva om kopplingen.»

»En galning?»

»Nej, men det var något med honom. Något som inte stämde.»

»Vad hette han? Fick du numret?»

»Nej, inget nummer kom upp på displayen. Inget namn. Det är också rätt ovanligt.»

Han använder det här bara som en förevändning för att ringa mig, tänker Malin.

Har inget att komma med. Tipsare ringer in i mängder.

Anonymt.

Om allt möjligt.

»Jag vet vad du tänker, Malin. Men den här var annorlunda. Hans ihärdighet skrämde mig.»

»Hade han något nytt att komma med?»

»Nej.»

»Okej», säger Malin. »Du kan komma till mig vid nio ikväll, så ska du få vad du vill.»

Daniel blir tyst.

Malin ser sig själv i omklädningsrummets spegel, håller blicken borta från det slitna ansiktet, tittar istället på den vältränade kroppen.

»Du är ta mig fan något alldeles extra, Fors. Jag tänkte att för en gångs skull kunde jag hjälpa dig lite i jobbet.»

»Hur då, med det där?»

»Att det var en man, och inte en kvinna som ringde in till exempel.»

»Kommer du?»

Linjen bryts och allt blir tyst.

Han kommer.

Säg att du kommer. Då blir allt bra, om så bara för en halvtimme eller så. Det kan räcka.

Malin ligger i morgonrock på sin säng, väntar på att Daniel ska komma, känner suget efter att ha honom i sig.

Klockan blir nio.

Halv tio.

Tio. Och hon vill ringa honom, men vet att en sådan förnedring skulle vara lönlös, att han faktiskt inte ville ha henne, utan ville hjälpa till.

På sitt eget aviga vis, med ett meningslöst tips.

Någon som vill få saker att vara på ett visst sätt. Som vill leda deras blickar åt ett håll, när de i själva verket borde riktas åt ett annat. Tanken dyker upp igen.

På vägen hem från gymmet ringde hon pappa.

Han hade uppenbarligen inte märkt av några spanska poliser som övervakade honom och mamma, men å andra sidan märkte han ju inte heller när han blev fotograferad.

Han berättade att han och mamma kanske tänkte komma hem till jul. Malin svarade att Tove skulle bli glad då, men att de i övrigt kunde förvänta sig ansträngda familjerelationer.

»Har du det jobbigt?» frågade pappa.

»Nej, det är bara mycket höst just nu», sa hon, tänkte: Pappa, på min planet kämpar vi för livet.

Gör du det, Malin? Kämpar för ditt liv.

Jag tror att min far gör det även på sin planet.

Axel Fågelsjö.

Far.

Jag ser både dig och honom tydligt, du ligger i din säng, och du har somnat och sover en drömlös sömn, en vila du förtjänar efter allt ditt slit med att hålla begäret i styr.

Axel sitter vid köksbordet på Drottninggatan. Han har tagit fram sitt älskade hagelgevär ur vapenskåpet i sovrummet.

Han luktar på vapnet, jag har sett honom göra det förr, och jag vet inte varför han gör det. Nu låser han in vapnet i vapenskåpet i sovrummet igen.

Jag vet själv inte vad som hände mig, Malin. Jag minns ingenting. Det är ovanligt har jag förstått efter att ha pratat med andra här uppe i min rymd.

Men det spelar ingen roll.

För jag har ju dig.

Du kommer att berätta för mig vilket öde som blev mitt.

Du pratar om ditt öde, Fredrik Fågelsjö, men vad vet du, du silverskedsgosse, om ödet?

Det finns inget öde, bara händelser som resultat av medvetna handlingar.

När jag hamnade i vallgraven så var det bara mitt och ingen annans fel.

Jag hade, på det mest grundläggande vis, orsakat den händelsen själv.

Du inbillar dig, Malin, att du ska ge mig något slags rättvisa, eller upprättelse i döden. Precis som om jag skulle behöva det?

Jag behöver inget från er.

Jag är redan allt.

På söndagen pryglar ett kraftig regn marken och människorna.

Malin står i fönstret till sin lägenhet och ser på kyrkans torn, hur till och med kråkorna verkar lida i vinden.

Hon vill höra Toves röst, träffa henne, de skulle kunna ha haft hela dagen tillsammans nu när Sven tvingat henne att vara ledig.

Men hon ringer inte sin dotter, gör som Janne sagt, eller som hon trodde att han menade. Hon håller ett avstånd. Undviker sin spegelbild. Vore hon fjorton skulle hon skära skåror i sina handleder.

Istället tar hon på sig sina löparkläder och springer två mil på olika vägar genom Linköping. Hon svettas under det täta tyget, staden försvinner för henne och hon känner sitt hjärta, hur hon ännu kan lita på dess kraft.

Hemma igen ringer hon stationen. Waldemar Ekenberg meddelar henne att inget nytt hänt i utredningen.

Hon bläddrar i pappren om Maria Murvall. Hon förbereder sitt föredrag vid köksbordet. Kvällsmörkret vilar utanför fönstret.

Malin ser sig omkring i köket, tänker: Jag har ingenting, inte ens Tove orkar jag ha. Om jag nu någonsin kommer att få henne igen.

61.

Måndag den tredje november

Säkert fyrahundra ögon, tänker Malin. Och de stirrar alla på mig. Hoppas den beige bluskragen under den ljusblå lammullströjan ligger som den ska, och varför i hela helvetet bryr jag mig om hur den här hopen tycker att jag tar mig ut?

Stureforsskolans aula är fullsatt, eleverna knäpper på mobiltelefoner. Malin står bakom en pulpet, blickar ut över ungdomarna, ut i aulan där hon själv suttit.

Rektorn, Birgitta Svensson, en rökrynkig kvinna i femtioårsåldern klädd i grå dräkt, står bredvid Malin, samlar ihop sig och knackar sedan lätt med ena handens fingrar på en liten svart mikrofon.

»Då tar vi och stänger av mobilerna.»

Och till Malins förvåning har rektorn församlingens öra.

Blip för blip stängs telefonerna av, och rösterna sänks till ett mummel innan en tystnad intar aulan.

Doften av fuktigt tyg. Av söta tonårsandedräkter, av flagnande puts.

»Bredvid mig står Malin Fors, kriminalinspektör vid polisen. Hon ska berätta för oss om polisens arbete. Vi välkomnar henne med en applåd.»

Busvisslingar. Alla applåderar och när tystnaden åter lägger sig kommer Malin av sig, vet inte var hon ska börja, känner ett abstinensillamående i kroppen och försöker fixera blicken på klockan på väggen.

09.09.

En timme ska hon prata, men om vad?

Ungdomarna framför henne verkar veta allt om världen, men

samtidigt ingenting. Att kalla dem oskyldiga vore en grov överdrift, men samtidigt: Vad vet de om våld? Om mänskliga ogärningar? Men samtidigt har en hel del av dem säkert sett mer än de borde av vuxen frustration i sina hem.

Som Tove. Min hand mot Jannes mun. Hur kunde jag?

Tystnad.

Inga ord vill komma över Malins läppar. En minut förflyter, sedan två.

Eleverna skruvar på sig i sina stolar.

»Våld», säger Malin. »Jag arbetar med det vi brukar kalla för våldsbrott. Våldtäkter, misshandel.»

Hon gör en ny paus.

Väntar ut dem.

»Och så mord. Och som ni vet sker sådana även i en så pass fridfull stad som Linköping.»

Sedan kommer orden av sig själva, och hon berättar om hur ett typiskt fall av misshandel kan utredas, om några verkliga fall, men inget av de värsta.

»Vi gör vårt bästa», säger Malin. »Vi får hoppas att det räcker.»

Illamåendet har hållit sig borta under föredraget, adrenalinet och koncentrationen har fått henne att må bra, men efter att eleverna börjat fråga om morden de utreder för tillfället går luften ur henne.

»Jag ber att få tacka för mig», säger hon och kliver ner från scenen innan någon hinner ställa ännu en fråga.

Snart hörs visslingar och applåder igen.

Det finns något ritualmässigt över hela situationen.

De skulle ha applåderat och visslat även om jag pratat om Förintelsen, tänker Malin.

Utanför aulan kommer rektorn fram till Malin.

»Det där gick ju bra», säger hon. »Det kom ju till och med lite frågor. Det brukar det aldrig göra. Men de tycker väl att det är spännande med allt som händer.»

»Det kändes som att de lyssnade», säger Malin. »Sedan om de lärde sig något? Vad vet jag.»

Rektorn tar Malin i armen.

»Nu ska du inte vara så hård mot dig själv.»

Malin vill vika undan, men kvinnans blick är märkligt intensiv när hon ser in i Malins ögon och säger:

»De lärde sig nog en del ska du se, och du ska ha stort tack för det. Vill du ha en kopp kaffe? I lärarrummet?»

Till sin egen förvåning hör Malin sig själv tacka ja.

Lovisa Segerberg är ensam i Pappershades.

Waldemar och Johan är ute i fikarummet.

Hon funderar på om hon ska sätta på Fredrik Fågelsjös dator eller rota runt i någon av de hundratals mappar de ännu inte ens hunnit öppna.

Istället tänker hon på Malin Fors.

Om det är sant som ryktet säger: Att hon kört full, men att det tystas ner. Att hon ska in på torken bara fallet är löst.

Människor är bara människor, och även poliser måste kunna komma undan ibland. Annars blir det bara de rättrådiga och tvärsäkra kvar i kåren och sådana poliser vill ingen ha. Kommer den här utredningsgruppen att klara sig utan Malin Fors?

Det skulle bli något annat, för Malin är den som sätter tonen. Den de andra omedvetet litar till.

Kanske borde jag ta en fika med henne? Kvinnor emellan. Höra hur hon mår?

Lovisa slår bort tanken. Reser sig.

På en hylla vid dörren ligger en ensam svart mapp. Vid sidan av. Gud vet hur den har hamnat där.

Hon tar ner mappen. Sätter sig på sin plats.

Inuti tre tomma vita ark.

Under dem ett ofrankerat kuvert, sedan handskrivna ord på ett ännu vitare papper.

Lovisa känner hur tiden står still, hur en varm känsla sprider sig i kroppen.

Är detta brev det som de inte visste att de letade efter?

Birgitta Svensson har lutat sig tillbaka i en grön tygsoffa och biter i en torr påsmazarin.

Malin håller kaffekoppen mellan sina händer, värmen från drycken är skön mot handflatorna.

De är ensamma i lärarrummet, och Malin tänker att det finns ett lugn här, ett lugn som doftar av te och kaffe och böcker och papper.

»Vi har egentligen bara ett problem på skolan», säger Birgitta Svensson, »och det är mobbningen. Det är inget litet problem, men hur vi än gör så får vi inte bukt med den.»

»Är det några särskilda som ligger bakom?»

Malin minns killarna som hon stötte på i samband med en utredning av ett mordfall för några år sedan, hur de höll hela Ljungsbroskolan i skräck.

»Om det vore så enkelt», säger Birgitta Svensson. »Men det är inte några enstaka busar som mobbar här, utan det skiftar hela tiden. Den som var offer igår, blir gärningsman idag.»

»Vad har ni gjort för att försöka komma till rätta med problemen?»

»Haft föreläsare här. Gruppdagar. Enskilda samtal. Men det är som en riktigt svårstoppad smitta. När vi tror att det äntligen löst sig så händer något nytt.»

»Det kanske blir bättre när de här årskurserna slutat. Problemet kanske löser sig av sig själv.»

»Men skolan måste fungera nu. För alla.»

Tove.

Du har aldrig blivit mobbad, tänker Malin. Vad skulle jag göra med dem som mobbade dig om du blev det?

Vill inte veta.

»Förra veckan», säger Birgitta Svensson, »var det en kille i en åttondeklass som gned kinderna med sandpapper i slöjdsalen. Det visade sig att ett stort gäng killar i åttan och nian förföljt och trakasserat honom för att hans föräldrar bara har en rostig gammal bil. Kan du tänka dig? Det var som om det var okej att ge sig på honom bara för att andra gjorde det. Vi kunde inte hitta någon som varit värst, istället kände sig ingen ansvarig, bara 'lite delaktig.'»

Birgitta Svensson gör ett citattecken med fingrarna i luften.

Sedan sträcker hon sig framåt, äter den sista biten av sin mazarin.

»Sandpapper», säger Malin. »Hur dåligt måste han inte mått.»

»Grovt papper också. Han såg i ärlighetens namn helt för jävlig ut. Som om han hade en mask av sår på sig.»

Utanför skolmatsalen sitter affischer från stiftelsen Friends.

Uppmaningar om att vara allas kompis, att inte lämna någon utanför, att i varje stund försöka se en människas unika kvaliteter och egenskaper.

En utopi, tänker Malin. Visa strupen och du kan vara säker på att någon hugger.

Visade Jerry Petersson strupen?

Fredrik Fågelsjö?

Var de öppna och svaga om så bara för några sekunder och så slog verkligheten till, bet dem med sina mest hungriga käftar?

En av affischerna visar en tjej som står för sig själv i ett hörn. Kanske fem meter från henne står en grupp med andra tjejer: texten i affischens övre kant lyder: »Alla behöver en vän. Är du den?»

Malin går mot bilen, äntligen uppehåll i regnet.

Inom sig ser hon Anders Dalström, minns vad Andreas Ekströms mamma sa om honom, att han var ensam, att Andreas kanske var hans ende vän, att Andreas tog hand om honom.

Han hälsade på hos Jasmin utan att känna henne.

En manlig tipsare.

Flugornas herre. Varför just den, av alla filmer? Mobbningsfilmernas mobbningsfilm. Eller hur?

Nyckeln i bildörren och tjugo minuter senare sitter hon i Pappershades tillsammans med Zeke, Johan Jakobsson, Lovisa Segerberg, Waldemar Ekenberg och Sven Sjöman.

Framför dem på bordet, i en plastmapp, ligger ett brev. Darriga bokstäver skrivna med svart krita.

Texten lyder: »Jag vet allt om nyårsnatten. Det är dags att betala. Jag kontaktar dig inom kort. Var redo.»

»Så Jerry Petersson blev utpressad», säger Sven. »Men av vem?»

»Av Jonas Karlsson?» säger Waldemar.

»Kanske», säger Zeke. »Men han har alibi för natten och morgonen då Petersson mördades. Vi får kolla handstilarna mot varandra, och om det finns några fingeravtryck på brevet. Men vem annars kan ha vetat att Petersson körde på nyårsaftonen? Bara han visste, och enligt honom själv så hade han inte berättat det för någon.»

»Men Jonas Karlsson dricker ju enligt egen utsago. Kanske berättade han för någon på fyllan?», säger Waldemar och flinar menande mot Malin.

»Jochen Goldman», säger Malin sedan. »Han visste. Han verkar ju ha en vana att skicka brev. Kanske behövde han pengar. Vad vet vi om hans ekonomi? Egentligen. Vi bara antar att han är stormrik.»

»Och familjen Fågelsjö», säger Lovisa. »Kanske ville de pressa Petersson att flytta?»

»Visst ja», säger Sven. »Jag har fått samtalslistorna från Fågelsjös olika telefoner. Inget konstigt där. Inga samtal till Jerry Petersson. Jag tror inte att det är de som ligger bakom brevet, det känns inte som deras stil.»

»Minns ni att Petersson fått samtal från en telefonkiosk vid Ikea?» frågar Malin. »Kanske hör de samtalen ihop med detta?»

Hon tänker på Daniel Högfeldts tipsare som ringt in från okänt nummer. En telefonkiosk? Svårt att ta reda på utan att begära ut Daniels samtalslistor. Eftersom han är journalist nära på omöjligt.

»Vi får låta Tekniska undersöka brevet», säger Sven. »Kanske hittar de något. Vi väntar med att förhöra någon om detta innan undersökningen är klar, så vi kan komma med något konkret om vi har det då.»

»Jag skulle vilja prata med Anders Dalström igen, om det är okej», säger Malin.

»Varför?» frågar Johan.

»En känsla bara.»

62.

Malin gasar och växlar upp, tänker att hon kanske borde ha tagit med sig Zeke, men den här aningen vill hon utforska själv, följa den dit den leder henne.

Zeke protesterade inte, men hon vet att Sven tog för självklart att de skulle åka tillsammans. Är hon nära något så kan hon utsätta sig själv för fara, men vad fan spelar det för roll?

Utreder du mord kan du komma i vägen för våldet, men vissa saker, vissa röster, kan bara höras när man är ensam.

Regnet som fallit på vägen ut upphör när hon kommer fram. Huset i skogen verkar övergivet, inget ljus från fönstren i gläntan där boningshuset och verkstaden ligger. Den lilla gläntan är egentligen en äng, omgiven av tät blandskog, och hela platsen påminner om ett Skogså i miniatyr, bortsett från att pampen och kraften här är ersatt med underdånighet och en påtaglig rädsla för de otyg som kan lura i skogens mörker.

Anders Dalström är inte hemma, tänker Malin. Han är väl på sitt arbete, på servicehuset. Men arbetade han inte natt?

Hon kliver ur bilen. Knäpper igen den svarta Gore-Tex-jackan.

Anders Dalströms röda Golf står inte framför huset.

Malin går över den grusbelagda planen och kliver upp på förstutrappan och tittar in i huset, på affischerna på väggarna.

Stilla här i skogen.

Han längtar säkert efter en tjej eller familj. Den misslyckade trubaduren, hur jobbigt måste det inte vara att följa den yngre Lars Winnerbäcks framgångar? Drygt fyrtio och jobbar på servicehus. Inte mycket till karriär. Får du ro att komponera musik här i skogen? Var det därför du flyttade hit? Eller är du bitter på människorna?

Men var är du nu? tänker Malin. Jag vill bara ställa dig några enkla frågor.

Hon knackar på ytterdörren, ringer på klockan men han syns inte till.

Hon kikar in genom fönstren, men gardinerna är fördragna.

Nåja. Bilen är borta.

Hon vänder sig om, ser ut över skogen, undrar var Anders Dalström kan hålla till. Kan han vara i verkstaden? Hon går ner dit, men portarna är stängda. Öppna dem? Nej. Eller borde jag? Nej, för stort intrång.

Hon ser bort mot skogen igen.

Han tittar på henne från skogsbrynet. Hon, den kvinnliga polisen. Hon är ensam. Varför då? Han trodde att de alltid åkte i par för säkerhets skull. Vad vill hon nere i verkstaden? Tror hon Golfen står där, den har jag på verkstad. Letar hon efter ett annat fordon?

Ska jag rusa fram till henne?

Vad gör hon här, nu, hon borde leta på annat håll. Men hon är säkert bara här för att ställa några frågor?

Nu ser hon bort mot skogen, mot hans håll och han dyker ner på marken, känner det våta granriset omsluta honom, samtidigt som långa hårtestar faller ner i ögonen.

Såg hon mig? Hon får inte ha sett mig. Och vad gör hon nu? Hon verkar fotografera min dörrskylt med sin mobil.

Var det någon där borta i skogsbrynet?

Malin är inte säker när hon stoppar ner telefonen. Kan det vara Anders Dalström som varit ute i skogen och jagat eller plockat svamp eller något sådant och nu är på väg tillbaka. Men har sett mig och vill inte träffa mig.

Pistolen.

Hon har den med sig. Visade den på föredraget på förmiddagen, vet att åsynen av ett riktigt vapen alltid skapar intresse hos ungdomarna.

Något grönt mitt i allt det grå.

Hon drar sig bort mot skogsbrynet, går över det sanka fältet och känner hur hennes höstkängor blir våta, men hon vill veta vad det var hon såg.

Så en rörelse och något som glider iväg genom skogen.

En människa. En räv?

Omöjligt att säga. Malin drar sin pistol ur axelhölstret. Går mot skogen, mot mörkret mellan trädstammarna.

Anders Dalström ålar sig genom skogen, hans långa svarta hår är blött av regnet.

Hon får inte se mig. Vad gör hon här? Hur skulle jag kunna förklara att jag drar mig undan?

Men han vet vart han kan ta vägen. Det finns en rotvälta bara tjugo meter in, och i den finns en håla, dold för ögat om man inte känner till den.

Jag ålar som ormungarna inom mig nu.

Genomvåt. Och kall, men inget av det spelar någon roll. Ner i rotvältan. Hoppas den inte slår tillbaka. In i hålet, dra för det där granriset. Strunta i att andas.

Var är han? Eller vad det nu var?

Malin söker på marken i skogen efter spår, men kan omöjligt se några eftersom regnet redan slagit all vegetation till marken i ett virrvarr.

Skogen tyst och tom så när som på ljudet av hennes egna andetag och vinden som brusar i trädens kronor.

En rotvälta där framme.

Hon går bort till det fallna trädet.

Har någon varit här? Är någon här? Så träffar några stora kalla regndroppar hennes nacke. Hon tittar upp. En uggla flyger högt uppe mellan granarna.

Jag måste ha sett fel.

Ingen här.

När Anders Dalström hör Malins bil starta och åka iväg smyger han försiktigt fram ur sitt gömsle, rusar sedan till skogsbrynet och försäkrar sig om att han åter är ensam.

Sedan springer han fram till huset.

Har vägt för och emot, försökt förstå vad det är som händer, önskar att det fortfarande går att hejda allt det här, samtidigt som han vill få ett slut på det en gång för alla, vill driva ormungarna ur blodet, känna lugnet som kommer med den höjda handen.

Nyckeln i låset.

Darrande händer.

Det gnisslar och han vill smörja låset, borde ha gjort det för länge sedan.

Dörren går upp och han springer till vardagsrummet, ställer sig framför vapenskåpet.

Ser bössan som han förvarar här åt pappa, som pappa inte kunnat använda på många år, men som han ändå aldrig skulle komma på tanken att låta honom få använda.

Malin håller ratten med ena handen, med den andra skickar hon bilden på Anders Dalströms handskrivna dörrskylt till Karin Johannison.

»Jämför den här handstilen med den på utpressningsbrevet. Nu. Hör av dig så fort du vet.

MF.»

Regnet har intagit rutan framför henne.

Snart ser hon Linköpings siluett framför sig. Staden verkar sjunka ner i sina kloaker, en plats till och med råttorna övergivit.

63.

Zeke vid sitt skrivbord. Hans skalle aningen orakad, svarta hårstrån spretar som små sylvassa piggar åt alla håll.

»Kom du någon vart?» frågar han samtidigt som Malin slår sig ner på sin plats.

»Jag vet inte», svarar Malin. »Orkar du lyssna på hur jag tänker?»

»Jag orkar.»

Malins telefon piper till. Karin? Så snabbt.

Meddelandet på displayen lyser mot Malin. »Jag kollar direkt. Karin.»

Zeke ler.

»Från Karin?»

Malin ler tillbaka.

»Hur kunde du veta det?»

»Herrens vägar, Malin.»

»Vi tar en kopp kaffe.»

De sätter sig vid ett avsides bord i fikarummet.

»Låt mig först bara säga att Christina Fågelsjö inte hittat Fredriks nycklar», säger Zeke. »Så det är med stor sannolikhet så att mördaren använde hans nycklar för att öppna kapellet, att han hade dem på sig.»

Malin nickar.

»Anders Dalström», säger hon sedan. »Andreas Ekström som dog i bilolyckan var hans ende vän. Tog hand om honom, som Andreas Ekströms mamma sa till mig. Tänk efter. Det verkar som om hans liv gick i stå när Andreas dog i den där bilolyckan. Tänk om han fick reda på att Jerry Petersson körde på något sätt. Att han och Jonas Karlsson träffades på krogen och att Karlsson berättade sanningen om nyårsaftonen för honom, men inte kunde minnas det efteråt? Eller att han fått reda på det på annat vis. Att han accepterat att det var en olycka, men att det kom i ett helt annat ljus när han långt senare fick veta att Petersson körde. Petersson var ju berusad, och då rör det sig om ett allvarligt brott.»

»Och så ville Dalström hämnas nu?»

»Ja, kanske. Han kan ha varit mobbad innan Andreas kom till hans klass. Kanske finns det en massa uppdämt våld inom honom som börjat läcka ut? Men ännu hellre ville han nog pressa Jerry Petersson på pengar. Kanske åkte han ut till Skogså den där morgonen för att trycka till Petersson och så gick det snett, det blev tumult. Han hade ihjäl Petersson. Kanske kände Anders Dalström att våldet gjorde honom starkare? Att han fick någon slags njutning av det och inte kunde sluta hugga när han väl börjat? Att aggressionen ...»

Zeke ser skeptisk ut, säger:

»Men varför inte förrän nu? Petersson hade ju bott på Skogså i ett och ett halvt år. Och även om Karlsson inte pratade bredvid mun förrän nyligen är Dalström ingen hämnartyp, Malin. Han verkar inte driftig eller modig nog att pressa någon på pengar. Dessutom gav han ett ganska godmodigt intryck.»

»Kan så vara», säger Malin. »Men mobbningsoffer, om han nu var det, sägs ofta kunna bli våldsamma som äldre. Vad vet vi egentligen om hans skit?»

Zeke nickar.

»Det kan stämma», säger han. »Men Fredrik Fågelsjö? Hur förklarar du det? Eller ligger någon annan bakom det mordet?»

»Jag har lekt med tanken», säger Malin. »Att Anders Dalström även mördade Fredrik Fågelsjö, av den enkla anledningen att han ville rikta misstankarna bort från sig själv, och mot familjen. De har ju onekligen anledningar till att tycka illa om Fredrik. Det kan förklara samtalet från en ihärdig tipsare till Daniel.»

»Bara Daniel nu?»

»Håll käften.»

»Okej. Men vilket samtal?»

Malin berättar om samtalet för Zeke, som bara höjer på ögonbrynen.

»Men ändå för vagt», säger han. »Kan någon begå två mord så enkelt?»

»Människor har mördat för långt mindre än så. Och han kan ha fått smak för att vara våldsam vid det första mordet. Våldet blev den ventil han behöver. Och kanske kan skillnaden i tillvägagångssätt förklaras med att han blev modigare efter att ha kommit undan första gången?»

»Så du menar verkligen att Anders Dalström skulle ha ritualmördat Fredrik Fågelsjö för att rädda sitt eget skinn? Och för att han hittat fram till ett slags nödvändigt våld inom sig?»

Malin nickar.

»Men räcker det, Malin? Liket låg naket på familjegraven. Vi har sällan sett något grövre.»

»Det är någon pusselbit som fattas», säger Malin. »Men kanske har jag helt fel. Det känns som om jag har svårt att tänka klart. För mycket skit.»

»Det finns ju faktiskt en liten möjlighet att det är familjen Fågelsjö. Fredrik kan ha mördat Jerry, och Axel och Katarina kan ha låtit någon mörda Fredrik. Eller så skickade Goldman en torped. Eller så är det något helt jävla annat.»

»Jag vet», säger Malin.

»Och Anders Dalström har alibi. Han ska ha jobbat båda mordnätterna.»

»Jag ringer dit igen», säger Malin.

»Vi åker dit», säger Zeke. »Får dem att kolla noggrant.»

Sköterskan på Björsäters sjukhem tar emot Malin och Zeke på sköterskexpeditionen, som ligger i ett ljust rum med utsikt ut över lågvuxen granskog. På en vägg hänger ett brokigt broderi, säkert utfört av de gamla på arbetsterapin.

»Nej», säger sköterskan. »Anders Dalström jobbar inte idag. Han jobbar mestadels natt.»

Malin nickar.

Vankar rastlöst av och an i det trånga fönsterlösa rummet, ser på pillerburkarna som står i rader innanför låsta glasdörrar.

»Jag har ringt och frågat tidigare», säger Malin. »Men nu frågar vi igen: Arbetade han natten mellan torsdag den tjugotredje oktober och fredag den tjugofjärde? Och natten mellan torsdag och fredag i förra veckan?»

Sköterskan tar fram en pärm ur en låg hylla.

Slår upp den och läser noggrant som för att visa att hon tar Malins fråga på allvar.

»Enligt schemat jobbade han båda de nätterna.»

»Enligt schemat?»

»Ja, ibland byter de utan att meddela mig. Det är emot reglerna, men så länge allt fungerar ...»

»Kan du göra mig en tjänst», säger Malin. »Kan du kolla så att han inte bytte någon av de dagarna?»

Sköterskan nickar.

»Då får jag ringa hem till de andra i nattpersonalen. Men de sover nu, de flesta. Är det bråttom?»

»Det är det», säger Zeke.

Fem minuter senare slår en uppgiven sjuksköterska ut med armarna.

»Inget svar någonstans. De sover. Kan jag ringa tillbaka till dig senare i eftermiddag?»

»Gör så», säger Malin.

»Vet du var Anders Dalström kan vara?»

»Han jobbade inte inatt. Men han är säkert hemma.»

»Jag var där för någon timme sedan. Han var inte där.»

»Har ni provat på hans mobil?»

»Inget svar», säger Malin.

»Inte? Ni kanske kan försöka hos hans pappa. Han bor på ett servicehus i stan. Pappan är blind och Anders brukar vara där.»

»Vilket servicehus?» frågar Zeke.

»Serafen.»

Serafen, tänker Malin.

Samma ställe som den blinde Sixten Eriksson som Axel Fågelsjö misshandlade. Malin och Zeke ser på varandra.

»Vet du vad hans pappa heter?»

»Han heter Sixten», säger sköterskan. »Sixten Eriksson.»

64.

Sixten Eriksson sitter i soffan i rummet på Serafen och stirrar ut i sitt mörker, slipper se de billiga reproduktionerna på väggarna. Tobakslukten ännu påtagligare nu än vid förra besöket.

Han undviker att vända sig mot oss, tänker Malin, trots att han inget ser.

Hennes och Zekes samtal i bilen på väg till Anders Dalströms hus efter besöket i Björsäter.

»Det ger honom onekligen dubbla motiv», sa Zeke.

»Hämnas en oförrätt på sin far genom att mörda sonen till den som begick kränkningen, Fredrik Fågelsjö.»

»Men varför nu?» frågar Zeke.

»Han kan ha fått smak på våldet, som sagt, om mordet på Petersson var ett utpressningsförsök som spårade ur. Har man mördat en gång, kan man göra det igen. En gräns är passerad. Och han trodde kanske att han kunde förvirra oss ytterligare och på så sätt rädda sig själv.»

»Don't you just love humans?» sa Zeke.

»Och ingen vet var han håller till.»

Anders Dalström var inte hemma nu heller. De hade ringt till de andra på stationen. Sven hade sagt att de skulle skicka ut en efterlysning på honom, eftersom de behövde prata med honom även om det inte var något.»

Och nu Sixten Erikssons mörker. Ensam. Ingen Anders Dalström här heller.

»Evaldsson hittade jag på. Sven också», säger Sixten Eriksson. »Anders tog sin mors namn, Dalström. Jag vet inget om vad han kan ha gjort eller inte, men inte skulle jag skicka polisen i hans riktning vad som än hänt. Klart jag skyddar grabben, jag har alltid skyddat honom.»

»Tror du att din son kan ha mördat Fredrik Fågelsjö som hämnd för misshandeln på dig?»

Malin försöker få sin röst att låta nyfiken, mild.

Men Sixten Eriksson svarar inte.

»Kan han ha mördat Jerry Petersson? Tror du det?»

Zeke aggressiv, forcerad.

»Smärta måste ta vägen någonstans», säger Sixten Eriksson.

»Har han sagt något?» frågar Malin.

»Nej, han har inte sagt något.»

»Vet du var han kan vara?»

Sixten Eriksson skrattar åt Zekes fråga. »Om jag visste var han var skulle jag inte berätta det för er. Varför skulle jag? Men han har ofta varit här, är det inte märkligt med barn, att vad föräldrarna än gör dem, så springer de till dem för kärlek och bekräftelse.»

Malin och Zeke ser in i den gamle mannens blinda öga och Malin tänker att det ser mer än vad hennes egna ögon gör just nu. Det är som om det i hans grumliga lins finns en visshet om hur höstens onda skådespel ska sluta, att mannen framför dem har givit sig ner i hatet och ondskan via sina egna plågor.

»Så du slog honom?» frågar Malin. »Slog du Anders när han var liten?»

»Vet ni hur det är att inte ha något djupseende?» frågar Sixten Eriksson. »Nervsmärtor som bränner rakt in i hjärnan, alltid, dygnet runt? Jag hoppas», säger han sedan, »att Axel Fågelsjö lider alla helvetets kval just nu när hans son är död. Då får han äntligen känna på det här livets smärta.»

»Har du bett din son mörda någon i familjen Fågelsjö? Fredrik? Axel?»

»Nej, men jag har tänkt tanken. Det ska medges.»

Rota bland hyllorna. Mina händer, pappa brukade slå dem med en linjal.

Ser du mitt öga, pojk?

Vad behöver jag?

Anders Dalström rör sig i gångarna på järnaffären vid Ekholmens centrum. Kebaben han åt nyss skvalpar i magen.

Rep.

Maskeringstejp. De andra människorna ser på mig, vad vill de mig? Geväret ligger ute i bilen. Nu ska jag ta det här till slutet, och det ska bli skönt att göra det, polisen kommer att hitta honom, undra, bli förvirrade.

Jag ska döda honom. Det började ju med honom, eller hur? Kanske kommer pappa att tycka om det?

Anders Dalström känner att de sista av ormynglen snart ska rinna ur honom. Allt kommer att bli bra då, som det borde ha blivit. Andreas, tänker han, ser du mig nu?

Jag ska ta bort roten till det djävulska.

Han betalar. Sätter sig i bilen, startar i riktning mot Drottninggatan.

Vissa röster är som piskrapp, tänker Malin. Skär rätt in i ens allra svagaste delar.

»Jochen Goldman här», säger rösten för andra gången.

Svinet.

Malin känner telefonen mot örat och regnet på handen när hon står på Djurgårdsgatan utanför Serafen.

Men hon känner också en märklig värme när hon hör hans röst. En värme i helt fel delar av kroppen.

Hans solbrända ansikte vid kanten av poolen. Hårdheten och mjukheten i sådana män som han och Petersson.

»Vad vill du mig?»

Med sina fria hand öppnar Malin bildörren, sjunker ner på sätet, håller luren tätt intill örat, lyssnar på Jochen Goldmans andetag.

»Bilderna» fortsätter hon. »Det var du som tog och skickade bilderna på mina föräldrar, eller hur? Du lät få dem tagna.»

»Vilka bilder?»

Hon kan se Jochen Goldmans leende framför sig. Leken det signalerar, vi kan väl ha lite kul du och jag?

»Du vet vilka ...»

»Jag känner inte till några bilder. På dina föräldrar? Vad skulle jag ta bilder på dem för? Jag vet inte ens var de bor.»

»Är du i Sverige?»

»Ja.»

»Har du varit i Linköping?»

»Vad skulle jag där att göra?»

»Har du skickat ett utpressningsbrev till Jerry Petersson? Försökte du pressa honom på pengar?»

»Pengar har jag mer än jag behöver. Om man nu kan ha det.»

Himlen har öppnat sig igen. Hagel, små vita korn, dånar rytmiskt ner på bilens kaross.

»Har du på negermusik?»

»Hagel», säger Malin.

»Om jag ville ha något uträttat i Linköping skulle jag väl knappast åka dit själv?»

Antydningarna, glidningarna.

»Vad vill du?»

»Jag är på Grand i Stockholm. Jag har en svit. Jag tänkte att du kanske skulle vilja komma hit. Vi kan ha lite mysigt. Dricka champagne. Och ta lite bilder. Bara vi. Vad säger du?»

Malin trycker bort samtalet.

Sluter ögonen.

Tvivlar på att Jochen Goldman ens finns. Att mamma och pappa finns. Att det finns någon som helst förklaring till någon människas handlingar.

De åker förbi Axel Fågelsjös port på Drottninggatan. Ingen av dem ser den långhåriga gestalten som slinker in genom porten som en skugga.

Jochen.

Du och dina onda lekar. Du fick mig ändå på ett sätt, till slut, eller hur, du förlåter aldrig en oförrätt. Trots att du begår dem ofta själv.

Jag svävar över slätten och skogarna nu, över slottet och fältet där olyckan skedde, jag svävar över arrendebonde Lindmans hus, ser hur hans ryska fru packar sina väskor hastigt, hastigt, ska åka med en annan man till en annan plats, ta hälften och mer av vad Lindman äger, som hon planerat att göra redan från början.

Lindman.

Det var jag som satte på hans första kärring när hon var på konferens i Stockholm. Jag hittade henne vid en bardisk på Baldakinen, och som hon skrek uppe på kontoret på Kungsgatan. Kunde väl inte stå ut med gödsellukten efter det?

Jag blev kontaktad. Så som utlovats i utpressningsbrevet.

Jag minns att telefonsignalen som föregick samtalet som kallade mig till Ikeas parkering påminde mig om de där skriken. Som om signalerna i all sin anspråkslöshet ville spräcka min trumhinna.

65.

Linköping, september

Jerry står utanför sin Range Rover i en av de mittersta raderna på Ikeas nästan tomma parkering i Tornby, hör regnet trumma mot bilens tak, och i sitt envetna, krävande malande påminner dropparnas ljud om telefonsignalerna som kallade honom hit. Parkeringen rymmer säkert tusen bilar, men en tidig, regnig natt som denna är den nära på tom. Köpladornas skyltar lyser i mörkret: Ica Maxi, Siba, Coop Forum.

På avstånd kan han se domkyrkans koppargröna torn, hur siffrorna på klockan lyser genom den tidiga nattens dimslöjor och låga svarta moln.

»Vänta utanför bilen. Jag kommer dit klockan elva.»

Och Jerry ser på sin klocka, torkar regnet ur ögonen, vet hur han ska ta hand om det här.

Så ser han en bil svänga in på parkeringen, en röd Golf som snart stannar bredvid honom, en man i hans egen ålder kliver ur.

Är det du, Jonas, tänker Jerry. Jonas Karlsson, som räddade mig för länge sedan.

Nej. Inte Jonas, någon annan.

Istället för att vänta på att mannen i den gröna jackan ska börja prata, kastar sig Jerry över den grönjackade, trycker upp honom mot Range Roverns ena framdörr, tar stryptag om hans hals och väser:

»Vad fan tror du? Vem fan du nu är. Tror du att jag tar skit från någon över huvud taget?»

Och mannen i den gröna jackan sjunker undan, hans kropp slappnar av i rädsla och han säger:

»Jag menade inget. Förlåt. Det var inte meningen.»

»Det där du skrev om nyårsaftonen är fel.»

»Ja. Jag hade fel.»

»Hur fick du reda på det?»

»Ett brev.»

»Från vem?»

Handens grepp om den främmande mannens strupe allt hårdare, hans röst allt svagare.

»Jag vet inte. Men brevet var poststämplat på Teneriffa.»

Jochen.

»Och vem är du?»

»En som kom i din väg. Du visste det inte ens.»

Den grönjackade säger sitt namn och Jerry letar i sitt minne men inga bilder kommer till honom.

»Jag skiter i vem du är.»

Med all sin kraft vräker han omkull mannen i grön jacka. Sparkar på honom, skriker: »Vem fan är du?»

Och mannen stönar fram sitt namn igen, säger: »Andreas Ekström var den ende vän jag någonsin haft.»

Jochen.

Punta del Este. Jag borde ha hållit käften. Och gud vet hur du fick fatt i den här sorgliga typen. Men om man vill kan man väl få reda på allt, eller hur?

Fler sparkar. De träffar det mjuka köttet under den gröna jackan och det känns bra.

»Och nu ville du ha pengar, va? Mina pengar, va? Håll dig borta från mig. Annars slutar det jävligt illa.»

Nya stönanden, regnet som en svartvit massa i atmosfären.

Jerry lämnar mannen bakom sig, i backspegeln ser han honom vrida sig på asfalten, försöka resa sig.

Hemma igen på sitt stora öde slott knappar han fram ett nummer på sin mobil, vill ringa till den kvinna som väntar på att få höra hans röst.

Men det samtalet blir aldrig av, förblir ohörbara viskningar i Jerrys huvud. Istället tar ljudet av roterande, hungriga gräsklipparknivar över, trummandet av fötter mot gräs, fötter som aldrig kan bära sin kropp långt bort eller nära nog.

66.

Axel Fågelsjö hör dörrklockan, vagt, som rop på hjälp ur en sedan länge bortglömd dröm.

Vem i helvete kan det nu vara, tänker han när han går genom salongen förbi porträtten av sina förfäder.

Polisen igen? Kan de inte lämna mig ifred? Ifred med alla mina misstag och tillkortakommanden, med all den kärlek jag har förlorat.

De jävla journalisterna? Han blev tvungen att koppla ur telefonen, dra ur sladden till dörrklockan. Men nu har han satt i den igen. Han hade trott att de tröttnat på honom, den tredje statsmakten.

Sorgen.

Efter dig, Bettina, efter vår son, är den allt som återstår för mig nu.

Jag vill vara ifred med den.

Klockans signal är gäll nu. En försäljare? Ett Jehovas vittne?

Axel Fågelsjö tittar i säkerhetsögat, men det finns ingen där.

Vad i helvete?

Han tittar igen.

Tomt och tyst i trapphuset. Kommer någon efter mig nu, hinner han tänka innan dörren flyger upp, träffar honom rätt över pannan, får honom att stappla bakåt.

Liggandes på parketten ser han rätt in i mynningen på ett gevär. Han ser långt svart hår och ett par ögon fyllda av längtan, desperation och ensamhet.

Huset i gläntan ligger alltjämt tyst och mörkt.

När inte dagsljuset lyser upp fasaden ser det ännu mer ängsligt ut, som om det ska rasa av tyngden från alla sorger det tvingas hysa.

Malin och Zeke stannar bilen. Anders Dalströms röda Golf är borta.

De kliver ur, och Malin vädrar i luften, andas, försöker känna om det finns någon annan än de själva på platsen.

»Han är inte här», säger hon. »Var fan kan han då vara?»

De tar sig upp på trappan, ser in genom fönstret i ytterdörren.

En dator flimrar på bordet i vardagsrummet.

Malin känner på handtaget. Dörren är öppen.

»Vi får inte kliva in», säger Zeke. »Vi måste ha tillstånd för husrannsakan.»

»Skämtar du med mig?»

»Ja. Jag driver med dig, Fors. Dörren är ju öppen. Vi misstänker inbrott.»

De kliver in.

Vapenskåpet i vardagsrummet.

Malin fingrar på dörren till det, den är olåst. Ett ensamt hagelgevär inuti. Studsarammunition på botten av skåpet, men ingen studsare.

Har han ett vapen till, undrar Malin, säger: »Var han än är nu, kan han vara beväpnad.»

Hon går in i Anders Dalströms sovrum. Persiennerna är nerfällda och rummet är mörkt och kallt, fuktigt.

En filmprojektor står uppställd på en bänk, filmrullar slängda på golvet huller om buller, remsorna utdragna.

En film sitter redo i projektorn. Utan att tänka trycker Malin igång den och på den vita väggen ser hon en pojke röra sig över gräs, springa, skrika ljudlöst som om han flyr från något, som om ett monster håller i kameran, redo att sluka honom om han snubblar eller springer för långsamt.

Så stannar pojken. Vänder sig mot kameran och söker med blicken bakom kameraögat, hukar sig som för att ta emot ett slag, de svarta pupillerna i hans ögon som små planeter av rädsla.

Rullen tar slut.

Zeke har smugit sig upp bakom Malin, lägger armen på hennes axel, säger:

»Den blicken hade jag gärna sluppit se.»

De går ut ur rummet. I köket står en dator, Gula sidorna uppe, och Zeke läser högt från dataskärmen.

»Axel Fågelsjö. Drottninggatan arton. Vad fan har han i görningen?»

»Axel Fågelsjö», säger Malin. »Ska han gå rakt på den han tror ligger bakom ondskan nu? Mannen som misshandlade hans far och gjorde fadern till barnplågare?»

Zekes ansikte halvt upplyst av ljuset från datorn, regndropparna ligger kvar på hans skalle.

»Så du är så säker?»

»Ja, är inte du?»

Zeke nickar.

»Ska vi ringa förstärkning till Fågelsjös lägenhet?»

»Vi gör det», säger Malin.

»Jag ringer», säger Zeke och Malin hör honom prata med ledningscentralen och hur han sedan blir kopplad till Sven Sjöman.

»Vi tror det stämmer», säger Zeke och Malin hör att han försöker få sin röst att låta angelägen och sann. »Det har gått fort. Vi har inte hunnit ringa. Karin kollar handstilar mot varandra.»

Tystnad.

Säkert både beröm och bannor från Sven. De borde ha ringt tidigare, redan när de fick reda på att Sixten Eriksson är Anders Dalströms far.

»Vem vet hur han tänker», säger Zeke. »Han måste vara desperat vid det här laget.»

Ute igen går Malin ner till verkstaden.

Dörren står på glänt. Zeke tätt bakom henne.

Är han där inne? Hon drar sitt vapen. Sparkar försiktigt upp dörren med foten.

En svart gammal Mercedes.

Hon spejar inåt. Tyst och tomt.

»Det kan vara den svarta bil Linnea Sjöstedt sett», säger Zeke.

Malin nickar.

Minuten senare sitter de i bilen på nytt.

Hastigheten verkar blanda skogen och regnet till en och samma materia. Är Anders Dalström hos Axel i lägenheten? Eller är han någon helt annanstans?

Jerry Petersson.

Fredrik Fågelsjö.

Var det arrogansen som hann ikapp er? Era handlingar? Er fåfänga? Er rädsla? Eller kanske något annat?

Sven Sjöman och fyra patrullerande poliser är på plats i lägenheten på Drottninggatan. Har öppnat dörren med dyrk. Lägenheten är tom, ingen Axel Fågelsjö syns till, inte heller några tecken på kamp.

Malin och Zeke anländer en kvart senare.

»Bra jobbat», säger Sven till Malin när de står mitt i salongen och ser på porträtten på väggarna. »Jävligt bra jobbat.»

»Nu återstår bara att hitta Anders Dalström», säger Malin. »Och konkreta, fällande bevis.»

»Sådana hittar vi», säger Sven. »Alla indicier pekar mot honom.»

»Men var fan är han?» säger Zeke. »Och var i helvete är Axel Fågelsjö?»

»Tillsammans», säger Malin. »Jag tror att de har varit det länge utan att någon av dem förstått det», säger hon sedan. Tänker: Om Axel Fågelsjö är i Anders Dalströms våld, är det min skyldighet att försöka rädda honom. Men är han värd att jag bryr mig om hur det går för honom? Hur ska jag kunna ha medkänsla för någon jag tycker är vämjelig på så många vis?

Så ringer hennes telefon. Karin Johannisons lugna, överlägsna röst i andra änden:

»Handstilen på dörrskylten och i utpressningsbrevet är densamma. Det är samma person som skrivit brevet.»

67.

Anders Dalström, bilder ur ett liv

Det finns inga förklaringar.

De är lönlösa och ingen orkar ändå lyssna på dem.

Men det här är min historia, lyssna på mig om du vill.

Far.

Ditt enda fungerande öga bakom kameralinsen, du säger att bilderna kommer att likna sättet du ser världen på, utan djupseende och utan egentligt hopp. Ärvde jag din hopplöshet, din tvekan inför livet?

Du måste ha varit den bittraste och mest frustrerade människan på jorden, och du tog ut den ilskan på mig, och jag lärde mig att krypa undan, försvinna ut från lägenheten i Linghem och hålla mig borta tills du blivit lugn.

Människor såg mig, och det pratades om hur du i din bitterhet över ditt trasiga öga, dina smärtor, slog mig och mamma.

Jag såg dig, far, bakom kameran och jag sprang till dig trots din ilska men jag tvekade, instinktivt, och den tvekan tog jag med mig ut till de andra människorna.

I skolan var jag först ensam, sedan gav de sig på mig, och ingen lärare orkade bry sig. De jagade, slog, hånade och jag drog mig undan i ett hörn. En dag, i fjärde klass, slet monstren kläderna av mig, och jag sprang naken över skolgården i snön, och de jagade mig förbi tusen ögon, och jag föll, och de sparkade när jag låg ner.

De drog in mig i skolbyggnaden.

De tryckte mitt huvud ner i en toalett full av avföring och urin.

De gjorde det om och om igen och jag gjorde till slut inga försök att fly. De fick göra sitt och min undergivenhet gjorde dem ännu argare, vildare, blodtörstigare.

Vad hade jag gjort? Varför just jag?

På grund av de nersjunkna axlarna du gav mig, far? De vi har gemensamt?

Stopp, skrek någon en dag och sedan var en muskulös, självsäker kropp över de jagande, slog deras näsor blodiga, skrek: »Ni ger er aldrig på honom igen. Aldrig.»

Och det gjorde de inte.

Jag hade till slut fått en bundsförvant.

Andreas. Nyligen inflyttad från Vreta Kloster.

Redan första dagen i vår skola gjorde han mig till sin. Jag har aldrig förstått varför han ville vara min vän, men sådan är väl vänskapen, precis som ondskan visar den sig plötsligt där man minst anar att den skulle lura.

Jag levde genom Andreas under de där åren, och hans familj öppnade sitt hem för mig ibland, jag minns doften av bullar och nykokt hallonsaft, av hans mamma som lät oss pojkar vara ifred. Vad vi gjorde? Det pojkar gör. Förvandlade en liten värld till den stora, och jag kom aldrig hem på riktigt längre. Du kunde inte nå mig, tack vare Andreas, far.

Din bitterhet satte sig inte i mig, eller gjorde den det? Jo, den hade redan fått fäste.

Du slog, och jag sökte mig till det som fanns bortom slagen, trodde jag, det som måste finnas bortom slagen.

Musiken. Jag hittade musiken, fråga mig inte hur men den fanns i mig. Långt inne och Andreas drev på mig, köpte mig en gitarr för pengarna han tjänade på jordgubbsplockning en sommar.

Men sedan, när vi började gymnasiet hände något. Andreas drog sig undan, ville ha del av andra människor än mig, han kasserade mig när världen växte, men jag slutade aldrig att hoppas, för han var min vän, och jag lyckades aldrig närma mig någon annan på samma vis.

Han svansade efter Jerry Petersson, den coolaste av de coola. Han svassade efter adelsklicken också.

De fanns inte ens på min karta, inte i mina dagdrömmar. Jag visste att jag aldrig kunde bli som dem.

Och så dog Andreas en nyårsafton.

Kanske gav jag upp då, far?

Jag flydde in i musiken.

Och jag sjöng på den sista skolavslutningen, en sång om hur det är att vara född i Linköping och växa upp i skuggan av alla möjliga drömmar, hur vi försökte festa ångesten ur oss själva i Trädgårdsföreningen de sista kvällarna i gymnasielivet, och jag måste ha slagit an en sträng där, för jublet i aulan ville inte ta slut. Jag fick sjunga sången två gånger till och på kvällen bad alla mig att sjunga den på gräsmattan i Trädgårdsföreningen, till och med en av de fina flickorna.

Du fanns inte med din kamera i publiken då i aulan, far.

Jag började arbeta i vården, hyrde ett torp i skogen för att få skrivro, blev kvar där, jag måste ha skickat hundra demos till Stockholm, men jag fick inte ens svar på mina brev till Sonet, Polar, Metronome och de andra.

År las till år. Jag började arbeta på sjukhemmet i Björsäter. Ofta var vi bara två på natten, turades om att sova och det passade mig bra med nätterna, att slippa vakna människor. Och du slog mig fortfarande när du kom åt, trots att du nästan blivit blind av starren i ditt öga.

Jag kunde ha slagit tillbaka, men jag gjorde inte det.

Varför? För då skulle jag bli som du. Våld och bitterhet skulle förvandla mig till dig.

Så dog mamma och du hamnade på hemmet, helt blind nu och din kamera hade stillnat för alltid. Din vrede en lugn vrede, din bitterhet en stilla ton, ditt liv en väntan på döden.

Ibland läste jag artiklar om Petersson, om hans framgångar.

Och det var som om något växte i mig, ett osynligt ägg som växte sig större, tills det sprack och ut strömmade miljontals gula ormungar i mitt blod. De hade alla mina vedersakares ansikten. Ditt, far, pojkarnas på skolgården, till och med Axel Fågelsjös. Jag visste mycket väl vem han var, vad han gjort med mig.

Jag ville få bort ormarna. Men de krälade fritt.

Så flyttade Jerry Petersson tillbaka. Köpte slottet och marken av Fågelsjö och jag fick ett brev, gud vet från vem, där sanningen om nyårsnatten stod. Jag hade aldrig tänkt den tanken, att det kunde ha varit Jerry Petersson som körde. Det fanns svartvita fotografier i brevet, av honom ståendes på fältet, stilla med slutna ögon som om han mediterade.

Så jag skrev mitt eget brev, men modet svek mig på parkeringen. Han som fått allt och tagit allt ifrån mig, stampade på mig som en insekt igen.

Men jag kravlade mig upp.

Svor att stå upp för mig själv, han skulle inte få knäcka mig och Andreas igen, jag skulle kräva honom på pengar som jag inte ens visste vad jag skulle göra med.

Så en tidig morgon tog jag min bil och åkte dit.

Ormungarna väste, jag kunde nästan se dem kräla där inne i mig, se deras ansikten hånle mot mig.

Jag väntade på honom på slottsbacken, med en stor sten i min hand som skydd, och en av fars moraknivar i fickan. Våldet inpräntat i trähandtaget han hållit så ofta i, med Skogsås sigill inbränt på mitten, han måste ha stulit kniven när han jobbade där.

Jag hade ett papper i min hand.

Ormungarna sjöd då.

Kryllade i mig. Och de var vreden och rädslan ihopsamlade till ett.

Jag visste att något nått sin slutpunkt. Och att något annat skulle ta sin början.

68.

Jag ser ner på jorden, alla olika världar som historien givit den här staden och markerna runt omkring. Jag ser regnet driva ner över träden, gräset, mossan och urberget, och vet att än återstår mycket. Jag ser en bil närma sig ett slott en gryning, en svart gestalt väntar bortom en vallgrav.

Det är mig själv jag ser, och jag åker mot min snara död, men jag vet det inte, och när jag vet, är det naturligtvis för sent. Men nu, i detta ögonblick som kan omfatta all tid, känner jag rattens darrningar mot mina händer.

69.

Skogså, fredagen den tjugofjärde oktober

Jerry ser framåt i dimman, håller hårt i den skakande ratten. Range Rovern bär honom över marken.

Vem är det som väntar där framme? Är det du, Katarina, som äntligen kommit tillbaka till mig?

Eller är det någon annan? En ihärdig jävel? Men säg att det är du, Katarina. Visst är det du?

Det är inte du, Katarina.

Aldrig du.

Jag kliver ur bilen och ser Anders Dalström framför mig, hans ansikte desperat, det svarta håret vått, han håller en sten i ena handen. Han vägrar ge upp och jag spänner blicken i honom, men inget händer, han viker inte.

»Jag vill ha fem miljoner», skriker Anders Dalström och jag skrattar, säger: »Du kommer inte få någonting. Jag krossar dig som en liten råtta om du inte sticker nu. Det blir värre än på parkeringen.»

Anders Dalström håller fram en lapp med sin lediga hand.

»Mitt kontonummer», skriker han och regnet gör bläcket på lappen oläsligt och jag skrattar igen.

Han ger mig lappen.

»Fem miljoner, inom en vecka.»

Sedan kommer ett roat flin över mina läppar, men så tröttnar jag, knycklar ihop lappen och slänger den i gruset, struntar i Anders Dalströms förbannade sten.

Anders Dalström tar upp lappen med sin fria hand, lägger den i sin ena jackficka.

Jag vänder mig om för att gå, sedan hör jag ett avgrundsvrål.

Jag ser något svart komma emot mig, och känner en smärta och jag faller. Sedan sitter årtiondens församlade vrede över mig och det brinner och brinner och brinner i magen och Anders Dalström kravlar bort från mig, jag känner hjärnan och tankarna försvinna i smärta.

Jag kryper över slottsbacken, smärtan i huvudet och bålen känns som den sista av alla smärtor, den sprider sig genom hela kroppen som en uråldrig vind.

Han dödar mig, hinner jag tänka, samtidigt som jag kryper under kättingen runt vallgraven, tycker mig se en sten träffa vattenytan.

Är det blod som rinner framför mina ögon?

Jag är pojken igen, jag är mannen. Jag är med Katarina vid ett stilla vatten, kanske en å, och jag smeker hennes rygg med olja och hon viskar ord på ett utdött språk i mitt öra.

Vinden äger mig nu. Och jag faller, jag har slutat andas när jag träffar vattnet i vallgraven och äntligen har gräsklipparens blankslipade knivar tystnat och jag öppnar mina nya ögon.

70.

»Jag har dödat din son», skriker Anders Dalström, »och jag ska döda dig!»

Han har bundit fast Axel Fågelsjö i en stol och han ser hur den gamle mannen försöker slita sig loss, en säregen blandning av hat och förtvivlan och resignation i hans ögon, rädslan de röjer, rädslan som kommer av att inte förstå vad som händer.

»På samma sätt som du en gång dödade min far.»

»Jag har aldrig dödat någon.»

»Du dödade honom.»

Anders Dalström ser att Axel Fågelsjö försöker säga något mer, skrika, men inga ljud kommer ur hans mun.

Han tar fram en tygtrasa ur sin väska, knyter den hårt om gamlingens huvud, låter den sjunka djupt in i hans mun och det känns skönt att vrida åt, se smärtan i hans ögon, känna lugnet gå som i vågor i kroppen.

Han ville ge gamlingen en förklaring.

Tvinga honom att lyssna på den.

»Hur tror du han var som far efter att du dödat honom? Han jagade mig med kameran, jagade mig och ville förgöra mig som om han hatade mig för att livet låg framför mig, som om jag var hans smärta.»

Axel Fågelsjö skruvar på sig på stolen, vill komma loss, eller så vill han säga något, men be om förlåtelse?

Knappast.

Och Anders Dalström slår honom över kinden med knuten näve, känner smärtan sprida sig genom knogarna och handen, och våldet är behagligt och mjukt, får det onda att försvinna.

Så han slår igen och igen och igen. Ormungarna rör sig, pojkarna på skolgården, pappas slag, ormarna har deras ansikten nu, avföringen i toaletten, smärtan i att aldrig mötas av pålitlig kärlek.

Smärta, smärta, smärta.

All världens smärta. All världens vrede församlad i slagen. Den vrede som måste ha givit Jerry Petersson fyrtio hål i buken, hur många hål ska jag få?

Vem är han, undrar Axel Fågelsjö.

Bettina, vem är han?

Hans förvirrade prat. Om ormungar, om ansikten, men samtidigt, mitt i all galenskapen verkar han veta vad han vill, vem han är.

Axel Fågelsjö ger mot sin vilja efter för sin rädsla på nytt och försöker komma loss, vill springa, fly, men han sitter fast, kommer ingen vart, så lika bra att ta emot slagen, försöka bringa ordning i det här och är det han som dödat min son ska han få sitt, det lovar jag mig själv och alla dem som gått före mig.

Rummet.

Det är vackert och välbekant, ett av mina rum, och ingen annans.

Bettina. Din aska är spridd i skogen.

Han har slutat slå nu, sitter bara på en stol vid väggen och verkar samla kraft för att säga något.

»Lyssna nu, gubbe.»

Anders Dalström reser sig och går fram mot Axel Fågelsjö i mitten av det kalla rummet.

»Bara det du gjorde mot mig, mot pappa skulle ha varit nog för att jag skulle döda din son.»

Han sätter fingrarna i Axel Fågelsjös näsborrar, vrider dem uppåt och Axel Fågelsjö grymtar av smärta. Anders Dalström vill slita näsan ur ansiktet på honom, känna varmt blod på sina fingrar, känna de sista kallblodiga, blinda varelserna kravla sig ut ur honom.

»Och vet du?» skriker han. »Jag gillar att använda min kropp för att visa min makt. Våldet föder mig, kan du förstå det?

Jag tog honom utanför hans hus. Slog ihjäl honom där och sedan körde jag honom till kapellet.

Jag vill att du ska veta det.

Vad brydde du dig om mig? Vad pappa gjorde med mig när smärtorna i ögat och huvudet tog över?»

Så slår Anders Dalström igen, men han blir rädd när han känner den gamles haka mot sina knogar.

Ormungarna rör sig igen. De är fler än någonsin och de simmar fram i hans ådror, dricker hans blod.

Han är galen, tänker Axel Fågelsjö och försöker fly undan smärtan genom att minnas, genom att hålla medvetandet klart.

För ett ögonblick tänker han att han vill bli ihjälslagen av den här galningen, då kan jag äntligen få komma till dig, Bettina. Jag var hos dig, i skogen, den första mordmorgonen.

Så slå mig.

Låt mig få komma till den jag älskar.

Och Axel vet vem den yngre mannen i rummet är nu.

Sonen till den där hopplöse drängen som han slog sönder ögat på.

Synd på karln, men det är sådant som händer.

En drummel var han, och han fick kanske vad han förtjänade.

Och Fredrik? Fick han vad han förtjänade?

Ingen säger åt mig, eller någon av de mina vad vi förtjänar eller inte.

Så slår han igen. Med gevärskolven nu. En brännande smärta och jag känner tänderna lossna, hur mina ögon vill flyga ur sina hålor.

Vad hände med drängen? Han satt tyst på rättegången, det minns jag, men vad hände sedan med honom? Kan han ha haft ont, på samma sätt som jag har ont nu? Han blev blind på ett öga, men vad är det för handikapp att gnälla över? Han kanske blev bitter, men för den som bara vet sin plats blir livet enklare, oavsett vilken platsen är.

En kniv nu. En kniv, och han visar mig sigillet på skaftet, Skogsås sigill, innan han skär i min kind.

Det bränns och jag skriker.

Bettina, får jag komma till dig nu? Är du stolt över mig? Jag vill inte vila i kapellet, utan med dig, i skogen.

Vad betyder ett slott egentligen? Några hektar skog? Minnen som ingen bryr sig om?

Jag ska föra det här till sitt slut, tänker Anders Dalström. Jag ska göra som jag vill, precis som han alltid gjort.

Hans ansikte är ditt, far.

Är ni en och samma?

Men det finns ingen anledning att tveka. Som de aldrig gjorde när de fick fatt i mig på skolgården.

Blodet rinner från Axel Fågelsjös kinder, och Anders Dalström vill köra kniven i hans feta buk, men han kommer sig inte för, något håller honom tillbaka, viskar ett nej i hans ena öra. Han slänger kniven i hörnet och sätter på nytt fingrarna i Axel Fågelsjös näsborrar, täpper till, lägger andra handen för munnen, trycker trasan hårt inåt och han vet att gubben inte kan andas nu. Att han måste skrika efter luft där inne och den kaxiga stöddiga blicken han hade i ögonen nyss är borta, ersatt av något annat, kanske en ursprunglig rädsla.

Svartvitt flimmer.

Något krälar på min kropp. Ska försvinna för alltid.

Någon viskar något. Är det du, Andreas. Är du där?

Ge mig luft.

Jag vill ha mer.

Jag vill möta dig, Bettina, Fredrik, men inte än. Katarina. Var är du?

Jag har felat, jag medger det, släpp taget, förlåt mig, jag har felat, men låt det inte ta slut nu, jag vill ha mer liv, jag är rädd, jag känner hettan slicka mina anklar, jag försöker skrika om förlåtelse, skriker att jag kan älska dig och alla andra, att du måste släppa greppet, att det är ditt enda hopp, och blodet rinner men du fortsätter, pressar dina fingrar allt längre in i min näsa.

Och jag vill ha luft, ge mig luft.

71.

»Mamma?»

Toves röst ett hammarslag mot hjärtat samtidigt som Malin öppnar porten på väg ut från huset på Drottninggatan.

Zeke bredvid henne, rastlös, vill springa till bilen.

»Tove.»

Kan inte prata nu, älskling.

En snabb överläggning uppe i Axel Fågelsjös lägenhet nyss.

Var kan Axel Fågelsjö och Anders Dalström vara? Med största sannolikhet tillsammans.

Svens ord: »Om Anders Dalström tog Fredrik Fågelsjö till slottet, kan han ha tagit Axel Fågelsjö dit också. Zeke och Malin, åk dit snabbt. Hör med Katarina Fågelsjö, och andra berörda. Anders Dalström kan vara mycket farlig för allmänheten och vi måste få in honom omgående.»

»Mamma, jag undrar om jag ...»

Malin hör sin dotters röst när hon springer mot bilen, tar inte in vad hon säger, istället: »Tove, jag måste lägga på.»

Hon trycker bort Tove, och sekunden efter vill hon ringa tillbaka, måste säga förlåt för att allt blev som det blev den kvällen hon var hemma hos henne, att hon lät henne försvinna, att hon är världens sämsta mamma och förlåt för att det inte är så jävla lätt att vara människa.

På andra sidan Drottninggatan ligger Trädgårdsföreningen mörk och kall och regnet borrar sig ner från himlen nu, gör sikten framåt begränsad och hon undrar vad Tove ville, vet att hon måste ringa tillbaka, hon kanske behöver mig nu, men istället säger Malin:

»Kör av bara helvete. Bråttom nu. Bråttom.»

Bilens strålkastare är ivriga sökarljus längs med Drottninggatans regnpinade asfalt.

Malins telefon ringer igen. Tove? Inte nu. Men det är ett annat nummer på displayen.

»Malin.»

»Johan Stekänger här.»

Advokaten. Bouppteckningsman efter Jerry Petersson. Den som hittade Fredrik Fågelsjö.

»Jag vill bara berätta att slottet blev sålt igår. För en summa dubbelt så hög som den Petersson betalade. Peterssons far accepterade budet.»

»Vem köpte?»

»Det är jag ...»

»Du är inte förhindrad att säga någonting.»

»Jag ...»

»Nu», säger Malin. »Annars kommer jag att vara en borreliafästing i din röv så länge du lever. Nu, vem köpte?»

»Axel Fågelsjö själv, vem annars? Vi skrev på igår, och han fick nycklarna till stora porten som en symbolisk handling. Vi har magasinerat alla Peterssons prylar, och konsten är på Bukowskis. Han skrattade åt det där med nycklarna och sa att han sparat flera par. Och jag tror inte att Petersson bytte lås.»

»Han har köpt tillbaka slottet», säger Malin.

Zeke tar inte händerna från ratten, stirrar bara rakt fram på vägen samtidigt som de åker ut ur stadens centrum, ut i det mörka landskapet.

»Det var raskt marscherat.»

»En gammal krigare», säger Malin och sedan åker de långt över alla hastighetsbegränsningar mot slottet.

De måste vara där.

Fält.

Skog.

Vad rör sig därute? Vad förmörkar människornas sinnen? Vad dri-

ver dem till handlingar som knappt kan beskrivas? Som hedersmor-
det de hade före det här fallet.

Vad får en människa att trycka bort sin dotters samtal? Malin
sluter ögonen, ser Tove på golvet i rummet med den galna kvinnan
över sig. Ser ett våldtäktsoffer på en stol i ett mörkt hörn av ett guds-
förgätet rum på ett gudsförgätet sjukhus.

Tove Fors.

Fredrik Fågelsjö.

Anders Dalström.

Jerry Petersson.

Jag vet vad som förenar er.

Jag kan göra något för dig, Tove. För mig. För oss.

Om jag inte orkar älska dig, vem ska då orka älska?

De är första bil på plats och slottet stiger ur den svarta marken, en
ark för alla känslor som människan någonsin upplevt.

De gröna lyktorna lyser, skänker ett grönt sken åt vattnet i vallgra-
ven. Eller kommer skenet från vattnet självt?

Ingen bil på slottsbacken.

Och Malin springer upp till porten, sliter i den, men den är låst.

Helvete.

De är inte här.

Zeke kommer upp bakom henne.

»Ser ut som om de inte är här», viskar han och Malin undrar
varför han viskar.

»Helvete. Jag var säker.»

Tyst omkring dem så när som på skogens brus.

»Han kan ha öppnat och låst med Fågelsjös nyckel», säger Malin.

»Vi går ett varv», säger Zeke.

Och de letar sig runt slottet, bort till kapellet som är öde och
igenbommat. Regnet smattrar mot deras jackor och Zeke rör sig stelt
framför henne.

De går i tystnad.

Var är bilen? tänker Malin. De måste vara här.

De går runt gaveln, och de kan höra en bil, kanske en radiobil,
köra upp på slottsbacken och nu ser de ljuset, en liten strimma av ljus

som sipprar ut ur en förtäckt källarglugg.

De ser på varandra.

Nickar, torkar regnet ur sina ansikten, springer till framsidan av slottet, hör gruset och stenen knastra under fotsulorna.

De ser tre uniformerade poliser kliva ur ett målat fordon.

»Dörren», skriker Malin. »De kan vara där inne. I källaren.»

Och de tre poliserna kastar sig sekunderna senare mot porten, men deras ansträngningar är lönlösa.

»Omöjligt», skriker en av dem och Malin beordrar dem bakåt, tar fram sin pistol ur axelhölstret, ger fan i rikoschetter, böjer sig ner vid sidan av trappan till entrén och skjuter på det svartmålade järnlåset, säkert flera hundra år gammalt, tömmer magasinet och låset faller ur sin stämjärnshuggna håla och ner på trappans sten.

Malin är först in.

Rusar genom rummen.

Köket som ett vitt skinande slakthus även i mörkret.

Hon rusar nerför trappan till källaren, förväntar sig att se Axel Fågelsjö där nere, tillsammans med Anders Dalström. Men hur kommer scenen att se ut?

Källaren är mörk och kall och hon får svårt att andas, känner de andra bakom sig, deras rädsla, hör deras steg trumma rytmiskt mot stengolvet. Hon hukar sig genom gångarna, sparkar upp dörren till vad som måste ha varit en fängelsehåla. Var det här de ryska krigsfångarna satt innan de blev inmurade i vallgraven?

De går igenom ett, två, tre rum. Alla tomma.

Så en fjärde dörr.

Ljus där bakom.

Malin trycker ner järnhandtaget.

Vad får jag se nu?

Hon öppnar dörren.

72.

Är han kvar?

Bettina, är det du?

Nej, men är han kvar?

Vad var det han sa?

Jag förstod inte.

Det kommer någon nu, är det han som kommer tillbaka?

Han tog bort sina illaluktande fingrar ur mina näsborrar, men trasan i min mun är kvar. Han skar mig inte mer.

Repen om mina vrister och armar. Jag kränger av och an och jag vill att han ska komma tillbaka, jag vill träffa dig, Bettina.

Eller vill jag det?

Jag vill vara kvar. Jag vet vad jag har att göra, jag känner ljuset återvända till mina ögon nu, hörde en dörr öppnas, är det döden eller livet som kommer?

Skona mig.

Jag är en god människa.

Rummet badar i ljus från en strålkastare i taket.

Malin ser honom.

Han sitter stilla på en stol mitt i rummet, blodet rinner från hans huvud och näsborrar.

Axel Fågelsjö.

Ensam. Ingen Anders Dalström.

Axel Fågelsjö. Inte så imponerande nu, och Malin tänker att det spelar ingen roll om han lever eller är död, men hon tvekar ännu inför honom, rör sig försiktigt framåt, är han död, lever han?

Axel Fågelsjös kropp verkar smälta samman med stenen under honom, blodet tycks sugas upp av slottets väggar och hon kan känna historiens hjärta slå, pumpa en märklig sång genom hennes ådror.

Framme vid Axel Fågelsjö nu.

Hon lägger armen på hans axel.

Han kisar. Hans blick verkar klarna.

Malin vinkar åt de andra att gå in i rummet. Ingen annan där, var är Anders Dalström?

Och Axel Fågelsjö rycker till.

Harklar sig, vill ha ut trasan ur munnen, och Malin ser sig omkring igen, tomt, och hon lägger ner pistolen på stenen, Zeke andas tätt bakom.

Sedan tar hon trasan ur Axel Fågelsjös mun, samtidigt som en uniformerad polis skär av repen runt hans handleder och fotleder.

Han slänger upp armarna, som med en märklig nyvunnen kraft.

Sparkar med benen.

Hans blodiga tröja rister och Malin kan se fettet röra sig därunder.

Så reser han sig, står upp.

Ser ner på Malin.

»Den jäveln vågade inte», säger Axel Fågelsjö. »Han vågade inte.»

Han vågade nog, far.

Men han kunde inte, ville inte.

Jag ser dig sitta ner igen, värnlös, och nyss befann du dig i den innersta av rädslor, den känsla som är allt som finns vid den gräns där livet och döden möts.

Du var där nyss, och nu är du återkallad, men har du lärt dig någonting, far?

Jag tror inte det.

Jag begravs om några dagar far, men det bryr du dig inte om, eller gör du? Familjegraven står redo i kapellet.

Det är så mycket jag inte vet om dig, far, och nu står Malin Fors och Zacharias Martinsson vid dörren, de pratar med sin chef och diskuterar detta: Var finns Anders Dalström?

Ni är nära nu, Malin, men än är detta skådespel inte slut. Än återstår några korta stunder av dunkel och klarhet.

Ni har hittat kniven, den med sigillet på skaftet, den kniv som genomborrade min kropp. Karin Johannison kommer att ge dig besked inom några dagar att det var den kniven som gav mig mina sår.

Jag tumlar runt i min rymd, road som jag är av denna skeendenas obönhörliga vilja att spelas ut, få ett slut, så att en början kan ta sin början.

Det finns en rättvisa i min belägenhet. Jag slog sönder vänskap, och mycket annan kärlek, och jag tog inte ansvar för det.

Men var han är nu, Anders Dalström?

Det vet du, Malin, du vet det.

Malin sätter sig på huk vid Axel Fågelsjö, som satt sig på stolen igen, samtidigt som hon ser Waldemar Ekenberg och Johan Jakobsson komma gående bortifrån trappan.

Axel Fågelsjö torkar försiktigt men ändå resolut blodet ur sitt ansikte, andas långsamt och säger:

»Han vågade inte. Det missfostret. Men han slog loss några tänder.»

»Sa han något när han gick?»

»Nej.»

»Vet du vart han kan ha tagit vägen?»

»Nej, vart ska en sådan som han ta vägen?»

Mannen framför henne är väldig på stolen, blicken trött men skarp när han säger:

»När djur ska dö, går de till platser de varit på förr, som de anser ha betydelse.»

»Hade han ett gevär?»

»Hur tror du annars att han fick med mig hit ner?»

»Så du var här när han kom?»

»Nej, jag var i våningen, men på väg hit ut när han kom. Det var dags att åka hem.»

Och Malin reser sig, springer bort till Zeke utan att ta notis om Johan, Sven eller Waldemar.

»Kom», skriker hon till honom. »Jag vet var han är.»

Och Zeke följer efter henne utan att fråga något, och de rusar över vallgraven där vattnet verkar sjuda med gröna bubblor, till bilen. Regnet slår ner i marken och snart sitter de i Volvon som låter dem färdas allt snabbare och snabbare genom ägornas mörker, tycker sig ana vålnaderna av dem som gått före, hur de svävar oroligt utanför bilens fönster.

De sitter tysta.

Bakom dem andra bilar nu med påslagna ljus.

Men inga sirener.

Ljudet av regnet och vinden och motorerna härskar i skogen och på fälten.

De åker förbi Linnea Sjöstedts hus, ett matt sken från fönstren.

De passerar det hus där festen hölls den där nyårsaftonen, svänger en, två, tre gånger, och så den skarpa kröken före fältet där bilen med Jerry Petersson och de andra tumlade runt runt runt och kropparna flög genom luften, vinternatten måste ha brutits sönder av ljudet från metall som knycklas ihop, från kroppar som trasas sönder bortom all läknings möjlighet.

En bil en bit ut på fältet.

Vitt, nästan genomskinligt regn i lyktornas ljuskoner.

Och längst ut mellan ljus och mörker, står en människa, med ett gevär i ena handen.

73.

Ljusen och ljuden.

Bilarna, de spelande färgkaskaderna.

Jag kunde inte döda gubben. Men jag kunde döda hans son, det hade jag i mig. Och det kändes underbart.

Jag gjorde det.

Jerry Petersson var det inte min mening att döda, men kan någon säga annat än att han förtjänade att sluta där han gjorde?

Det är dags för mig att försvinna. Det är allt. Och det här är en bra plats, Andreas, eller hur?

Om du finns här, så visa dig för mig, i sådana fall stannar jag kvar. Ser rätt in i ormarnas gula ansikten.

Ljusen.

Bilarna.

Ropen och människorna, människan som rör sig mot mig som en svart siluett på den sanka ängen.

Jag kan inte se den människans ansikte.

Men jag vet att det inte är du, Andreas.

Ut ur bilen.

»Jag tar det här själv, Zeke.»

Gestalten där ute på fältet verkar skaka precis som på bilderna från hans liv. Det långa svarta håret som en piska i vinden.

I handen geväret. En studsare.

Malin har dragit sin pistol för andra gången på ett dygn.

Nära det de jagat nu.

Ondskan, förvirringen, rädslan inom synhåll.

Han håller vapnet längs sidan av kroppen.

De andra i skydd bakom bilarna, Svens röst, orolig, upprörd men också full av visshet: Jag kan inte hindra henne från att göra det här, och nu går hon mot mannen på fältet och ju närmare hon kommer desto tydligare blir hans förvridna ansiktsdrag, plågan i hans ögon, och det är som om han inte ser mig, tänker Malin. Som om han är ensam i regnet och blåsten och hans blick tycks söka efter något han saknat länge.

Jag ser bara mörkret.

Känner bara ormungarnas vassa krälanden inom mig, hör bara deras gnyenden. Känner pappas slag, hör deras skrik när de jagar mig.

Du finns inte här, Andreas.

Det räcker för mig nu, jag har inget mer här att göra och det kalla regnet som har pressat sig igenom mina kläder kommer aldrig att upphöra, inte heller mörkret.

Jag tittar på ljusen och på människan som kommer emot mig, hon verkar skrika men jag hör bara ett upprört brusande, som om hon ville mig något viktigt.

Men jag struntar i henne. Istället för jag gevärets pipa in i min mun, kramar samma avtryckare som ditt finger ofta tryckte, pappa, innan ditt öga trasades sönder.

Jag ser henne framför mig.

Men jag ser inte dig, Andreas. Du är inte här.

Han har höjt geväret till sin mun.

Hans fingrar mot avtryckaren, försiktigt men ändå utan tvekan.

»Gör det inte», skriker Malin. »Inget blir bättre av det.»

När hon skriker drar en kraftig vind över fältet, åstadkommer ett rasslande ljud.

Nu skjuter han, tänker Malin.

Men Anders Dalström trycker inte in avtryckaren, istället möter han hennes blick och hans ögon blir lugna, trygga av det som snart ska ske och Malin skriker igen:

»Det finns vägar framåt, det gör det alltid», och så trycks tiden samman och hon ser Tove och Janne framför sig. Hur de sitter framför tv:n i huset utanför Malmslätt och väntar på att hon ska komma dit med sin kärlek, det måste vara så, att de saknar den. Jag vill förstå, tänker hon, vad det är som står mellan mig själv och all den kärlek jag känner.

»Gör det inte.»

Min röst en bön nu.

Gör det inte.

Det finns alltid en väg vidare.

»Gör det inte», skriker hon åt mig. Jag hör det nu.

Men jag vill göra det här och jag ser ut i mörkret, och jag ser en bil volta och snurra och världen tumlas till ingenting, ta slut.

Säg mig, varför ska jag dröja här?

Pipan är kall och hård. Smakar metall och järn.

Jag ska göra det här nu.

Och hennes mun rör sig, men inga ord kommer ur den, men vad är det jag hör, vem röst, och vad säger den?

Gör det. Gör det.

Din fege fan. Gör det.

Tryck på avtryckaren och gör slut på det här.

Visst var det jag som körde, men vad spelar det för roll? Du hade inget liv innan, och sedan fick du en anledning att tro på din egen misär och kom aldrig vidare efter det.

Hopplöst.

Så gör det, gör det, gör det, gör det nu, nu, nu.

Bort, bort, bort.

Anders Dalström vill fäkta med armarna i luften, vifta bort den kroppslösa rösten och det den säger, även om den säger just de orden han helst vill höra.

Gör det.

»Sitt still. Här har jag linjalen. Fram med fingrarna.»

»Ta honom, ta honom.»

Gör det.

Jag ska, jag ska, men vågar jag?

Försvinn!

Jag vill göra det här själv.

Gör det, säger rösten, inte, säger en annan röst, gör det inte, och vems är ansiktet där framför mig?

Han stirrar rätt ut i luften, som om han fäst blicken tio centimeter framför mitt ansikte, tänker Malin.

Jag vet vad du söker, tänker hon sedan, säger: »Han finns här. Han vill att du ska stanna.»

Och Anders Dalström blir stilla, slutar skaka, precis som om filmen om hans liv tagit slut, sedan rör sig hans mun, men Malin kan inte urskilja hans ord, lätena som kommer ur gliporna kring pipan är riktade till någon annan.

Hans finger om avtryckaren.

Mörkret som en vägg bakom honom.

Vad finns i det mörkret?

Andreas? Är det du, är du där?

Är det verkligen ditt ansikte som svävar där framför hennes? I hennes ansikte? Som är hennes ansikte.

Vad säger du?

»Anders, det är jag, men ändå mycket mer», säger rösten nu.

»Det är mig du ska lyssna på. Ingen annan.

Och jag vill inte ha dig här.

Nej.

Du är inte färdig än. Ormungarna kommer att försvinna. Jag lovar.

Det liv du kommer att leva kommer kanske inte att vara ett lätt eller avundsvärt liv, men det kommer att vara ditt liv.

Du ser mitt ansikte nu. Det är jag. Eller hur? Så ta nu den där gevärspipan ur munnen. Annars försvinner jag igen.»

Det är du, Andreas.

Och du ber mig att inte göra det.

Jag ska lyssna på dig. Hur skulle jag kunna göra något annat?

Gör det inte.

Gräsklipparknivarna har äntligen tystnat, ingen jagar mig längre, och en dag, någon gång, kommer kärleken till mig igen, den kärlek jag letade efter och flydde ifrån.

Så gör det inte.

För min skull. För Katarinas. För allas skull.

Malin ser hur Anders Dalström sakta för gevärspipan ur munnen, och sedan med en hastig knyck slänger studsaren på fältets sanka mark, sedan höjer han armarna i luften, ser Malin rätt in i ögonen.

Vad ser du? tänker Malin.

Mig?

Någon annan?

Och hon riktar pistolen mot mannen framför sig.

Känner regnet rinna ner innanför kragen och vidare ner på ryggen, hör ljudet av steg bakom sig.

Sedan ser hon två uniformerade poliser komma fram till Anders Dalström, föra hans armar bakom ryggen, samtidigt som de ler stillsamma leenden.

En arm om hennes axel.

Zekes röst i hennes öra:

»Du är galen, Malin. Galen.»

Epilog

Linköping, Sävsjö, november

Den som ser och lyssnar kan höra oss.
Vi är alla här, alla vi pojkar som fångats av tiden.
Vi svävar tillsammans runt omkring er.
Vi finns överallt och ingenstans.
Vi har samma röst, Jerry, Andreas och Fredrik, vi är en kör
bortom det ni kan omfatta.
Mannen i häktescellen där nere är ensam, snart ska han till tings-
rätten för att få sin dom.
Samtidigt kan han aldrig bli ensam eftersom han vet vem han är,
varför han gjorde det han gjorde.
Mördaren kan vara avundsvärd. Hur märkligt är inte det?
Men mycket är märkligt.
Och få är de som ser och lyssnar.
Få är de som vågar tro.

Malin ser sig omkring i rummet. En känsla av institution härskar över kursgården omgjord till behandlingshem för de anpassade alkoholister som gått över något slags anständighetens gräns.

Sex veckor här.

Sven Sjöman var obeveklig.

»Jag tar dig ur aktiv tjänst. Sjukskriver dig, och sedan får du åka till det här behandlingshemmet.»

Han la broschyren på sitt skrivbord, den lilla förhatliga skriften vänd mot henne.

Som reklam för en rekreationsresa.

Gulmålade längor runt en vitputsad sekelskiftesvilla. Blommande björkar.

Snö därute nu, senhöstens regn format till vackra kristaller.

»Jag åker.»

»Du har inget val om du ska förbli polis.»

Hon ringde Janne. Berättade om läget, vad Sven ville att hon skulle göra, och han lät inte förvånad, kanske hade han och Sven varit i kontakt.

»Du vet att du har problem, eller hur?»

»Ja.»

»Att du är alkoholist.»

»Jag vet att jag inte kan hantera spriten, ja. Och att jag måste ...»

»Du måste sluta dricka, Malin. Inte ta ens en droppe.»

Janne hade låtit henne träffa Tove. De hade fikat ute i Tornby, sedan gått på H&M och köpt nya kläder till dem båda två. På kaféet hade Malin sagt förlåt, att hon blivit som helt galen den sista tiden, berättat att hon skulle få hjälp, som om det var en nyhet för Tove.

»Måste du vara borta så länge?»

»Det kunde ha varit ännu värre.»

Och Malin hade velat gråta och hon såg att Tove stålsatte sig. Eller gjorde hon verkligen det?

Det var som om det satt en vuxen människa framför Malin, en bekant främling, en människa som förändrats, och de satt i köpkaoset och försökte att inte vara ledsna tillsammans. Av alla saker en mor och dotter kan göra tillsammans gjorde de denna.

Tove sa: »Det blir bra för dig, mamma, du behöver hjälp.»

Säger femtonåringar så?

»Jag klarar mig, du måste försöka bli bra.»

Sjuk i Toves ögon. Men det är något sjukt med den förälder som överger sitt barn.

»Jag är hemma före jul.»

Men detta ställe.

Sitta i grupp och prata om hur törstig man kan bli.

Sitta i enskilt samtal med någon som inte kan få en att öppna sig.

Erkänna att man är »alkoholist».

Sakna Tove så att man blir galen. Skämmas så att man vill vända huden ut och in. Försöka hitta sätt att bära skammen.

Kramar utanför huset i Malmslätt när hon släppte av Tove. Janne innanför det upplysta köksfönstret i mörkret.

»Var försiktig. Låt inget hända dig. Det skulle ta död på mig.»

»Säg inte så, mamma, säg inte så. Jag klarar mig.»

Malin saknar inte Janne. Den avsaknaden av saknad är det bästa hon har här.

Vem vill sitta och prata om sina destruktiva beteenden? Sina mönster, vad som utlöser törsten. Sina minnen.

Ge fan i minnena.

Vill inte, vill inte, vill inte veta.

Drömmar om en ansiktslös pojke. Om hemligheter.

Lögner. Sagda rätt upp i ansiktet på välmenande människor. Sömnlösa nätter, drömmar om ormungar som jagas av gräsklippar-knivar i kloaker fulla med blåmagade råttlik.

Det här får ett slut för de döda, men inte för mig. Eller får det kanske det?

Bilderna i drömmarna är svartvita, som tagna med en super-åtta-kamera och ibland finns det en pojke på bilderna, en pojke som springer över annat gräs än det på filmen på Anders Dalströms sovrumsvägg.

Igår satt jag med de andra. Jag sa orden rätt ut: »Jag är alkoholist.»

Pappa ringde hit.

Han hade hört av Janne var jag var, varför jag inte svarade i telefon hemma eller på mobilen. Han lät inte orolig, snarare lättad även han.

»Du mådde inte bra när vi sågs.»

Vad döljer du för mig? Ni. Vad är det jag inte vet? Kommer du och mamma att ta med er hemlighet i graven?

Är det ni döljer anledningen till att jag sitter här i ett rum på ett behandlingshem i skogen och stirrar på en urtvättad trasmatta?

Malin kryper upp i sängen som står intill väggen. Drar benen under sig och tänker på Maria Murvall, hur hon sitter på en annan säng i ett annat rum.

Vad vill den här världen med oss, Maria?

Jag kommer att vara hemma till jul. Jag ska klara av att inte dricka. Vi ska ha en jul i lugn och ro. Jag måste hålla mig lugn.

Soffan i tv-rummet är klädd med grönt tyg.

Malin är ensam där, ingen av de andra kvinnorna med samma problem som hon är väl intresserade av dagens stora händelser.

Rättegången mot Anders Dalström börjar idag. Förhören med honom. Hur han pratade om att det var som om ormungar funnits i honom, och att de liksom runnit ur honom när han dödade Jerry Petersson. Han pratade om ett lugn. Ett lugn han längtade efter att få uppleva igen och som gjorde det lätt att döda Fredrik Fågelsjö, men att ormungarna vägrade lyssna på våldet med Axel Fågelsjö.

Börje Svärds fru Anna dog tidigare i veckan, fick sluta andas till slut, och Malin ringde Börje, men hon fick inget svar, och försökte inte igen. Men hon visste att han skulle behålla Jerry Peterssons hund, vad den nu kan ha hetat.

Hon tar en klunk av teet hon nyss hämtade i köket.

Ser ut genom fönstret, samma mörker som tidigare.

Så Rapports vinjett, sedan en kvinnlig röst och bilder:

»Den man som erkänt mord på två personer i Linköping i höstas, och kidnappningen av en tredje person, dödades idag vid en attack i Linköpings tingsrätt. En man identifierad som offret för kidnappningen och även ett av mordoffrens far hade på okänt sätt lyckats smuggla in ett avsågat hagelgevär i tingsrätten och ...»

Malin blir matt.

Skvätter ut te i sitt knä, men hettan finns inte, istället riktar hon blicken på skärmen.

Ser bilderna från rättssalen.

Tumultet.

Hon hör skotten. Skriken.

Sedan Axel Fågelsjös ansikte, ljusa ärr över kinden.

Huvudet nertryckt mot tingsrättssalens golv av två poliser.

Ansiktsuttrycket fullt av övertygelse, handlingskraft, ensamhet och sorg.

Ett ansikte, inte en mask.

»Du gjorde det», tänker Malin. »Och jag förstår dig.»

Monstret över Tove. Redo att strypa henne.

Om inte en förälder värnar om sitt barn, vem ska då göra det?

Min uppgift är att skydda Tove.

Det finns en plats på den här jorden för mig också, tänker Malin. Hon känner att allt kommer att ordna sig.

LÄS MER

Extramaterial om boken och författaren

LÄS MER

Namn: Mons Kallentoft
Yrke: Författare och journalist
Född: 15 april 1968 i Linköping
Familj: Barnen Karla och Nick, hustrun Karolina
Bor: Stockholm
Bibliografi: *Pesetas* (2000), *Marbella Club* (2002), *Food Noir* (2004). *Fräsch, frisk och spontan (2005). Midvinterblod (2007), Sommardöden (2008), Höstoffer* (2009,) *Vårlik* (2010).
Aktuell: Pocketaktuell med *Höstoffer* i Pocketförlaget och med *Vårlik*, del fyra om Malin Fors som utkommer på Natur & Kultur den 12 maj.

På nästa sida kan du läsa ett utdrag ur *Vårlik*.

Mer om Mons:
Hemlig talang: Simma långt under vattnet
Sämsta egenskap: Långsint
Bästa egenskap: Driftighet och uthållighet, generös
Blir glad av: Vin, samtidskonst
Arg av: Girighet, snikenhet
Favoriter i fiktionens värld: Cormac McCarthy, F. Scott Fitzgerald, Easy Rawlins och Sonny i Gudfadern.
Favoritplats: Oriental Hotell, Bangkok

Läs mer på www.monskallentoft.se, där du även kan följa Mons Blogg Noir.

En elak, bränd doft i luften, säkert från byggexplosionen tidigare,skär genom luften och verkar göra vårsolen orolig.

Malin drar sig intill pappa på den stenbelagda gången utanför kapellet, vill lägga armen om honom, ser att han helst skulle vilja vara någon annan stans.

Vinden ruskar om en ekkrona där de gröna lövknopparna alltjämt håller inne sina mer yviga gester. Jag hade rätt, tänker Malin, de till synes mest livlösa trädstammarna vibrerar av liv, överallt i staden knoppas träden.

Prästen ler, tar pappa i hand, mumlar något som Malin inte kan uppfatta. Sedan tar Malin pappas hand, och i sin andra hand känner hon snart Toves spretiga mjuka fingrar sluta sig till ett fast grepp. Janne har lommat i förväg, står borta vid sin senaste bil, en silverfärgad Jaguar av äldre modell som han fixat till, och han ser ut att vilja tända en cigg, trots att Malin vet att han aldrig rökt i hela sitt liv.

Pappa lösgör sig. Tar några steg åt sidan, och så paraderar de andra begravningsgästerna förbi och de skakar hans utsträckta hand.

»Tack för att ni kom.»

»Kaffe serveras hemma hos oss på Barnhemsgatan.»

»Ni tittar väl förbi.»

Gästerna på Malins mammas begravning är ännu inte märkta av ålder men de börjar bli gamla och är säkert glada över att det inte var någon av dem i kistan.

Samtidigt som en svala jagar en vindpust över kapellets koppartak låter hon dem förvandlas till kollegorna på Utredningsroteln vid Linköping polisen. En kraftig kvinna med rödfärgat hår får bli Sven Sjöman, hennes sextiotvåårige chef som det senaste året åter lagt på sig de kilon han lyckats gå ner och åter ger ifrån sig ett stånkande ljud vid minsta ansträngning, ett ljud som får Malin att tro att han när som helst ska gå samma väg som hennes mamma.

En äldre man med flint får bli Johan Jakobsson, den utarbetade, allt igenom rekorderlige småbarnspappan som verkar trivas med radhuslivet. En solbränd gentleman får bli Börje Svärd, som rakat av sig sina slokmustascher efter det att hans fru Anna gick bort i

3

MS för något år sedan. Börje har inte träffat någon ny kvinna, i stället hänger han sig åt sina hundar, pistolskytte och åt arbetet.

Galningen Waldemar Ekenberg, den våldsamme, handlingskraftige polisen från grannorten Mjölby, tar plats i en liten skinntorr, sönderrökt kvinna med snärtig, bestämd röst.

»Jag beklagar sorgen. Men jag kan tyvärr inte närvara på kaffet. Hon var en fin människa.»

Hennes närmaste kollega Zeke är här en vänlig farbror med skarp näsa och pliriga ögon, inte helt olik verklighetens Zeke, den med rakad hjässa, stålblick och en förkärlek för att älska med den vackra kriminalteknikern Karin Johannison, trots att de båda två är gifta på var sitt håll.

Så är paraden av begravningsgäster slut.

De går mot sina bilar borta på parkeringen. Ingen av dem liknade Karim Akbar, den knappt fyrtioårige kurd som är chef för Linköpingspolisen. Karim har kommit igång igen efter sin skilsmässa, har skrivit färdigt sin debattbok om integrationsfrågor och syns i både tidningar och tv i sina oantastliga kostymer och sitt välfriserade hår. Han har träffat en ny, en åklagare som Malin inte ens tål att se. Hon är feg, den åklagaren, en riktig karriärist som inte ens låter dem förhöra utpekade pedofiler.

Lekar, tänker Malin sedan, mamma är död. Det här är min mammas egen begravning och allt jag gör är att ägna mig åt tankelekar.

Tove har gått till Janne vid Jaguaren.

De står ut med varandra, hon och Janne, för Toves skull.

Malin säger ingenting om någonting när hon träffar Janne. Bäst så, bäst att hålla ilskan och bitterheten och ensamheten borta genom att inte sätta ord på den.

Det blir prat om Tove. Saker som ska köpas till henne, vem som ska betala vad, hur och var deras gemensamma dotter ska tillbringa sin lediga tid, sina skollov.

Träffar han någon ny?

Malin har inte märkt något, sett något, eller hört något. Hon brukar ha bra väderkorn för sådant och Tove har heller inte antytt någon ny kvinna ute i huset i skogsdungen på vägen ut mot Malmslätt.

Malin tar pappa under armen, leder honom bort mot parkeringen, frågar:

»Var det många som skulle komma på kaffe?»

»Alla utom Dagny Björkqvist. Hon skulle vidare till en annan begravning i Skärblacka.»

Skärblacka.

Platsen för Östgötaslättens största sopförbränningsverk. Ibland lägger sig lukten från Skärblacka över Linköping som ett stinkande moln.

Inget Skärblackamoln i dag, tack och lov.

Bara den där märkliga svaga lukten av något bränt, som av en explsion och, Malin vill inte ens tänka tanken: av bränt kött, av rädsla.

Kan den lukten komma från mamma?

De kremerar kropparna här, i en anläggning förbunden med kapellet via kulvertar och kan de ha varit så snabba att mamma redan brinner, att hennes kropp redan är omsluten av förgörande lågor, att det är lukten av mammas förbrända fläsk som sprider sig som ett osynligt spår ut i atmosfären?

Men nej.

Så snabbt kan de inte gå från avslutad begravning till kremering.

Kistan står kvar där inne, och plötsligt vill Malin springa tillbaka in i kapellet, öppna kistan och lägga en varm hand på mammas kind och säga farväl, adjö mamma, mamma jag förlåter dig, vad det nu än var som gjorde att det blev som det blev.

Men hon stannar på parkeringen med pappa.

Ser bilarna åka iväg, en efter en, slår bort bilden av kistan. I stället sätter hon på den telefon med stor display hon lyckats tjata till sig av Karim Akbar, årets enda teknikinvestering på polisen, fingrar nervöst på tangentbordet och i detsamma som telefonen får mottagning ljuder ringsignalen.

Sven Sjömans nummer på displayen.

Han.

Nu?

Han vet att jag är på begravning, så nu måste något jävligt ha hänt, och Malin känner det välbekanta pirret, upphetsningen som hon alltid känner när hon anar och nästan hoppas att en ny och stor och viktig utredning ska ta sin början. Sedan kommer skammen, dubbel denna gång, att hon känner arbetets glädje som en befrielse nu och på det här viset.

Vem har råkat illa ut denna gång?

Några fyllon som slagit ihjäl varandra?

Ett grovt rån?

Några barn?

Flickorna, änglarna nyss.

5

Gode gud, låt det inte vara barn som råkat illa ut. Det går inte att värja sig mot det våldet, ondskan mot barnen.

»Malin.»
»Malin?»
Sven upprörd, nästan förvirrad. Men så samlar han sig.
»Jag vet att jag måste ringa oläglig, men det har hänt en alldeles för jävlig sak. Någon har smällt en bomb på Stora torget. En rejäl laddning. Många rejält skadade. Kanske till och med döda. Det är ett jävla kaos och ...»
Hon hör Svens ord, men vad fan är det han säger, vad säger han egentligen och hon förstår utan att förstå och munnen rör sig:
»Jag kommer.»
Pappa ser på henne, hör hennes ord och han vet att hon är på väg bort till något annat, och han ser rädd ut men nickar lugnt åt henne där han står vid sin svarta gamla Volvo, som om han vill säga: »Jag klarar mig.» Men i hans blick finns också något annat, något jagat, en annan sorts känsla av lättnad som Malin inte kan få grepp om och som hon känner har betydelse.
»Åk direkt till torget.»
»Jag är där om fem minuter. Eller kanske tio.»
Hon trycker bort samtalet, rättar till sin svarta långklänning och rusar bort till Janne och Tove.
Janne ser bekymrad ut, tittar avvaktande på henne med rynkad panna när hon småspringer mot honom, hindrad av den långa klänningen.
Måste ha sett henne prata i sin nya telefon, sett hennes arbetsjag gå igång.
Är det någon från Räddningstjänsten som behövs på torget nu är det Janne.
Hur kan det se ut där?
Som i krig. Med avhuggna lemmar och blod och skrik. Janne kan det där. Rwanda, Kigali, Bosnien, Sudan. Säg den samtida oroshärd där hans behov av att visa medkänsla inte fått utlopp.
»Vi måste iväg. Du och jag», säger hon och rycker tag i hans arm, och så förklarar hon vad som hänt, och Tove säger, med klar blick i sitt vidöppna tonårsansikte: »Åk ni, jag tar hand om morfar och kaffet, åk ni, det är viktigare.»
»Tack», säger Malin och vänder sig bort från Tove och det känns som att hon gjort det tusen gånger förr, tusen gånger för ofta.

Pappa har kommit fram till dem.

»Pappa, det var jobbet, det har hänt en fruktansvärd sak, jag måste iväg.»

»Åk», säger han utan att tveka. »Kaffet blir ändå inte kul, det kan jag lova dig.»

Han frågar inte vad som hänt, verkar inte ens nyfiken.

Minuten senare sitter Malin i sin vita, nya tjänste-Golf med Janne bredvid sig.

Pappa och Tove får ta Jaguaren.

Vårsolens strålar har gjort luften i bilen het som i en ökenbunker. I backspegeln ser Malin pappa och Tove stå på kapellets parkering. De håller om varandra men Malin kan inte se om de gråter. Hon tror inte det, i stället vill hon inbilla sig att de hämtar kraft hos varandra för att orka erövra återstoden av dagen, och all den framtid som finns bortom den. Janne tar ett djupt andetag, harklar sig innan han säger:

»Jag har sett vad explosioner kan göra med människokroppar, Malin. Var beredd på det värsta.»

***

Två gråvita duvor pickar i något som Malin tycker ser ut som en bit kött, det måste vara människokött, eller hur? Kött från en sönder-sliten kropp, som om sylvassa ödletänder slitit den i stycken.

Gatstenen på Stora torget är fläckad av damm och bråte. En smutsig pappersskylt med ordet »Rea» handskrivet i orange tusch blåser förbi henne tillsammans med hundratals rosa tulpanblad.

Är det verkligen kött där framme?

Malin rör sig mot det som ligger på marken kanske tio meter framför Apoteket. Höjer armarna, vill få bort duvorna, de ska inte picka i det där.

Det ser ut som.

Nej, låt det inte vara det.

Nej, nej, nej.

Hennes svarta klänning åker upp av en vindpust när hon lång-samt rör sig mot det hon inte vill se.

Hon och Janne parkerade vid Hamlet och från Storgatan syntes ingen förödelse och heller inga människor, i stället fanns där bara en allt omfattande tystnad när de öppnade bilens dörrar och började springa ner mot torget och den väntade förödelsen.

Kanske var Svens samtal bara en dröm? Kanske hade det inte skett någon explosion? Kanske var det ingen bomb, utan bara en gasledning som brustit, men det var väl länge sedan man slutade använda gas i Linköping?

Så närmade de sig torget.

Slog av på takten, som om de ville lugna sina hjärtan, stålsätta sig, förbereda sig, slå på sina yrkespersonligheter.

Marken framför skoaffären och Pressbyrån var täckt av glassplitter från urblåsta fönster. Stanken av svett kött och hår var påtaglig, men hon hörde inga skrik.

De rundade hörnet av gallerian och såg torget.

Synen av förödelsen fick nästan Malin att falla till marken. Hon blev tvungen att stanna, hämta andan samtidigt som Janne rusade vidare mot ambulanserna och brandbilarna som kört in på torget nere vid Mörners inn och Stora hotellet.

Brandmän och ambulanspersonal kretsade runt liggande människor med glänsande metallfiltar över sina kroppar och slarvigt bandagerade, blödande huvuden. Flera av de skadade pratade i telefon. Säkert med sina anhöriga, och Malin kände själv en underlig längtan efter att ringa till Tove trots att det bara var en liten stund sedan de träffades.

Överallt glas och skräp och damm. Blomsterhandlarens lilla stånd omkullvräkt, tulpaner överallt. En vilsen vit vinthund rusade av och an med blödande tassar och vita och grå duvor kretsade över scenen, flög lågt fram och tillbaka, verkade spegla sig i glasmassorna. Alla hotellets kanske femtio fönster mot torget hade blåsts ut och glaset var spritt i miljontals skärvor nedanför. I bottenvåningen låg hotellets restaurang och bar öde och öppen för vinden, som om gud stigit ner på jorden och förklarat för människorna att domedagen kommit.

Malin knep ihop ögonen.

Kände återigen stanken av bränt kött och tyg.

Såg uniformsklädda poliser som spände upp avspärrningstejp.

Försökte vänja sig, förstå vad hon såg, försökte få ögonen att acceptera det knivskarpa vårljuset som fick alla de ännu vinterbleka människorna på torget att se nästan döda ut, livlösa med en hudnyans som fick blodet på gatstenarna att verka ännu rödare.

Korvgubben.

Parasollet ovanför hans vagn en avskalad stålram.

Behållarna med korv utvälta på gatstenen och uteserveringarnas kanvastak bortblåsta, som om en jättelik mun lutat sig ner från skyn och sugit in all luft för att sedan slänga krossat glas över de av Linköpings invånare som njutit av vårsolen på stadens största torg just denna dag.

Två radiobilar borta vid det gamla tingsrättshuset. Ett stinkande svart hål där SEB:s uttagsautomat suttit. Men inga rester av pengar på torget, varenda sedel måste förtärts i det som var explosionens kärna.

Kan det ha varit en uttagsautomatsprängning som gått fel?

Nej.

Inte en enda uttagsautomatsprängning har rapporterats i landet på åratal. Den som vill stjäla från uttagsautomater gör det genom skimning eller genom att smyga till sig kod och kort.

Och bomben var alldeles för kraftig, tänkte Malin. Men det kanske var ett rån som gått fel?

Övervakningskamerorna ovanför automaten verkade otroligt nog intakta. Fönstren utblåsta, och några av de stålbågar som hållit bankens rutor på plats måste ha smält vid explosionen.

Välta cyklar. Trasiga däck.

Sven? Zeke? Börje? Johan? Waldemar?

Malin gnuggade ur ögonen, kunde inte se någon av sina kollegor, men visste att de måste finnas någonstans i det stilla larmet.

Tomt och tyst inne på banken, en skara nyfikna i hörnet vid fiket och konsthallen Passagen. I huset bredvid en annan uttagsautomat, Handelsbanken, och den var hel.

Varför? För att de inte gått att skuldbelägga för finanskrisen till skillnad från SEB? För att de skött sig? Malin tänkte på Annika Falkengren, SEB:s vd, som tjänade tjugo miljoner samma år som krisen slog till. Och dessutom tänkte höja sin fasta lön. Hur hennes ledarskap bidragit till att störta människor i fördärvet medan hon roffade åt sig utan hejd.

En välspacklad vampyr som suger i sig champagne på ett slott i Djursholm.

Henne kan någon mycket väl ha velat spränga i luften. Det hon står för.

Flera gånger under de senaste åren har Malin blivit spyfärdig av bankdirektörernas girighet. Hon är inte ensam om den känslan.

9

Direktörerna borde få tigga på gatorna, som så många andra får göra nu.

Så borde de nyfikna vara där? Så nära banken.

Tänk om det här är ett terrordåd. Tänk om det smäller en andra bomb.

En vält barnvagn.

Vad krävs för att rubba mig? tänker Malin när hon ser duvorna picka i det där köttet som hon absolut inte vill tänka på var det kommer ifrån.

Några brandmän hon inte känner igen lägger gula plastskynken över andra bitar av kött, av människor. En fot. En liten fot, ett öga, ett ansikte, vad i helvete har hänt här egentligen, vad i helvete är det här? Två sönderslitna ansikten. Nej.

Vinthunden skäller.

Skakar sina glasstungna blodiga tassar så att blodet sprejas över glassplittret och torgets gatstenar och så ser Malin Börje Svärds kraftiga gestalt, hur han tar tag i hundens koppel, sätter sig på knä och drar den till sig, lugnar den med varsamma strykningar.

Illamående.

Törst.

Är Hamlet öppet? Nu vore det jävligt gott med en bärs och en tequila och de där duvorna ska inte picka, nu är de där igen.

En bår bärs in i en ambulans vid hotellets entré, en droppställning och en läkare som Malin känner igen står bredvid båren. Hans blå tröja är blodig.

Duvorna.

Hon närmar sig dem igen.

Behåll huvudet kallt nu, Malin, behåll sansen, skärp dig, och hon ser Janne, han har fått på sig en gul Gore-Tex-jacka som skyddar den nya kostymen, och han tar lugnt och metodiskt hand om två skadade studenter som ingen hunnit bry sig om tidigare. Han lägger om de små såren på deras armar, pratar med dem, Malin kan se hans mun röra sig, och trots att hon inte hör vad han säger vet hon att han är allt igenom professionell, en trygg och varm människofura som får chocken att utebli. Återigen vill hon springa upp till Hamlet.

Men det duger inte.

Duvorna.

De pickar i köttet, huden, håret, barnahåret. Malin rusar dit nu. Armarna utsträckta för att härma en rovfågel.

Oanständigt.

Hon schasar och så flyger duvorna mot skyn, blandar sig med de lågt flygande svalorna.

Hon stannar vid det fåglarna pickat på.

Sjunker ner på knä.

Lägger klänningens svarta tyg till rätta.

Känner magen dra sig samman men lyckas hålla tillbaka kräkreflexerna.

En svedd kind. Ett barns vackra kind, liksom sliten från huvudet och kindbenet av en perfekt, förintande kraft.

Så ögat, ännu på sin plats, precis där det borde vara ovanför kinden, som om det ännu kan se.

Ett litet öppet brunt öga som stirrar på Malin, som vill säga henne något, be henne om något.

Hon vänder bort blicken.

Ropar mot brandmännen med de gula plastskynkena.

»Här borta. Täck över här borta.»

Är det mig du ser, Malin Fors, eller är det min tvillingsyster?

Jag vet inte, jag törs inte titta efter, se resterna av det som var jag, var vi, jag och min syster.

Sex år blev vi, Malin.

Sex år.

Vad är det för ett kort liv?

Vi vill ha mer.

Kanske kan du ge oss mer liv, Malin. Och pappa, var är han? Varför är inte han här, han borde vara här och vi vill att han ska vara här, för mamma är borta i ambulansen, nästan hos oss, eller hur?

Det är ensamt och mörkt här och den blodiga vita hunden som dansar är läskig. Ta bort hunden, Malin, ta bort hunden.

Nu går du bort över torget, orkade inte se kinden och ögat. Glassplittret knastrar under dina svarta finskor och du undrar hur många som omkommit. Två barn? Två flickor, flera?

Vi vet allt det där nu, Malin, hur du tänker, trots att vi bara är sex år. Vi vet plötsligt allting, och vi kan språket, och med den kunskapen och vetskapen kommer insikten att vi inte vet någonting och det är den insikten som skrämmer oss, som gör oss så rädda att du kan höra vår rädsla vina genom luften som ljudet från en hundvissla: där men ändå inte där.

Sven Sjöman och Zeke står vid en svart bil utanför Mörners inn.

Du närmar dig dem, Malin.
Du är också rädd nu, eller hur? Rädd för vart den här explosionen
kan ta dig. Rädd för de begär, den längtan efter klarhet som vår
våldsamma och hastiga död kan sätta igång inom dig.
För att den kan få allt du vet om ondskan att dansa i dig.
Vi är sex år, Malin.
Sex år blev vi.
Sedan utplånades vi. Och du vet att vi kan utplåna dig.
Det är därför du älskar oss, eller hur? För att vi kan ge dig frid.
Samma frid som du kan ge oss.

**Läs fortsättningen i *Vårlik*, utkommer den 12 maj 2010 och under vå-
ren 2011 på pocket.**

Vänd och läs om Mons Kallentofts två första böcker om Malin Fors.

Midvinterblod

"Mons Kallentoft har
skrivit årets bästa
deckare."
ICA-Kuriren

"Kallentoft briljerar.
Spännande, skickligt
konstruerad, briljant
språk och genomar-
betade person- och
miljöskildringar. Mons
Kallentofts 'Midvinter-
blod' överträffar det
mesta inom deckar-
genren."
Svenska Dagbladet

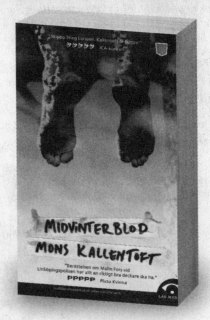

Det är den kallaste vintern i mannaminne och ute på den blåsiga,
snötäckta Östgötaslätten hittas en man hängd i ett ensamt träd.
Hans frusna kropp är illa tilltyglad. Hela tillvägagångssättet på-
minner om ett gammalt asablot. Men rör det sig verkligen om ett
människooffer? Och varför har någon gett sig på Bollbengan, en av
stadens utstötta?

Malin Fors ger sig ut på jakt efter mördaren. En jakt som tar
henne djupt in i människans kyliga mörker. Hon följs åt av Boll-
bengans ande som svävar under de kalla stjärnorna och manar på
Malin att ta reda på hans historia...

Midvinterblod är första delen i en serie om kriminalinspektör Ma-
lin Fors vid Linköpingspolisen. Det är en otäck suggestiv berättelse
om gamla oförrätter, hemligheter och de fruktansvärda saker som
människor kan utsätta varandra för.

Sommardöden

"En välskriven, sug-
gestiv berättelse som
får många av Kal-
lentofts kollegor att
framstå som glada
amatörer."
*Aftonbladet, Ingalill
Mosander*

"Att läsa Kallentoft är
en njutning."
Kristianstadsbladet

Det är den varmaste sommaren någonsin i Östergötland. Linköping
dallrar i hettan och i de omgivande skogarna rasar de värsta skogs-
bränder trakten sett. Tidigt en morgon hittas en fjortonårig flicka
irrandes naken och våldtagen i stadens största park. Flickan själv
minns ingenting och kriminalinspektör Malin Fors och hennes kol-
lega Zeke tvingas försöka nysta i de få ledtrådar som finns. Men hur
hamnade flickan i parken och vem är förövaren? Samtidigt anmäls
en annan flicka försvunnen av sina föräldrar och kort därpå görs en
fasansfull upptäckt vid en badplats utanför staden.

Sommardöden har kommit till Linköping och under några varma
julidagar förvandlas drömmen om sommaren till en fruktansvärd
mardröm...

Sommardöden är andra delen i Mons Kallentofts serie om krimi-
nalinspektör Malin Fors vid Linköpingspolisen.

Tips för dig som vill starta en bokcirkel.

Idag är det många som diskuterar sina böcker i bokcirklar. Vi har samlat några tips för dig som är med i en bokcirkel eller är intresserad av att starta en. Vi hoppas att vi ska kunna ge dig lite inspiration att komma igång med just din bokcirkel!

Bokcirkeldag:
Bestäm er för en dag som ni ska träffas och diskutera boken ni valt och håll sedan fast vid den. Det är bra att satsa på en träff i månaden så att alla hinner läsa boken.

Vad ska man läsa:
Ett tips är att låta alla i gruppen välja en bok till varsin träff. Då får alla chans att påverka och alla känner sig delaktiga. Ett bra tips är också att välja en bok som man kan diskutera kring. För inspiration, gå in på **www.pocketforlaget.se**. Där kan du hitta många bra böcker som passar i bokcirklar.

Vad ska man prata om: Här kommer lite tips att tänka på.
Karaktärerna i boken: Vad tycker du om dem? Hur uppfattar du dem? Vilken känner du mest/minst för? Varför tror du att de agerar som de gör? Lyckas författaren med sin beskrivning av karaktärerna?
Vad handlar boken om? Har boken ett speciellt tema den tar upp? Hur är den skriven? Tycker du att författaren lyckas med sina miljöbeskrivningar? Hänger tema och språk ihop?
Symbolik: Finns det några gömda symboler i texten? Vilka symboler använder sig författaren av?
Vad tror du författaren menar med boken? Vad vill han eller hon säga med boken? Tycker du att han eller hon lyckas? Är språket lättillgängligt, passande för storyn eller stjälper det historien? Är boken optimistisk, pessimistisk eller humoristisk?
Vilka känslor väcker boken? Blir du arg, ledsen, glad, rädd? Vad gillar du med boken och vad gillar du inte?
Ditt slutbetyg: Avsluta med att sätta betyg på boken och glöm inte att motivera ditt svar.

Lycka till med just din bokcirkel!

UTVALD LÄSNING FÖR DIG SOM ÄLSKAR UPPLEVELSER, UTMANINGAR OCH STARKA KÄNSLOR.

Det talas ofta om den yngre generationens minskade intresse för läsning som ett tecken på mänsklighetens förfall. Sanningen är naturligtvis att dagens unga är minst lika kloka och nyfikna som tidigare generationer, men att utbudet av aktiviteter nu är mångfalt större. Boken har helt enkelt fått ökad konkurrens.

Alla som älskar böcker vet att den upplevelse man får vid läsning knappast överträffas av något annat – men har de unga fått en verklig chans att upptäcka detta? Det tycker inte vi.

För att hjälpa unga att hitta fram till den läsning som passar och intresserar dem har vi därför tagit fram en särskild serie pocketböcker som vi kallar IRL (In Real Life). Som namnet antyder består serien av titlar som är utvalda för att erbjuda en läsning som är verklighetsnära, utmanande och ifrågasättande, och som aldrig är tillrättalagd. Helt enkelt mycket bra läsning för unga, och för alla andra givetvis.

Genom IRL vill vi göra boken mer tillgänglig. Det behändiga pocketformatet och omslagens expressiva formspråk ska i kombination med en bred distribution ge fler unga chansen att upptäcka de upplevelser som bara en bra bok kan ge.

För att denna läsning även ska få påverkan i verkliga livet har vi inlett ett samarbete med Rädda Barnen som syftar till att ge skolbarn i Sudan en möjlighet att läsa riktiga böcker. En krona för varje bok i IRL-serien går oavkortat till detta projekt. Så nu kan du med din läsning göra tillvaron lite bättre för någon annan.

Pocketförlaget

1kr
från varje bok går till
Rädda Barnen
Save the Children Sweden

NYHETER I IRL-SERIEN UNDER VÅREN 2010:

Nick & Norahs oändliga låtlista av Rachel Cohn & David Levithan • *Janis den magnifika* av Johanna Nilsson • *Så värt* av Martin Jern • *Nattens begär* av Sherrilyn Kenyon • *Justin Case* av Meg Rosoff • *Ibland bara måste man* av David Levithan • *Var är Alaska?* av John Green • *Vad är så skört att det bryts om du säger dess namn?* av Björn Sortland. **Välj inte en – läs alla. 1 kr per bok går till Rädda Barnens läsprojekt för skolbarn i Sudan.**

FINNS I BOKHANDELN FRÅN 24 MARS 2010

NICK & NORAHS OÄNDLIGA LÅTLISTA

Rachel Cohn & David Levithan

De möts av en slump vid midnatt. Sedan korsas deras vägar igen och igen. Musik, dans och hängel på de mest besynnerliga ställen gör natten näst intill oändlig.

Rachel Cohn och David Levithan skriver vartannat kapitel och låter Nick och Norah växelvis delge sina ibland vitt skilda tolkningar av nattens händelser.

"Det är överjordiskt ljuvt, ett oväntat möte, en natt på stan, ett oändligt samtal, en perfekt låtlista. En mycket bra bok." **SvD**

JANIS DEN MAGNIFIKA

Johanna Nilsson

Nu har jag stulit min brorsas bil. Jag är sjutton år och har inget körkort, men det struntar jag i, för jag måste norrut, bara norrut, för att hitta det ultimata som jag och Emelie sa att vi skulle hitta tillsammans. Och så ska jag sörja tills ingen sorg finns kvar och det vill jag göra ifred!

Den prisbelönta författaren Johanna Nilsson tar oss med på en hisnande resa kantad av katastrofer och glimtar av lycka.

"Johanna Nilsson vet hur man skriver in flickor i historien och skapar romanfigurer som besitter den outgrundliga förmågan att resa sig ur det mest hopplösa." **Aftonbladet**

SÅ VÄRT

Martin Jern

Aron, 15, är inte nöjd med den han är, men vet heller inte vem han vill vara. Han berättar om en tonårsvärld där spelreglerna är suddiga och där det bara tycks finnas två alternativ: att vara en sån som ingen ser, eller nån som alla vill döda.

Efter manus till filmer som Fjorton suger och Du & jag, debuterar nu Martin Jern som författare.

"En makalöst klarsynt tillbakablick på dem vi alla en gång var." **Helsingborgs Dagblad**

NATTENS BEGÄR

Sherrilyn Kenyon

Amanda Devereaux har en helt galen familj. Hennes mor och syskon är häxor, medier, och vampyrjägare. En dag vaknar hon upp fastkedjad vid en sexig, blond främling, Kyrian av Thracia. Först tror Amanda att detta är ett av hennes systers mer raffinerade försök att fixa ihop henne med en spännande man, men det står snart klart att Kyrian inte är idealiskt pojkvänsmaterial.

Nattens begär är första delen i serien om de Svarta jägarna.